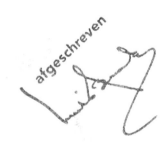

HET EINDE VAN DE ONSCHULD

Sandra Brown

HET EINDE VAN DE ONSCHULD

the house of books

Oorspronkelijke titel
Where There is Evil
Uitgave
Pan Books, Londen
Copyright © 1998, 2006 by Sandra Brown
Copyright voor het Nederlandse taalgebied © 2008 by The House of Books,
Vianen/Antwerpen

Vertaling
Michelle Posthumus
Omslagontwerp
Studio Jan de Boer BNO, Amsterdam
Omslagfoto
Image Select
Foto auteur
David Mills
Opmaak binnenwerk
ZetSpiegel, Best

ISBN 978 90 443 2069 5
D/2008/8899/33
NUR 302 / 402

Opgedragen aan de herinnering
van mijn moeder,
Mary Milne Frew,
en
Mary McCall Anderson
(Moira)

Dankbetuiging

Als het leven niet wordt gemeten in het aantal keren dat je adem-
haalt, maar dat je de adem wordt benomen, dan denk je misschien dat hetzelfde over boeken gezegd mag worden. Vele worden gelezen, sommige leg je terzijde, sommige beïnvloeden je
denkpatroon, sommige klimmen in je hoofd en blijven daar, en
een paar veranderen zelfs je leven.

Dit boek, dat de fundering heeft gelegd voor een liefdadigheidsinstelling die veel families ondersteunt die getroffen zijn door kindermisbruik, is uniek. Ik ben blij dat ik de kracht heb gevonden
om Moira's verhaal te vertellen.

Sinds de eerste publicatie van *Het einde van de onschuld* heb ik
vanuit de hele wereld berichten over het schokeffect ervan ontvangen en talloze verzoeken om van verdere ontwikkelingen op
de hoogte gebracht te worden. De epiloog van deze nieuwe editie
toont de meest recente gegevens, en biedt misschien een mogelijke
afsluiting.

Dank je, Georgina Morley bij Macmillan, dat je mij hebt benaderd om iets op te schrijven wat in de uitgeverswereld een zeld-
zaamheid is. Gitta Sereny's inzichtelijke terugblik op de zaak Mary
Bell, *Cries Unheard* – ook gebaseerd op ware gebeurtenissen – is
het enige andere boek dat ik in deze categorie ken.

Ik zou graag andere professionals willen bedanken wier namen niet in het boek voorkomen en aan wie ik heel veel dank
verschuldigd ben. Robert Kirby, mijn agent, wiens zorgzame begeleiding heel bijzonder is; Catherine Cameron voor haar eeu-
wigdurende enthousiasme, en ook Sarah Leigh, Mark Lucas,

John Boothe, Jimmy Boyle en Tim Corrie voor hun vroege advies. Mijn familie kan ik natuurlijk nooit genoeg bedanken – mijn broers, Ian en Norman, voor hun begrip en hulp, mijn echtgenoot Ronnie, zoon Ross, zijn vrouw Kirsty, en mijn dochter Lauren voor haar onwrikbare vertrouwen in mij. Onze beeldschone kleinkinderen, Calum en zijn babyzusje Morgan, vervullen mijn hart met vreugde en laten me zien waarom mijn werk de bescherming van kinderen omvat.

Mijn dankbaarheid gaat uit naar vrienden die ervoor zorgden dat ik nooit overweldigd werd door het zware pad dat ik had gekozen – Patsy en Fergus Gillies, Madelene Thompson, Margaret Clark, Ruth en Alec Dall. Maar vooral mijn groepje maatjes van de universiteit. Ze beïnvloeden nog steeds de nieuwe generaties – Janet McGill, June Porte, Liz Bruce, Irene McIntosh en Barbara McKechnie. Mijn dank aan de lerares Engels Helen Murdoch, die mijn talent om verhalen te vertellen aanmoedigde, en die nu een vroegere leerling van haar een soloshow ziet opvoeren tijdens het Edinburgh Festival Fringe. Ook mijn dank aan Colin Scougall, Pamela Neil en Lisa Potts, die haar best deed om met *One of Our Ain* een breder publiek te bereiken na de eerste opvoering in het Soho Theatre in Londen.

Mijn speciale dank aan mijn levenslange vriendinnen, Irene Weir, Sheila Donnelly, Elizabeth Clark, Barbara Jordan en Jean Kendal. Verder spreek ik mijn waardering uit voor Gillian Grainger en Irene Hamilton, beiden buurvrouwen en wijze adviseurs. Aan mijn 'Californische Cheerleaders', Maureen Berti en Sandra Donohue – en de San Jose Book Group – veel liefs! Aan Anne Lawson, Lucinda Dempsie, John McGill, Chriss en David Mills, mijn oprechte dank dat jullie er waren. Mijn hartelijke dank aan mijn vrienden van de kerk, Christine Lawrie, Anne Currie, Jess en Dave McIntosh; zij hebben me de kracht laten zien van het gebed en positief denken, en dat deed ook mijn moedige vriendin Linda Moyes, die mijn werk las toen ze zelf in zwaardere gevechten gewikkeld was dan ik.

Mijn bewondering gaat tevens uit naar drie opmerkelijke vrouwen die me recentelijk geïnspireerd hebben. Liz Lochhead, dichteres en toneelschrijfster, Carol Laula, zangeres en liedjesschrijfster, en Janey Godley, comédienne en auteur. Schotland zou trots moeten zijn op deze dochters. Ze hebben me allemaal aangemoedigd en hebben me hoop en heel veel humor gegeven. Ze zijn allemaal op hun eigen gebied heel getalenteerd, maar ze zijn ook bereid om anderen te helpen. Samen hebben ze ervoor gezorgd dat mijn persoonlijke getuigenis een breed publiek bereikt.

De ruimte liet niet toe om iedereen te noemen die geholpen heeft de liefdadigheidsinstelling op te zetten, en ik moet degenen die graag anoniem willen blijven, respecteren. Maar toch mijn dank aan de beschermheren en vrienden van de Moira Anderson Foundation, die het werk ondersteunen dat door Moira's verhaal is begonnen. Zonder hen zouden we niet bestaan. Zonder hen zouden we onze bereidwillige therapeuten, die in heel Schotland families en individuen bijstaan, niet kunnen betalen. Families en individuen die in alle veiligheid met onze briljante staf moeten kunnen samenwerken.

Dank je, Sarah Trevelyan, voor je inzicht, en dank jullie, Vera en Gerald Weisfeld, voor jullie visie, die ons in staat stelt het eerste veilige opvanghuis in het Verenigd Koninkrijk te openen voor families die we ondersteunen.

Heel erg bedankt, beheerders en vrijwilligers. Al koop je als individu alleen maar dit boek, dan help je ook. Dit is een wereldkwestie die we niet mogen negeren.

Het is een prachtig legaat dat ons is nagelaten door een klein kind.

Tot slot bedank ik vanuit de grond van mijn hart Elizabeth Nimmo, Janet Hart en haar gezin in Sydney, en haar nicht, Moreen McLaggan uit Fife. Zij deelden hun herinneringen aan Moira en tevens mijn visie dat zelfs één persoon die vrijuit spreekt een verschil kan maken.

Sandra Brown, Scotswoman of the Year, OBE

www.moiraanderson.com

Edinburgh, juni 2006

Mannen en vrouwen maken hun eigen geschiedenis, maar dat doen ze niet zoals ze dat graag zouden willen; ze doen dat niet onder omstandigheden die ze zelf hebben gekozen, maar door middel van confronterende gegevens en onder omstandigheden waarmee ze direct zijn geconfronteerd, en die zijn overgebracht vanuit het verleden. De traditie van alle dode generaties drukt zo zwaar als een nachtmerrie op de hersenen van de levenden.

– Karl Marx

Proloog

Aan het begin van een bitterkoude februarimaand in 1992 werd mijn routine als vrouw en moeder, wonend in een buitenwijk van Edinburgh en werkend in het nabijgelegen West Lothian als wetenschappelijk hoofdmedewerker bij de kinderbescherming, een zeer veeleisende positie, volledig verstoord. Ze hadden me naar een managementtraining van een week gestuurd, die ook een assertiviteitstraining omvatte. Wat ik er leerde riep een serie gebeurtenissen op, die op mijn hele leven van invloed zijn geweest. Voordat ik terugkeerde naar het West Lothian College, maakte ik iets mee dat de richting van mijn leven onherroepelijk veranderde.

Het had tevens zijn invloed op mijn echtgenoot, mijn tienerzoon en mijn tien jaar oude dochter. Het vernietigde bijna de relaties binnen de rest van mijn uitgebreide familie, en het leidde tot verdeeldheid tussen mij, mijn moeder en mijn broers. Het was voor mij de aanleiding om een grootscheeps crimineel onderzoek te laten instellen in de regio Strathclyde in Schotland, dat het heropenen van dossiers met zich meebracht die al bijna veertig jaar oud waren.

Later liep ik voortdurend politiebureaus en de kantoren van zaakgelastigden in en uit en ontmoette ik vooraanstaande politici. Vreemden huldigden mij voor mijn moed en vertelden me dat zij de kracht niet hadden om dit te doen. Anderen, onder wie een paar familieleden, noemden me een kreng dat alleen maar uit was op wraak. Een handvol leden van mijn kerk ondersteunde me met hun gebeden, terwijl mensen uit mijn verleden een openlijke vijandigheid tentoonspreidden. Sommigen zeiden dat ik psychiatrische hulp nodig had.

Dit kwam allemaal voort uit een enkel gesprek met mijn vader op 7 februari 1992, toen we elkaar voor het eerst in zevenentwintig jaar weer spraken.

Coatbridge, Lanarkshire, Schotland

In 1950, toen het verschil tussen goed en kwaad nog duidelijk was, was ik een kind. Het was een gouden tijd van onschuld waarin je je ouders nog respecteerde, de postbezorger de brieven persoonlijk aan je overhandigde, en mijn grootmoeder de jaloezieën dichtdeed als een buur was gestorven of als er een begrafenisstoet voorbijtrok. We leefden veel langzamer dan nu en kenden niemand die aan stress leed. Eigenlijk hadden we nog nooit van stress gehoord.

Ik rende altijd vrolijk naar slecht verlichte winkels met zaagsel op de vloeren om daar onze boodschappen te halen. Assistenten pakten de spullen van de planken af, de boter werd kordaat in vorm geslagen en de kaas werd netjes van het blok gesneden met een draad. Het geld werd in een bakje aan een soort katrol naar het meisje in een op een toren lijkend betalingsloket gestuurd, en ik droomde ervan dat ik ooit haar baan zou hebben en duidelijk leesbare cijfers zou noteren in een enorm grootboek. We deden allemaal onze boodschappen bij de Co-op, hoewel we wisten dat er sommige mensen waren – de rijkelui – die hun boodschappen door boodschappenjongens lieten bezorgen. Jongens met driekwartlange schorten, die met hun stevige fietsen door met bomen omzoomde straten naar de grote huizen reden waar de kans op een fooi heel groot was. Klanten werden toen gewaardeerd en eerlijk beloond. Het leek alsof het altijd zo zou blijven.

Coatbridge werd gedomineerd door op volle toeren draaiende hoogovens waar de stad haar bijnaam de IJzeren Burcht aan te danken had. De bevolking bestond hoofdzakelijk uit arbeiders en reisjes naar het vasteland waren alleen voor de rijken weggelegd. Hoewel de gemeenschap haar deel van schandalige gebeurtenissen had gehad, kwamen de koppen in de plaatselijke kranten meestal neer op SLAGER BEBOET VANWEGE TE VEEL VET IN GEHAKT of MAN BEBOET VANWEGE FIETSEN ZONDER LICHT.

De gemeenschap zelf leek een veilige plek om een gezin groot te brengen. De kinderen liepen zonder begeleiding van en naar school en het park. We speelden urenlang in straten waar maar weinig auto's stonden. Eigenlijk waren auto's zo zeldzaam dat de man van de Automobile Association salueerde als hij door een ander lid werd ingehaald. De predikant zocht ons regelmatig op en kreeg een kopje thee aangeboden in het mooiste porseleinen kopje met rozen erop, en een volkorenbiscuit met een dikke laag boter. We kenden niemand die chocoladekoekjes kocht, want die waren voor gewone mensen veel te duur.

Op 23 februari 1957 kwam er een einde aan de onschuld. Die datum was een keerpunt in mijn leven en in dat van alle andere kinderen in Coatbridge. Van de ene op de andere dag heerste er angst in de kleine gemeenschap, de plek waarvan men dacht dat iedereen iedereen daar kende. Twee families in het bijzonder hebben aan deze tragedie een litteken overgehouden. De onaangename gevolgen van de verdwijning van een klein meisje veroorzaakten schokgolven van ongeloof, die nooit helemaal tot bedaren zijn gekomen.

Hoofdstuk 1

Ik was pas acht jaar oud toen Moira Anderson tijdens een hevige sneeuwstorm op 23 februari 1957 uit de straten van Coatbridge verdween. Ze deed een boodschap voor haar grootmoeder. Een pakje boter van de Co-op, de allerkortste wandeling.

Moira was knap. Ze had steil blond haar dat een ondeugend gezicht omlijstte. Iedereen die zich haar herinnert, herinnert zich een meisje dat overal een antwoord op had. Niet brutaal, maar een befaamde robbedoes die vol leven was, met intelligente blauwe ogen en een bruisende persoonlijkheid. Een van haar ooms vertelde de politie dat Moira 'een meisje was dat als jongen geboren had moeten worden' – ze won van iedereen met knikkeren en was nooit dol geweest op poppen of touwtjespringen. Moira was de middelste van drie meisjes. Haar ouders, Andrew en Marjorie (ook bekend als Maisie), hadden hun intrek genomen in een zandstenen huurhuis op Eglinton Street 71, op een steenworp afstand van Dunbeth Park, het trefpunt van alle plaatselijke kinderen, en dicht bij het Coatbridge College in de nabijgelegen Kildonan Street. De huurhuizen bevonden zich in de buurt van Dunbeth Avenue, een prestigieus adres, en lagen langs de route van een buslijn. Heel Cliftonville met zijn door bomen omzoomde straten, was en is nog steeds een van de betere woonwijken van de stad.

De zus van mijn moeder, mijn tante Margaret, woonde daar in de buurt en mijn familie en ik woonden slechts een paar straten verderop. Ik was een frequente bezoeker van het park, meestal met de kinderen van mijn tante om haar een beetje lucht te geven, of spelend met de meisjes die ik van school kende. Iemand die ik daar vaak zag, was Marilyn Twycross. Zij maakte deel uit van een kleine groep waar ook Marjorie bij hoorde, de jongste dochter van de Andersons. Moira kende ik alleen van gezicht.

Janet, de oudste dochter, die erg op haar leek, was dertien en zeer beschermend ten aanzien van haar jongere zusjes. Mensen haalden de twee oudste meisjes vaak door elkaar omdat ze zo op elkaar leken, hoewel hun persoonlijkheden heel verschillend waren en ze totaal andere interesses hadden. De meisjes hadden een hechte band en Moira nam Janet altijd in vertrouwen. Een paar dagen voordat ze verdween, vertelde Moira haar dat een jongeman met een mes haar staande had gehouden vlak bij het huis van hun grootmoeder en dat hij haar had gevraagd om met hem mee te gaan, dat hij haar geld had geboden. Ze was zich wezenloos geschrokken en had het meteen op een rennen gezet, maar had het aan niemand verteld, behalve aan Janet.

Iedereen in de stad kende Andrews familie. Andrew was een boilermonteur, die ook bekendstond onder de naam 'Sparks' Anderson. Het waren keurige mensen hoewel ze niet rijk waren. Om wat extra zakgeld te verdienen deed Moira boodschappen voor een oudere buurvrouw die mevrouw Bruce heette. Verder deed ze nog wat andere klusjes voor haar en voor haar moeder. De hoeveelheid koperen muntjes die ze verdiende, nam toe door haar deeltijdbaantje bij Rankin's Dairy, voor wie ze 's ochtend melk bezorgde. Weer of geen weer, Moira miste nooit een bestelling, hoewel ze elke dag een zware kar vol flessen in kratten door de straten moest duwen. Ze verdiende hiermee zeven shilling en sixpence per week en was rond de kerst altijd verzekerd van grote fooien. Elke maandag stopte ze haar geld meteen in haar spaarpot op school, tot het bedrag groot genoeg was om bij de Airdrie Savings Bank op een rekening te zetten. Haar grootste uitgave vond altijd plaats na het zwemmen op maandagavond, als ze voor drie pence patat en twee gepekelde uien kocht bij de snackbar in Jackson Street, voordat ze met haar zus de bus nam naar huis.

De Andersons hadden geen auto en ook geen televisie. Andrew was een fervente Glasgow Rangers-supporter en als hij het zich kon veroorloven, nam hij Moira mee naar wedstrijden in Ibrox en Airdrie. Elke keer als ze het stadion in liepen, zei hij tegen haar: 'Goed, niet luisteren naar onbehoorlijke taal. Hou je oren gewoon dicht en concentreer je op de wedstrijd.' Het gezin had tevens een klein vakantiehuisje op het platteland, waar mevrouw Anderson haar dochters graag naartoe stuurde als ze wilde dat ze weer wat kleur op hun wangen kregen. Bezoekjes aan familieleden die aan de Schotse oostkust woonden waren niet ongebruikelijk, zelfs niet in de winter. Janet had toestemming gekregen om uitgerekend dat weekend in februari naar hen toe te gaan.

Die zaterdag ging Moira halverwege de middag naar het huis van haar grootmoeder, om daar haar nichtjes en hun vriendjes te treffen. De oudere meisjes, Jeannette en Beth Mathewson, zouden haar meenemen naar de film. Haar ouders hadden ingestemd met het plan. De grootvader van het meisje lag in de Glasgow Royal Infirmary op sterven en ze waren van plan hem een bezoekje te brengen. Uiteindelijk bleef Moira's moeder thuis. Ze had Moira gevraagd om voor het uitje nog even langs te gaan bij haar grootmoeder, die griep had, om te kijken of ze nog wat nodig had.

Toen Moira bij het huis van haar grootmoeder in Muiryhall Street arriveerde, zei haar oom Jim, een vrijgezel die bij zijn moeder inwoonde, dat hij voor het avondeten vis had gekocht, maar dat er geen vet was om de vis in te bakken. Hij vroeg Moira of ze naar de Co-op wilde gaan. Ze weifelde of ze Glen, de hond van haar grootmoeder, mee zou nemen, wat ze altijd graag deed, maar het sneeuwde behoorlijk en haar oom zei dat ze op moest schieten. Als ze zich haastte, zei hij, zou ze net op tijd bij de winkel zijn want die ging om kwart over vier dicht.

De Co-op in Laird Street was vlak bij Muiryhall Street, en toen ze wegging was Moira warm gekleed in haar marineblauwe schooljas en een punthoed met rode stroken eraan vastgebreid. Het was de laatste keer dat iemand haar zag.

Die middag waren de straten verlaten, vooral vanwege de sneeuwstorm, maar ook, zoals dat in de *Scottish Daily Express* uit die tijd beschreven stond: 'Rond die tijd... waren de mannen bij voetbalwedstrijden, waren de vrouwen aan het winkelen in de stad en zaten de kinderen in de bioscoop voor de matineevoorstelling.' Het personeel van de Co-op kende Moira goed, maar had tegen de journalist van de krant gezegd: 'Moira is hier die zaterdagmiddag niet geweest.' Ze bezwoeren dat ze die middag niet eerder dicht waren gegaan.

Terwijl Moira's oom op haar wachtte, werd hij boos, want het duurde wel erg lang. 'Ze zei dat ze zo weer terug zou zijn!' klaagde hij tegen de zusjes Mathewson. Met enige ergernis herinnerde hij zich dat Moira de verleiding van een spelletje knikkeren niet kon weerstaan – ze stond bekend om haar vaardigheid en had haar mannelijke maatjes meer dan eens vernederd door hun mooiste knikkers met gemak van ze te winnen. Maar ze zou op een dag als vandaag toch niet aan het knikkeren zijn? Zijn ongerustheid nam toe.

Uiteindelijk gingen Moira's nichtjes naar het Regal waar ze hoopten haar in de rij te zien staan. Ze hadden geen geluk. Moira was er niet en de voorstelling van vijf uur was uitverkocht. Ze gingen toen naar het Theatre Royal in Jackson Street, waar ze een film zagen waar Peter Finch in speelde. Tegen die tijd hadden ze Moira opgegeven.

Later die avond, toen Moira's nichtjes weer thuis waren bij hun ouders, waren ze verbaasd toen Moira's vader aan de deur kwam omdat hij op zoek was naar zijn dochter. Hij schrok toen hij hoorde dat zijn dochter zich nooit bij hen had gevoegd. Hij kon niet geloven dat zijn dochter, die de hele buurt op haar duimpje kende, tijdens een wandeling van vijfhonderd meter vermist was geraakt. Hij ging totaal verbijsterd weg om het aan zijn vrouw te vertellen.

Het duurde even voor het nieuws van Moira's verdwijning zich verspreidde; de communicatie in de jaren vijftig was een slap aftreksel van wat we nu als vanzelfsprekend beschouwen. De volgende dag, op de traditionele Schotse sabbat, vond er een zoektocht plaats, maar daar was in de *Daily Record* van maandag niets over terug te vinden. Op dinsdag echter werd het hele middenblad aan het verhaal gewijd en werd de route beschreven die ze had gevolgd. Er staat een zin in waarin de journalist onbewust de sleutel van het raadsel aanroert. 'Iets heeft Moira's gedachten afgeleid van het winkelen.' Maar ook de daaropvolgende dagen bleef de vraag 'Maar wat?' onbeantwoord.

Een paar dagen later, op 2 maart, overleed de zieke grootvader van de familie, James Anderson, wat hun verdriet verdubbelde. Na de begrafenis nam de hoop op Moira's veiligheid snel af, maar mevrouw Anderson stond erop om voor Moira het monopolyspel te kopen dat ze dolgraag had willen hebben voor haar twaalfde verjaardag op 31 maart. Ze zei: 'Ik geef de hoop nog niet op.' Maar de datum, waarop dat jaar ook Moederdag viel, kwam en ging en Moira was niet verschenen voor haar cadeau en het feestelijke etentje.

Er kwam geen reconstructie van Moira's wandeling naar de Co-op en er werd ook geen huis-aan-huisonderzoek gedaan. Als de politie met de buren van de Andersons had gesproken, zou ze erachter zijn gekomen dat een van hen een belangrijke getuige had kunnen zijn. Mevrouw Twycross was de moeder van mijn speelkameraadje Marilyn. Ze was bezig de dikke laag sneeuw van haar pad te vegen toen ze Moira voorbij zag komen op weg naar de Co-op. Ze had een begroeting geroepen. Ze was er zeker van dat het kind had teruggeroepen: 'Is de bus al weg?' voordat ze verderliep en mevrouw Twycross weer snel naar binnen ging, waar het lekker warm was. Net als de anderen verwachtte ook zij dat de politie bij Moira's buren langs zou gaan, maar er kwam niemand en daarom zette ze het voorval van zich af.

Het bericht in de *Daily Record* eindigde met de woorden van Maisie Anderson. 'Ik weet zeker dat ze Moira tegen haar wil hebben meegenomen – Moira sprak niet met vreemden. Iedereen kende haar. Ze was zo'n robbedoes, zo vol plezier en leven. Ze zou nooit gewillig zijn meegegaan zo vlak voor haar verjaardag.'

Op die zaterdagavond had Andrew Anderson zich net na middernacht in verbinding gesteld met het plaatselijke politiebureau, dat zich bijna recht tegenover mijn huis in Dunbeth Road bevond. Hij vertelde de wachtcommandant over de plannen die zijn dochter die middag had gehad. De managers van een half dozijn bioscopen werden meteen thuis opgebeld voor het geval Moira ergens ingesloten was. Zelfs de Carnegie Library werd geopend en doorzocht omdat ze een enthousiaste lezer was die daar heel veel tijd doorbracht. De huizen van alle familieleden en vrienden werden doorzocht en nog een keer doorzocht.

Toen de week verstreek en er geen nieuwe ontwikkelingen waren, werd er een grote zoektocht georganiseerd. De vuilnismannen stopten met staken om de politie te helpen met de jacht. Ze stroopten alle achtertuinen, schuren, garages en vervallen gebouwen af. Het grote evenement van zaterdag, een voetbalwedstrijd in Broomfield, Ayr United tegen Airdrie, had grote menigten aangetrokken en werd toen afgelast vanwege het slechte weer. Zou een voetbalsupporter Moira naar de weg hebben gevraagd en haar daarna hebben ontvoerd? Andrew was ervan overtuigd dat zijn dochter nooit met een vreemde zou zijn meegegaan, maar toen de jacht eindeloos duurde, zei hij: 'Ik ben bang dat ze haar in een auto hebben gesleurd en ergens mee naartoe genomen. Maar Moira had er een hekel aan om de stad te verlaten; ze ging niet eens graag naar Glasgow. Meestal bracht ze al haar vrije tijd door met spelen in de buurt van het huis.' Maar weer was daar Maisie Anderson, die volhield dat Moira nooit met een vreemde mee zou gaan.

De plaatselijke kinderen werden bang. Onze moeders beloofden vreselijke straffen als we zonder toestemming laat buiten speelden. Mijn vriendinnen en ik liepen in paren naar school, en moesten de schande verdragen opgehaald te worden bij de clubs waar we naartoe gingen. Op aandringen van mijn moeder gaf ik de Kabouters op, maar ik mocht wel doorgaan met de Rode-Kruislessen, die veel dichter bij huis plaatsvonden. We mopperden allemaal dat we het onrechtvaardig vonden, maar als we onze oude favoriete speelplekjes passeerden, zoals het oude kerkhof in Church Lane, vlak bij school, keken we toch voortdurend over onze schouders achterom.

Van de ene dag op de andere was de vrijheid van een hele generatie kinderen tenietgedaan door een bepaalde gebeurtenis.

Terwijl de dagen langer werden, bleven de mensen uit de stad gissen naar wat er gebeurd zou kunnen zijn. Sommige publiciteit zoekende individuen verzonnen mogelijke nuttige informatie. Een vrouw vlak bij Eglinton Street, waar de Andersons woonden, hield vol dat ze gierende remmen had gehoord en dat ze die middag een auto snel had zien wegrijden. Toen ze het uitzicht vanachter haar raam controleerden, verwierp de politie haar theorie dat Moira was aangereden en dat een in paniek geraakte automobilist haar lichaam in zijn auto had gesleurd. Wat ze beschreef, kon ze onmogelijk gezien of gehoord hebben. Ze legden haar uit dat men door de hoeveelheid sneeuw die er op de wegen was gevallen geen enkele auto had kunnen horen. Alle zijstraten waren verraderlijk glad geweest en er waren die zaterdag maar weinig hoofdwegen opengebleven.

Andere aanwijzingen leverden de politie niets op. Een gezin vertelde dat ze het vermiste meisje in het pretpark hadden gezien in Queen's Park in het zuiden van Glasgow, maar dat werd niet bevestigd door het personeel daar. Een spoorwegarbeider vond een marineblauwe riem van een regenjas in een moerasachtig veengebied vlak bij Coatbridge dat bekendstond als de Moss, maar hij bleek niet van Moira te zijn. De meest dramatische tip, dat men in Baillieston, bij Coatbridge, had gezien dat een meisje met geweld een bestelwagen in werd gesleurd, bleek slechts over een gewillige liftster te gaan.

Toen viel de verdenking op de familie Anderson zelf, want volgens de politie kende de meerderheid van de slachtoffers hun moordenaar. Moira's zus Janet herinnert zich dat haar oom Jim eindeloos werd verhoord omdat hij de laatste persoon was die met het kind had gesproken. Hij werd jaren achtervolgd door gefluister en volgens Janet heeft de gebeurtenis zijn leven verwoest.

Zelfs Moira's ouders werden het onderwerp van allerlei speculaties. Vaders van vermiste kinderen zijn automatisch verdacht en Andrew was zich ervan bewust dat de mensen hem met achterdocht bekeken. Van Maisie werd valselijk beweerd dat ze Moira vaak had gestraft. Ze was heel levenslustig en leverde meer problemen op dan de andere twee meisjes. Ze had er zogezegd haar handen vol aan gehad. Misschien was het een ruzie geweest die uit de hand was gelopen.

De geruchten over een familieruzie hielden het een aantal dagen vol, en op 5 maart, elf dagen na Moira's verdwijning, stond er in de *Glasgow Herald* dat het Criminal Investigation Department (CID) – de recherche – van de politie van Coatbridge het vakantiehuis van de Andersons had doorzocht, maar dat ze niets hadden gevonden.

Dezelfde agenten reisden naar Greenock, waar een oudere vrouw beweerde dat ze een meisje had gezien dat op Moira leek, en naar het zuiden naar Doncaster, om een vrachtwagenchauffeur te ondervragen die dacht dat hij haar had gezien in het gezelschap van twee mannen. Beide aanwijzingen leverden niets op.

Nieuwe onderzoekslijnen droogden geleidelijk aan op en wat ooit voorpaginanieuws was geweest, verdween naar de binnenkant van de krant en eindigde in incidentele, in hoekjes weggestopte berichtjes. 'Moira – nog steeds geen nieuws', 'Meisje uit Coatbridge nog niet gevonden', 'Meisje nog steeds vermist'.

Op 18 mei stond er in de *Herald* dat men een foto van Moira op de televisie zou laten zien, een maand of drie nadat ze was verdwenen. Ze hadden er bij de politie op aangedrongen de foto eerder uit te zenden, maar de politie was van mening geweest dat de BBC er niets mee zou doen, want 'het diende geen enkel nut'.

Twee dagen later, na de uitzending, stond er in de kranten dat de televisieoproep geen reacties had opgeleverd.

Hoofdstuk 2

De tijd verstreek zonder enig nieuws en daardoor kelderde het vertrouwen in de politie van Coatbridge Burgh. Slechts enkele dagen na Moira's vermissing werd er een diner gegeven ter ere van hoofdcommissaris Daniel McLauchlan, OBE – Officer of the British Empire – vanwege zijn pensionering. De nieuwe commissaris, Charles McIntosh, werd opgezadeld met dit hete hangijzer. In zijn verklaring aan de *Scotsman* op 26 februari zei hij dat hij de leiding had van het onderzoek en hij vroeg getuigen die Moira die zaterdag hadden gezien, zich te melden. Misschien dat het mogelijk was om met hun verklaringen een compleet beeld te creëren van wat ze de dag van haar verdwijning allemaal had gedaan. Om dit onderzoek te coördineren, bevorderde hij rechercheur brigadier John F. MacDonald tot inspecteur van de geüniformeerde dienst, belast met de leiding van de Coatbridge CID (Criminal Investigation Department).

In de *Airdrie and Coatbridge Advertiser* stond een foto van deze nieuwe man, en ik kan me herinneren dat mijn vader het over deze promoties had. We woonden namelijk recht tegenover het politiebureau en hij kende de meeste agenten van gezicht. Het was in die tijd de gewoonte dat ze op en af bussen sprongen en dat ze met sommige chauffeurs de afspraak hadden om gratis vervoerd te worden. Als tegenprestatie waren ze bereid de andere kant op te kijken als het personeel van Baxter's Bus Service in de problemen raakte.

Of het nou door de beroering kwam van het vertrek van McLauchlan of door de komst van McIntosh, of door de promotie van MacDonald, of doordat er tijdens de zoektocht naar

Moira opeens een bezoek werd aangekondigd van de hoofdcommissaris van Lanarkshire die de plaatselijke politiemacht wilde inspecteren, er kan geen twijfel over bestaan dat de zoektocht naar het vermiste kind nogal ongecoördineerd verliep. In 1993 belde een voormalige politieagent, die nu in Canada woont, met de Schotse *Sunday Mail* om te zeggen dat hij zich herinnerde hoe gedesillusioneerd hij zich had gevoeld tijdens zijn dienstverband bij de politie in Coatbridge. In tegenstelling tot wat er in die tijd in de kranten werd gezegd, dat bepaalde gebieden twee en soms drie keer doorzocht werden, had hij zich toen en in de jaren erna heel onbehaaglijk gevoeld over de houding van sommige leidinggevenden. Superieuren, zei hij, vonden het belangrijker om ervoor te zorgen dat het kantoor tiptop in orde was en dat alle dossiers waren bijgewerkt vanwege het komende bezoek van de hoogste politiefunctionaris van de streek. Men had zich nou niet bepaald druk gemaakt over Moira, en hij had een aantal mannen over haar verdwijning hun schouders zien ophalen, vergezeld van de woorden: 'Ach, het meisje heeft waarschijnlijk ruziegemaakt met haar mamma en is ervandoor gegaan. Die komt heus wel weer boven water.' Het groepje agenten waartoe hij had behoord, kreeg te horen dat ze niet voorbij de stadsgrens mochten zoeken.

Daar kwam nog bij dat een aantal ego's gekwetst werd toen de CID van Glasgow zich ermee ging bemoeien, omdat er nauwelijks vooruitgang was geboekt en de Andersons van mening waren dat de plaatselijke politie geen ervaring had met het concept vermiste personen. Ze werden nauwelijks overspoeld met hulp. Ze brachten korte tijd Peter Manuel, die de criminele geschiedenis in ging als de beruchtste seriemoordenaar van Schotland, met Moira in verband en haar naam werd genoemd tijdens zijn proces in mei 1958 toen hij zijn eigen verdediging voerde. Manuel gaf aan dat twee rechercheurs na een confrontatieopstelling tegen hem hadden gezegd dat ze hem acht moorden in de schoenen zouden schuiven, waaronder die op het kleine meisje dat het jaar daarvoor in Coatbridge was verdwenen. Maar Manuel werd uitgesloten omdat hij tijdens Moira's verdwijning zijn straf uitzat in de gevangenis voor een inbraak in de kolenmijn van Hamilton. Misschien ging hij wat Moira betrof vrijuit, maar verder nam zijn bekendheid alleen maar toe omdat hij de laatste persoon in Schotland was die werd opgehangen.

Andere leden van het publiek deelden de mening dat de zoektocht gefragmenteerd was en visie ontbeerde. Een stadsbewoner merkte in 1993 op dat hij nooit had begrepen waarom ze het Monkland Canal, dat dwars door de stad liep, nooit hadden afgedregd. Toentertijd was de officiële reden dat het kanaal grotendeels verstopt zat en dat er te veel onkruid groeide, en vanwege het conflict rond het Suezkanaal nam de oliecrisis de belangrijkste plaats in de gedachten van de autoriteiten in.

Ook in 1993 verklaarde William McDonald van Glenboig tegenover de mensen die Moira's dossier hadden heropend, dat hij verbijsterd was geweest toen er dat voorjaar grond werd gestort in Coltswood, slechts op anderhalve kilometer afstand van Moira's huis. 'Het meisje was net verdwenen en het graaf- en stortwerk ging gewoon door. Ik kon mijn ogen niet geloven.'

Anderen merkten op dat het hen zeer verbaasde dat er geen huis-aan-huisonderzoek werd ingesteld, zelfs niet in de directe omgeving van Muiryhall Street, waar Moira's grootmoeder woonde. Een van mijn familieleden, die zijn hele leven in het nabijgelegen Albion Street heeft gewoond, zei: 'We hebben altijd verwacht dat de politie langs zou komen. Per slot van rekening vormden we een huishouden van drie alleenstaande mannen, allemaal in verschillende leeftijdsgroepen, maar het gebeurde gewoon niet.'

De plaatselijke politie was er nogal naïef van uitgegaan dat de mensen zich automatisch zouden melden als ze relevante informatie hadden, maar daar hadden ze zich dus in vergist. Het publiek dacht dat er vooruitgang werd geboekt en dat bleek dus niet het geval te zijn. Ze waren er tevens van overtuigd dat alle personen met afwijkend gedrag grondig gecontroleerd zouden worden.

Maar de enige 'plaatselijke' verdachte wiens activiteiten grondig werden bekeken, was Ian Simpson, een geestelijk gehandicapte man uit Mitchell Street, bij Kirkwood. Het was puur toeval dat zijn zus vlak naast de Co-op woonde, waar Moira naar op weg was.

In de jaren negentig onthulde inspecteur John F. MacDonald dat Simpson altijd zijn eerste verdachte was geweest, maar dat hij een waterdicht alibi had gehad. Hij was dat weekend op pad geweest met de Territorial Army, en zijn zus beweerde nadrukkelijk dat hij nooit in de buurt van haar huis in Laird Street was geweest. Hij mocht gaan. Uiteindelijk kwam hij toch in Carstairs terecht, de landelijke psychiatrische inrichting, nadat hij een lift had gekregen van een man uit Leeds, die hij had vermoord en begraven op een parkeerplaats in de Schotse bergen. Hij was in de auto van zijn slachtoffer gestapt en had een buitenlandse student opgepikt die hij ook had vermoord, en waarn hij diens lichaam in een bos bij Dumfries had gedumpt. Hij verbleef van 1962 tot februari 1976 in Carstairs, waar hij samen met een personeelslid en een politiefunctionaris tijdens een uitbraak van medegevangenen werd doodgeslagen.

De *Airdrie and Coatbridge Advertiser* die in 1957 elke zaterdag verscheen, vatte de gebeurtenissen van de eerste week samen en benadrukte de bezorgdheid die in het hele district heerste. 'Moira's naam wordt genoemd in winkels, bussen, openbare gebouwen, feitelijk overal waar mensen samenkomen... Ze willen allemaal helpen, maar voelen zich hulpeloos in hun onvermogen dat te doen.' Zelden had er in de geschiedenis van de Monklands, zo heette het, zo'n schrijnend menselijk drama plaatsgevonden, en mevrouw Anderson kon rekenen op de sympathie van talloze moeders. Heel Schotland was in shock. De krant beschreef de 'waarnemingen' in Greenock en Doncaster, maar ging verder met te zeggen:

De politie van Coatbridge meldde dat ze waren benaderd door een vrouw die Moira die zaterdag om kwart over vijf in Alexander Street in een Baxter-bus had zien stappen. De bus reed in de richting van Kirkwood [een moderne buitenwijk], en de vrouw die Moira van gezicht kende, herinnerde zich stellig dat ze naar het kleine meisje had geglimlacht, terwijl het meisje ook naar haar glimlachte. Het was de politie gelukt de conductrice van deze bus te vinden, maar ze was niet in staat om bij het onderzoek behulpzaam te zijn... De bus reed van Coatdyke Cross via Muiryhall Street, Kildonan Street, Alexander Street, over Sunnyside Road in de richting van het bekende oriëntatiepunt in het centrum van de stad, The Fountain, en toen door Main Street in de richting van Whifflet. Het laatste traject voerde via School Street naar het deel van Old Monkland dat Kirkwood heet.

Dat de eindbestemming van de bus werd genoemd, had tot gevolg dat de politie zich concentreerde op Ian Simpsons alibi. Het gezin Anderson vroeg zich af waarom Moira daar ooit naartoe zou willen gaan. Ze kenden helemaal niemand in dat deel van de stad.

Na een oproep had slechts een van de zes passagiers zich gemeld. James Inglis had op de bus staan wachten en kende Moira. Ze was bij de bushalte in de sneeuw aan het spelen toen de bus arriveerde, zei hij, maar hij was er niet echt zeker van of ze ook was ingestapt.

Nog een ander persoon vertelde dat hij rond etenstijd een kind had zien rondhangen bij een bushalte in Whifflet. Ze leek op iemand te wachten, zei hij, en schuifelde met haar voeten over het ijzige trottoir om warm te blijven. Zijn beschrijving van haar schoenen klopte, maar hij had niet gezien wie haar had meegenomen. De bussen waren gestopt met rijden vanwege het weer, maar het kind leek met iemand een afspraak te hebben. Ze was gewoon opgegaan in de nacht.

In plaats van de vijf minuten durende busrit naar de Whitclaw Fountain in het centrum en dan verder naar Whifflet te reconstrueren, concentreerde de politie al haar pogingen op het verstrekken van beschrijvingen van Moira's kleding aan alle politieagenten in Greenock, waar een zoektocht werd georganiseerd. Aan alle bemanningen van schepen die in de haven voor anker lagen werd gevraagd of ze zich een meisje herinnerden dat aan Moira's signalement beantwoordde. Ze herinnerden zich niets. De politie in Coatbridge nam de buswaarnemingen met een korreltje zout en bezocht scholen om leerlingen te ondervragen. Dit leverde maar weinig op.

Toen de rechercheurs naar mijn basisschool kwamen richtten ze zich tot de oudere kinderen van groep vier tot en met acht. Gartsherrie Academy had een grote hal en toen ik als derdeklasser om een boodschap werd gestuurd, brandde ik van nieuwsgierigheid. Ik hield de kan die ik bij de toiletten met water moest vullen voor de schilderles stevig vast en luisterde en keek naar de oudere leerlingen die hun hoofd schudden. Velen kenden haar, of wisten net als ik van haar bestaan, hoewel Moira op Coatdyke Primary in Muiryhall Street had gezeten. Toen ik aan Marjorie dacht, die van mijn eigen leeftijd was, ging er een vlaag van mededogen door me heen. Wat moest het vreselijk zijn om je grote zus nooit meer terug te zien.

Geheel onverklaarbaar verzuimde het team dat in 1957 het onderzoek verrichtte Moira's beste vriendin te ondervragen, die een groot deel van die laatste dag met haar had doorgebracht. Die ochtend had Moira samen met haar vader een bezoek gebracht aan Limb Centre in Motherwell. Ze waren na elf uur 's ochtends teruggekomen en Moira was even naar Elizabeth Taylor toe gegaan, met wie ze de meeste zaterdagen naar de matinee in het Regal of het Odeon ging. Elizabeth Taylor Nimmo, nu een grootmoeder, kan zich de gebeurtenissen van die dag nog goed voor de geest halen. Moira was naar haar huis op Dunbeth Avenue gekomen en had haar gevraagd of ze buiten wilde komen spelen ondanks de donkere lucht die slecht weer voorspelde, en een ijskoude wind. Geheel tegen hun gewoonte in besloten ze touwtje te springen om warm te blijven, en knoopten het ene eind van een waslijn aan een lantaarnpaal, terwijl ze om beurten draaiden en sprongen.

Elizabeth Nimmo zei: 'Vrij kort nadat we begonnen waren met touwtjespringen begon het al te sneeuwen. Heel raar eigenlijk, want het weer was die ochtend prima geweest. Heel koud weliswaar met een heldere lucht, maar het had er niet naar uitgezien dat het zou gaan sneeuwen. Uiteindelijk werd het een vreselijke dag. Ik heb nog nooit zoveel sneeuw gezien. Zodra ze thuis haar neus zou laten zien, zei Moira, zou ze meteen naar de winkel worden gestuurd... Toen zag mijn moeder hoe slecht het weer was en riep uit het raam dat ik binnen moest komen, want het was veel te koud om buiten te spelen. Moira vroeg of ik met haar mee wilde gaan, maar dat mocht niet en dat was dat. Ik ging naar binnen en keek naar het zwemmen op de televisie, want die hadden we toen al. De laatste keer dat ik Moira zag, liep ze de hoek om in de richting van haar huis. Ze zou eerst bij haar moeder langsgaan voordat ze naar haar grootmoeder zou gaan. 'Wie weet wat er gebeurd zou zijn als ik met haar mee was gegaan,' voegde Elizabeth er met duidelijke spijt aan toe. 'Had ik haar kunnen redden of zouden we allebei zijn verdwenen? Het is een vraag die nooit beantwoord zal worden.'

Ze kan zich nog steeds herinneren hoe het nieuws haar werd verteld. Dat ze die ochtend na Moira's verdwijning vreselijk was geschrokken. Normaal gesproken gingen zij en Moira op zondagmorgen altijd naar de bijeenkomsten van de Band of Hope, maar op die dag maakte haar vader, die erg in de war was geweest, haar wakker en zei: 'Moira is gisteravond niet thuisgekomen.'

Meer dan dertig jaar later kreeg Elizabeth voor het eerst de kans om tegenover de politie een officiële verklaring af te leggen over de verdwijning van haar vriendin en informatie te verstrekken die voorheen niet bekend was.

In april 1993 werd ze geïnterviewd door de plaatselijke krant, en sprak over de enorme omvang van de tragedie waar de Andersons zich bij neer hadden moeten leggen. Maisie Anderson, had Elizabeth Nimmo gezegd, was in 1977 gestorven en had het verlies van haar kind nooit volledig geaccepteerd. Sparks was, heel ironisch, in 1992 overleden, een paar maanden nadat de politie was benaderd om de zaak te heropenen. Dat er opeens zo'n plotselinge en dramatische ontwikkeling was, heeft hij nooit geweten.

'Het is heel triest,' zei Elizabeth. 'Haar ouders moeten door een hel zijn gegaan, zich voortdurend afvragend of ze wel of niet nog eens door die deur naar binnen zou komen. En voor haar zussen, Janet en Marjorie, moet het ook een hel zijn geweest om nooit met zekerheid te weten of Moira leefde of dood was. Ik weet dat haar moeder jaren heeft geloofd dat ze nog steeds in leven was en ze ging er vaak op uit om haar te zoeken. Ze zette elke avond zelfs een bord neer voor haar dochter en kocht elk jaar op 31 maart een verjaardagscadeau voor haar. Ik geloof niet dat Moira is weggelopen. Ze zou nooit uit vrije wil met een vreemde man zijn meegegaan. Hoewel je in die dagen rustig naar buiten kon zonder je voordeur af te sluiten, waarschuwden onze ouders ons altijd om niet met vreemde mannen te praten en geen snoepjes aan te nemen. Ik heb een tijdje gedacht dat ze misschien ontvoerd was en nog steeds in leven kon zijn, maar dat denk ik nu niet meer.'

Tot 1977 waren velen het met Elizabeth eens. Als Moira op dat moment nog had geleefd, zou ze zeker naar de begrafenis van haar moeder zijn gekomen.

Maar het zou nog even duren voor de sleutel van het raadsel van Moira's verdwijning zou worden opgegraven.

Hoofdstuk 3

Mijn moeder Mary heeft me wel eens verteld dat ze in de dagen na mijn geboorte op 7 januari 1949, naar mijn gezicht kon kijken en dat ze dan het gevoel had dat ze door een oude ziel kritisch werd bekeken. Ogen die haar aankeken en die over een innerlijke kennis leken te beschikken. 'Iedereen vertelde me dat je hier al eerder was geweest, Sandra.' Ze lachte. 'Ze zeiden dat je vermoedelijk alle boeken al had gelezen en dat je mij op het rechte pad zou houden. Zo'n ernstig klein gezichtje!'

Mijn vroegste herinnering is dat ik bij haar op schoot zat en dat zij en haar moeder, Granny Katie, probeerden mijn kleine samengebalde vuisten los te maken. Ze maakten kritische opmerkingen over de lengte van mijn vingers.

'Ik vraag me af wat ze zal zijn als ze volwassen is,' peinsde mijn moeder.

'Met die vingers wordt ze misschien artiest of pianiste,' zei Granny Katie.

Tot hun grote plezier piepte ik: 'Ikke lezen!' en ik probeerde de bril van mijn grootmoeder van haar neus te pakken.

Misschien was dit een indicatie van de wijze waarop mijn verstandhouding met mijn moeder zich zou ontwikkelen. Ze kwam erachter dat ik een koppig en onafhankelijk kind was, dat goed met verantwoordelijkheid kon omgaan. Ze liet de zorg over mijn twee kleine broertjes met een gerust hart aan mij over terwijl zij naar de Co-op rende, dicht bij ons eerste huis in Patrick Street. Zelfs voor hun komst en voor mijn derde verjaardag was ze er al achter gekomen dat ik heel vindingrijk was. Op een dag, toen de wind de deur dichtsloeg toen zij buiten de was aan het ophangen was, verbaasde ik haar door uit mijn bedje te klimmen, de trap af te waggelen en de sleutel, die ik uit het slot trok, door de brievenbus naar buiten te gooien.

Mijn relatie met mijn vader was echter zeer problematisch. Mijn eerste herinnering aan hem is dat hij me liet staan op de leuning van een brug over de rivier de Clyde in Glasgow. Ik was een jaar of drie. Ik herinner me als de dag van gisteren de enorme angst die ik voelde toen ik omlaagkeek naar het kolkende zwarte water. Ondanks de wetenschap dat de armen die me vasthielden heel sterk waren, wantrouwde ik hem echt en ik raakte in paniek. Krijsend van angst, vooral omdat mijn vader opeens deed alsof hij me liet vallen, werd ik weer op de grond gezet. Sindsdien ben ik bang voor diep stromend water en grote hoogten.

Overigens werd ik door mijn vader aanbeden. Ik was het eerste kind dat mijn moeder hem had geschonken dat het overleefde en ik werd Alexandra genoemd, naar hem, hoewel iedereen me altijd kende als Sandra. Net als veel anderen waren hij en mijn moeder, Mary Frew, in het kielzog van de oorlog in oktober 1945 getrouwd. Hij noemde zich Sandy, om zich te onderscheiden van zijn eigen vader die ook Alexander Gartshore heette. Maar mijn moeder noemde hem altijd Alex.

Ze was heel erg verliefd geweest op een jongeman die Davey Thomson heette, die tijdens de oorlog was verdronken. Mijn vader was een vriend van Davey geweest en hij schreef haar om haar te troosten. Later stelde hij een ontmoeting voor, omdat hij in Bellshill woonde en zij in Whifflet, slechts een paar kilometer verderop.

Mijn moeder kwam uit een grote familie. Een respectabele, maar geen rijke familie. Ze was de oudste van acht kinderen en was zich er altijd enorm van bewust geweest dat het niet uitmaakte hoe slim ze was, ze zou spoedig wat geld in het laatje moeten brengen. En ze wás slim, maar het was uitgesloten dat ze mocht gaan leren en daarom vonden ze een baan voor haar in de schoenenwinkel van Marshall's, waar ze elke week een paar welkome shillings verdiende. Haar ouders waren tegen het eind van de Eerste Wereldoorlog getrouwd. Katie Smith was afkomstig uit Denny, en ging op haar dertiende als dienstmeisje werken in de grote huizen van Glasgow en Paisley. Daar ontmoette ze mijn grootvader, Norman Frew, die zijn hele leven in de enorme smeltovens had gewerkt van Beardmore's in Parkhead, Glasgow. Hij nam haar mee naar Coatbridge, waar zijn vader een goedlopende kruidenierszaak had. Maar omdat ze thuis met zijn achten waren, leerden ze nooit een leven kennen waarin ze eens met vakantie konden gaan.

Mijn vader had een totaal andere achtergrond. Hij was een van drie kinderen en er was meer dan genoeg geld geweest. Maar volgens de verhalen gaf hij niet om bezit. Hij was een eenling die de eentonige uren in het klaslokaal graag verwisselde voor de bossen vol grasklokjes van het landgoed waar hij zijn jeugd doorbracht. Hij was een voortdurende bron van zorg voor zijn vader, die er nooit helemaal zeker van was waar hij uithing. Zijn grootmoeder van moederskant had wel eens gezegd dat de jonge Alex haar herinnerde aan haar overleden echtgenoot, die altijd achter de meisjes aan had gezeten – nooit thuis, gek op vrouwen en zwak. Tegen iedereen die wilde luisteren, zei ze dat haar zorgen tot een eind waren gekomen toen ze weduwe werd, 'want toen wist ik tenminste waar hij was'. Mijn vader, beweerde ze, was uit hetzelfde hout gesneden.

Hij was geboren in 1921 en zijn nederige begin in een huisje op een groot en druk landgoed versluiert de voorname familie waar hij van afstamde. Iemand van mijn familie, Graham, kwam erachter dat de oorsprong van de Gartshores van Gartshore ergens in de twaalfde eeuw lag. Een Schotse koning gaf hun land en hun eigen handvest en vele generaties lang leefden ze in alle rust op hun landgoed bij Kirkintilloch, een stadje in de buurt van Glasgow. Ze beleefden een kort moment van glorie in 1745 toen de troepen van Bonnie Prince Charlie door de stad marcheerden en iemand in het wilde weg op hem schoot. Charles was des duivels geweest en had de voorouder van mijn vader, de Laird van Gartshore, in het gevang gesmeten om de schuldige partij te dwingen zich aan te geven. Volgens de archieven in de Kirkintilloch Library was het aan de tussenkomst van een mooie dame in het gezelschap van de jonge troonpretendent te danken dat de Laird niet werd opgehangen.

Alles ging goed met het familiebezit tot 1813, toen het overging in handen van Marjorie Gartshore, bekend als May, die nooit in het huwelijk trad. Ze liet alles na aan een kind dat John Murray heette, de vierde zoon van de Commissaris des Konings in Schotland, die uit Edinburgh kwam. Niemand weet precies waarom ze dit heeft gedaan en waarom ze er tevens op stond dat hij haar naam aan zou nemen – ze had de andere leden van de Gartshorefamilie altijd genegeerd – maar John Murray Gartshore was een ramp. Hij dronk veel, vergokte grote sommen geld en verloor Gartshore House en al het land dat erbij hoorde, inclusief de mijnen en pachtershuisjes, tijdens een dobbelspel aan een machtige familie van ijzer- en staalmagnaten, de Bairds van Gartsherrie. Zij gaven het op hun beurt weer door aan een dochter die met Lord Whitelaw trouwde, nu een edelman in het Hogerhuis.

Terwijl mijn grootvader deze stand van zaken met berusting accepteerde, herinner ik me de bittere toon van mijn vaders stem als het onderwerp ter sprake kwam. Hij piekerde erover en voelde zich absoluut bedrogen. Hij lachte altijd als grootvader vertelde hoe ironisch het eigenlijk was dat Murray ten slotte vóór de Bairds werkte. Hij maakte de smeltovens schoon en zijn eind was misschien nogal toepasselijk: hij viel stomdronken in een oven in slaap en werd per ongeluk gecremeerd.

Misschien was het deze ommekeer in het familiegeluk die ertoe leidde dat mijn vader altijd bijzonder prikkelbaar was. De zus van mijn grootmoeder, tante May, zei altijd dat hij leek te denken dat de wereld hem een inkomen schuldig was. Spijbelen was zijn manier om alle autoriteit te negeren. Omdat hij herhaaldelijk werd geslagen als hij er weer vandoor was gegaan, negeerde hij alle lijfstraffen tot hij meer dan een meter tachtig lang was en niet meer zo gemakkelijk afgeranseld kon worden. Het was tante May ook opgevallen dat mijn vader zich zomaar kon terugtrekken in een fantasiewereld, waarin hij met zoveel gemak leugens vertelde dat mensen er pas achter kwamen dat er iets niet deugde als ze het gingen controleren. Maar het kostte hem geen enkele moeite om vrouwen te versieren – het waren de mannen die hem met enige achterdocht bekeken.

Ik was zijn oogappel. Lang voordat de veiligheidsgordels werden uitgevonden, vertelden ze me, bond hij me met sjaals vast in de passagiersstoel van de bestelwagen van de slager waarmee hij vlees bezorgde. Misschien deed hij dit omdat ik dubbel zo kostbaar was voor mijn moeder. Ze had een zware operatie ondergaan om kinderen te kunnen krijgen. Ze was zwanger geraakt, maar haar eerstgeborene, Catherine, leefde maar zes dagen.

Net als alle andere pasgetrouwde paartjes aan het eind van de Tweede Wereldoorlog, woonden mijn ouders bij hún ouders in, Katie en Norman, waar ze een van de drie slaapkamers in gebruik hadden. Na mijn geboorte kregen ze een kamer en keuken op Patrick Street 26, in het Greenend-gedeelte van Coatbridge. Hier werd in juli 1952 Norman geboren, en toen de jongste van het gezin, Ian Alexander. Ik kan me zijn komst in januari 1955 heel goed herinneren, want ik mocht me veel met de nieuwe baby bezighouden. Er is een foto van Norman en mijzelf terwijl we op de bank zitten en ons kleine broertje vasthouden; een van de weinige foto's die in dat huis zijn gemaakt.

Hoofdstuk 4

Ons huis in Partick Street, dat inmiddels allang is gesloopt, was de soort huurwoning die voor Coatbridge nogal karakteristiek was. Flats, waar het sociale samenzijn zich afspeelde in de trapportalen, en grasvelden waar je de was te drogen kon hangen en die het centrum waren van alle activiteiten van de vele kinderen. En de wasruimtes natuurlijk, waar de vrouwen met elkaar kletsten voordat ze de ene lijn na de andere met wasgoed vulden om het in de wind te laten drogen. Een kleine Acme-wringer met twee rollen, die je boven je eigen gootsteen kon vastdraaien met kleine vleugelmoertjes, was volgens mijn moeders het mooiste wat er was.

Alle vrouwen hadden verschillende dagen toegewezen gekregen om hun wasgoed buiten te drogen te hangen, maar iedereen had zijn zinnen gezet op maandag als wasdag, want dat was traditioneel gezien het beste. Niemand zou het in zijn hoofd hebben gehaald om ook maar het kleinste kledingstuk op een zondag aan de lijn te hangen – er hing niet eens een theedoek over het touw dat de meesten in hun portaal hadden gespannen. Dat was namelijk niet alleen schandalig, maar ook godslasterlijk!

Kinderen werden gezien en niet gehoord, en spelen was toegestaan zolang het de sabbat niet in de weg stond. Ik keek jaloers naar de katholieke kinderen die niet alleen meer vrijheid leken te hebben, maar die ook mysterieuze dingen deden met kaarsen en die gaatjes in hun oren mochten hebben. En die mooie witte communiejurkjes die de meisjes die ik kende mochten dragen... het was gewoon niet uit te staan. Ik heb maar één keer zo'n soort jurkje mogen dragen en dat was toen ik de sleep mocht dragen van de bruidsjurk op het huwelijk van mijn tante Jean. De enige reden waarom ik hun toestond van mijn blonde krullen lange pijpenkrullen te maken, was het bezit van een miniatuurbruidsjurk in sprankelend wit. De oorbellen kon ik vergeten wat mijn moeder betrof, want volgens haar werden die dingen alleen door zigeuners of 'slechte vrouwen' gedragen.

Die katholieke meisjes fascineerden me, maar hun religie werd geheimgehouden. Als je er vragen over stelde op school, gaven de leraren geen antwoord. Ik mocht naar de Co-op om boodschappen te toen en daar kwamen mijn vriendin Nessie en ik er altijd een paar tegen. Af en toe volgden we hen over de weg naar het schommelpark in Elm Street, dat er nog steeds is, hoewel gemoderniseerd. Ze waren negen of tien jaar oud en wilden de jongere kinderen met plezier wat spelletjes leren die je op straat kon spelen. Twee van hen zijn me bijgebleven, maar om verschillende redenen. Jeannie kon buitelingen maken die een trapezeartiest versteld zouden doen staan. Ze liet ons zien hoe we 'kopje' moesten 'duikelen'. Dit hield in dat je met je lichaam tegen de ijzeren reling bij de ingang van het park moest gaan staan en dat je er dan overheen moest duiken met je hoofd omlaag. Ze hield van alle dieren maar ze werd gebeten door een Duitse herder die iemand buiten de Co-op had vastgebonden. Dat incident leerde me voorzichtig te zijn met honden die ik niet kende, en hoewel Jeannie me verzekerde dat ik me alleen maar druk hoefde te maken over zwerfhonden, wist ik wel beter.

Het andere katholieke meisje woonde vlak bij de Co-op, in Calder Street op nummer 218, en maakte deel uit van een groot gezin waar ik jaloers op was. Ze heette Rena en haar vader, Eddie Costello, werkte op de sloop en kende mijn vader. Onze huizen lagen op een steenworp afstand van elkaar en zij en haar vriendinnen leerden ons kleintjes hoe we *Truth, Dare or Promise* moesten spelen, maar ze speelden alleen met ons als ze zich verveelden en zeker niet als er jongens in de buurt waren.

We verhuisden toen ik zeven was en verloren het contact met de meesten van onze buren uit Partick en Calder Street, maar toen ik jaren later in Whifflet woonde, naast Granny Frew, kwam ik Rena weer tegen. Volgens mij was het in 1963. Ik stond in mijn marineblauwe schoolblazer bij de bushalte aan het begin van Ashgrove. Een vrouw met een kleine baby zat daar te al te wachten op de bus naar de stad, en net toen de bus over de helling opdoemde, kwam iets aan haar me bekend voor. We stapten allebei in en begroetten de conductrice, en hoewel ik een paar rijen voor haar zat, draaide ik mijn hoofd om toen ik de woorden 'Hallo, Rena' hoorde. Zij was het en ze zat vrolijk te kletsen met de kleine op haar knie. Ze had nog steeds een mooie glimlach hoewel haar make-up erg Dusty Springfield was. Haar blonde haar was helemaal stijf gespoten met Belair en ze had zwarte eyeliner gebruikt in de Egyptische stijl. Ze moet een jaar of negentien zijn geweest, maar ze zag er nog steeds jonger uit dan ze was, ondanks al die Max Factor. Het lukte me niet haar blik te vangen en ik was te verlegen om iets dichterbij te gaan zitten. Tijdens de korte reis van slechts twee of drie haltes, wisselden de twee vrouwen beleefdheden uit en ik kwam erachter dat onze families wederom erg dicht bij elkaar in de buurt woonden. Haar baby was prachtig en heel mooi gekleed, maar terwijl de conductrice allerlei leuke geluidjes maakte, lette Rena op de reacties van anderen op de huidkleur van het kleintje.

'Hoe heet ze?' werd haar gevraagd.

'Mary, naar mijn moeder,' antwoordde Rena, 'en ze wordt gedoopt in St. Mary's.'

Voordat ik naar haar kon glimlachen had de conductrice haar uit de bus geholpen en ze zwaaiden elkaar vrolijk gedag.

Ik heb Rena en haar kind nooit meer gezien en heb ook nooit meer aan haar gedacht tot die ene dag in de lente van 1994, toen de grimmige gebeurtenissen die in Gloucester, Engeland, hadden plaatsgevonden, zich op de voorpagina van elke krant ontvouwden. Met een toenemend afgrijzen realiseerde ik me wie Catherine West, de eerste vrouw van Fred West, was geweest.

Ik belde mijn moeder en we vroegen elkaar hoe het mogelijk was dat een meisje als zij alle contact met haar grote familie had verloren. Het andere nieuwsbericht dat me verbijsterde, was dat

Rena Costello's eerste kleine meisje ook werd vermist en dat men vermoedde dat ze dood was. Maar de politie was op zoek naar het stoffelijk overschot van een kind dat Charmaine heette, wat niet hetzelfde kind kon zijn geweest. Helaas kwam ik er later achter dat Rena haar baby Charmaine Carol Mary had genoemd.

Maar ik heb ook gelukkige herinneringen aan Partick Street, waar ik net als Moira Anderson een onverbeterlijke robbedoes was. Buiten het zicht van mijn moeder speelde ik van 's ochtends vroeg tot 's avonds laat in het gebouw en erbuiten, en ik klom over de muurtjes die Partick Street en Kelvin Street van elkaar scheidden. Ik zeurde om basketbalschoenen net als die van de jongens en mijn moeder ging uit pure wanhoop overstag. Voor mij stelde het niets voor om over de daken van de wasruimtes te rennen en mezelf van drie meter hoge muren te laten zakken. Ik woonde bijna op de nabijgelegen schroothoop die eigendom was van Martin en Black's, de beroemde fabriek die enorme draadkabels maakt die in alle hoeken van de wereld stalen hangbruggen ondersteunen. Dit was onze speelplaats en we leefden voor het gevaar. Het kostte onze moeders dan ook erg veel moeite om ons na uren spelen weer binnen te halen, vooral tijdens de lange Schotse zomeravonden. Als ik gehoor gaf aan mijn moeders geroep, betekende dat voor mij dat ik aan het aanrecht stevig schoongeboend zou worden, maar het betekende voor veel anderen dat ze gewoon in een bed werden gegooid dat ze deelden met twee of drie andere broertjes of zusjes, die allemaal even vies waren. Als ze geluk hadden kregen ze een boterham met jam, en er lagen oude jassen of zakken over hen heen in plaats van een sprei. Deze omstandigheden waren heel normaal en veroorzaakten geen opgetrokken wenkbrauwen in een buurt waar niemand een bad had of een inpandig toilet. In plaats daarvan waren er buiten publieke toiletten, waarvan elk gezin een sleutel had.

Ondanks mijn bravoure tegenover de jongens met wie ik speelde, was ik als de dood als ik 's nachts naar het buitentoilet moest. Ik was doodsbang voor de spinnen die over de witgekalkte treden liepen als je daar zat, vastgevroren aan de bril door de tocht die onder de deur door om je blote benen waaide.

Op onze speciale speelplaats speelden we verstoppertje of slagbal, schopten we tegen blikjes of we bouwden hutjes voor de groepjes kinderen van alle materialen die we konden vinden. Het lange gras en het paars gekleurde onkruid hielpen met de camouflage die nodig was voor spelletjes als Tarzan, en ze ontmoedigden de volwassenen om achter ons aan te gaan. Soms schooiden we weggegooide Tizer- en Irn-Bru-flesjes bij elkaar die daar door werkmannen na hun lunch waren achtergelaten. We waren uitgekookt genoeg om ze naar de winkel op de hoek te brengen voor het statiegeld waar wij weer zakjes drop of limonadepoeder van konden kopen. Als we echt heel avontuurlijk waren, gingen we wat dieper het spoorwegemplacement in de Meadows in, waar rijen en rijen wagons op zijsporen stonden te wachten om goederen door heel Groot-Brittannië te vervoeren. We klauterden over piramides van steenkolen in de wagons of duwden de schuifdeuren open om hun sombere en mysterieuze binnenkant te bekijken, maar we kregen pas echt de rillingen van de wetenschap dat we elk moment betrapt konden worden door de spoorwegpolitie omdat we ons op verboden terrein bevonden. We waren vijf en zes en wisten niet wat die woorden betekenden, maar iedereen rende altijd voor zijn leven als hij in de verte een volwassene aan zag komen.

In de straat achter het huis verschoof ik blikjes Cherry Blossom-schoenpoets over de vakken van een hinkelbaan, want auto's waren toen nog zeldzaam. De melk werd bezorgd met paard en wagen en de man van de Co-op kreeg elke dag gele muntjes in ruil voor de twee dagelijkse halve liters melk. Mijn vaders bestelwagen was een van de weinige voertuigen die langs de stoeprand geparkeerd stonden. Het enige andere dat ik me herinner was van de bakker, die een paar keer per week langskwam en naar wie ik soms werd gestuurd om brood, scones en pannenkoekjes te kopen. In de naoorlogse jaren vonden vrouwen het nog steeds beschamend als ze niet zelf Victoria-cakes, muffins en shortbread bakten voor hun gasten, en het was heel ongebruikelijk om gekochte cakes te eten. Ik zag het als een traktatie als ze me naar de bestelwagen stuurden om gebak te gaan halen.

Kinderen kregen niet regelmatig zakgeld en als er iemand ging trouwen, hingen we altijd rond bij de ingang van hun huis of bij de poort. Als de bruid naar buiten kwam, wisten we dat haar vader een handvol koperen muntjes op zou gooien voor geluk. We stoorden ons niet aan het mogelijke gevaar en gilden allemaal: 'Scharrelen!' en kropen desnoods onder de achterwielen van de taxi om om de buit te vechten. Als je een gezin tegenkwam dat op weg was naar de kerk voor een doopplechtigheid, bestond er altijd de kans dat je een doopkoekje kreeg, een zelfgebakken koekje waar ze glimmende drie-pennymuntjes in hadden verstopt. Als het Kerstmis was, verstopte Granny Katie altijd muntjes in haar beroemde vruchtencake, maar omdat ze twintig kleinkinderen had en niet veel geld, was het echt een kwestie van geluk om er een te vinden. 'Wie wat vindt mag het houden!' riepen we dan triomfantelijk.

In een omgeving waar het met de hygiëne slecht was gesteld, loste mijn moeder alle problemen op met zeep. Het was niet ongewoon om een rat voorbij te zien schieten of een massa-evacuatie te zien van knaagdieren die de huizen verlieten die op het punt stonden te worden gesloopt. Het leek wel of ze door een of andere weldoener waren gewaarschuwd. Maar helaas mocht mijn moeders intensieve gebruik van carbolzeep niet baten en ik kreeg tot haar grote schande last van ringworm en kort daarna een nare huiduitslag. Al mijn lange haar werd afgeschoren en mijn gezicht werd beschilderd met felgekleurd gentiaanviolet.

Ik herinner me dat ik een keer grondig ben gestraft door mijn moeder, die haar huishouden nagenoeg in haar eentje runde nadat mijn vader zijn chauffeursdiploma had gehaald en was begonnen bij Baxter's Buses, de plaatselijke busdienst die het gebied Airdrie en Coatbridge bediende. We hadden een keer een stel gasten voor de thee en ik dekte de tafel. Ik was heel voorzichtig met de porseleinen bordjes en theepot en vulde toen de suikerpot. Mensen roerden de suiker door hun thee, namen een slokje en opeens vertrok iedereen zijn gezicht. Het was zout! Mijn moeder, die als laatste ging zitten, had zich al afgevraagd waarom er zo'n vreemde stilte hing en niemand zijn thee dronk en toen men haar vertelde waarom, voelde ze zich vreselijk gekrenkt. Ze vloekte me helemaal stijf, maar ik kreeg geen pak slaag want ze wist dat ik het niet met opzet had gedaan. Volgens mij heb ik het weer goed gemaakt met een vrolijke vertolking van het liedje dat toen zo populair was: 'Where Will The Baby's Dimple Be?' waarbij ik een schattig Shirley Temple-dansje deed.

'Je nummer doen' zoals het werd genoemd, leverde voor mij geen problemen op. Er waren maar weinig mensen die televisie hadden en daarom zorgden we voor ons eigen amusement. In de grote familie van mijn moeder trad iedereen op tijdens familiefeestjes. Er werd zelfs een dansje of een gedichtje of een klein verhaaltje van het jongste kleinkind verwacht. Mijn vader nam er nooit deel aan, maar was wel altijd langs de zijlijn te vinden. Ook op foto's vind je hem altijd op de achtergrond. Hoofdzakelijk vanwege zijn lengte, want hij stak met kop en schouders boven de anderen uit. Als je hem met één woord zou moeten beschrijven, zou dat 'waakzaam' zijn. Hij was heel innemend en deed zijn uiterste best om het de clan van zijn vrouw naar de zin te maken, maar er was iets aan hem wat me altijd het gevoel gaf dat hij op zijn hoede was, en dat onderscheidde hem van mijn jolige ooms. Ik voelde dit al voordat ik naar school ging, en terwijl mijn uitermate vocale ooms een koor vormden en liedjes als 'Moonlight Bay' zongen, wist ik dat ze hem niet mochten. Ik was te jong om me te realiseren dat hij mijn moeder ontrouw was, en dat dat de reden was.

Mijn gevoelens over mijn vader werden erg verwarrend. Tot mijn vijfde vond ik het heerlijk om door hem rondgezwaaid te worden, maar ik voelde me niet op mijn gemak als hij me ondersteboven hield. Toen ik uiteindelijk weigerde naar hem toe te rennen en hem op deze manier te begroeten, was hij boos op me en vond hij allerlei subtiele maniertjes om me te straffen. Als ik weer eens koppig was, vond hij het grappig om een theelepel in pas gezette thee te houden en het gloeiend hete ijzer tegen mijn blote arm of been te drukken als ik hem voorbijliep. Hij vertelde mijn moeder dat de blaren waren veroorzaakt door hete thee, omdat ik mezelf bespatte want ik lette nooit goed op. Ik keek hem verbijsterd aan als hij dit soort verklaringen gaf, want het kon toch niet zo zijn dat mijn eigen vader zo gemeen was. Toen hij me een keer aan het huilen had gemaakt door vlak achter mijn hoofd een opgeblazen papieren zak kapot te slaan, of toen hij er met de kerst op stond dat de Kerstman me niets mocht geven omdat ik ondeugend was geweest, accepteerde mijn moeder wat hij zei en trok zijn straffen niet in twijfel. De cultuur waar zij altijd in had geleefd moedigde vrouwen niet aan om tegen de visie van hun mannen in te gaan. Hoewel ze ervoor zorgde dat ik mijn cadeautjes later kreeg, trof ik op die bewuste kerstochtend een hoopje kolen op het voeteneind van mijn bed aan.

Maar deze straffen waren pas het begin. Later was ik bang voor het signaal dat hij echt ergens boos over was. Dan gingen zijn handen naar de grote leren riem om zijn middel, een overblijfsel uit zijn legertijd. Hij maakte de riem los en hield dan het uiteinde vast, zodat hij met de enorme koperen gesp op blote benen, ruggen en billen kon slaan. Allemaal plekken die je niet kunt zien als het slachtoffer weer gekleed is.

Hoofdstuk 5

Voordat we uit Partick Street vertrokken, eind 1955, begon het me op te vallen dat mijn vader elke gelegenheid aangreep om grapjes te maken met jonge volwassen vrouwen, en wel op een zodanige manier dat ze er verlegen van bloosden. Tot mijn grote ergernis kneep hij in hun knieën en sjorde aan hun jarretels. Als ze niet in staat waren om deze aanval te weerstaan, betastte hij hun borsten. Hij begon altijd speels door iets wat ze wilden hebben net buiten hun bereik te houden, en dan eindigde het altijd in iets wat op onschuldig dollen leek – in het begin. Natuurlijk verzekerde zijn kracht hem ervan dat hij altijd de overwinnaar zou zijn, tenzij er andere mannen in de buurt waren of zijn slachtoffer wat pittiger in elkaar zat dan hij had gedacht. Het baarde me altijd zorgen dat hij er niet mee ophield en hun hele lichaam betastte. Hij drukte de persoon tegen de grond en wreef zijn gezicht hard tegen haar huid en riep luidkeels dat het maar een spelletje was. Konden ze er dan niet tegen? Alle vrouwen vonden dit spelletje leuk, zei hij – hij noemde het 'baardje' – en als ze dan luidkeels protesteerden was dat meestal omdat hun kin er helemaal rauw van werd. Door zijn brute kracht pleegde de vrouw vaak alleen symbolisch verzet of gilde hysterisch, en dat laatste bracht hem meestal weer bij zinnen.

Hij vertoonde dit gedrag nooit in bijzijn van mijn moeder of andere mannen en hij koos zijn slachtoffers altijd heel zorgvuldig uit. Hij rommelde pas met getrouwde vrouwen als hun echtgenoot minstens de helft kleiner was dan hij. In een of twee gevallen viel het me op dat er niet veel weerstand werd geboden en ik realiseerde me later dat hij met deze vrouwen een affaire had gehad. Mijn moeder moest hier al in het begin van hun huwelijk de strijd mee aanbinden. Toen ze in de zeventig was, vertelde ze me dat de eerste keer dat ze erachter kwam heel erg pijnlijk voor haar was. Ze had net het kindje gebaard dat ze meteen weer had verloren en ze lag nog steeds in het ziekenhuis. Mijn vader had een verpleegster meegenomen naar de bioscoop en daarna naar een dancing. Ze confronteerde hem met al het schone ondergoed en shirts waar hij in een mum van tijd doorheen was en vertelde hem dat hij gezien was, maar hij ontkende het. Toen had mijn moeder de verpleegster erop aangesproken en die had het toegegeven. 'Toen zag ik pas in hoe hij was,' zei mijn moeder. 'Ik kon niet geloven dat iemand dit zijn vrouw zou aandoen als ze net een zware operatie had ondergaan om hem een kind te kunnen geven. Toen maakte ik de fout te denken dat hij misschien zou veranderen als ik hem bepaalde verantwoordelijkheden zou geven.'

Maar in Partick Street deed hij ongelooflijk zijn best om als familieman geaccepteerd te worden. Hij was bij het gedenkwaardige straatfeest ter ere van de kroning van koningin Elizabeth toen iedereen als opeengepakte sardientjes in het huis van onze buren een glimp probeerde op te vangen van de ceremonie op een flikkerend zwart-wittoestel. Daarna aten we buiten op de droogvelden waar de waslijnen met wimpels waren versierd en waar men rode, witte en blauwe tafels had neergezet. In de hieraan voorafgaande weken had mijn vader aanzienlijk wat tijd doorgebracht met een stuk hardboard, een zaag en spijkers. Hij sjabloneerde 'E.R.' en '1953' op het bord en versierde het met crêpepapier en verraste mijn moeder met alle moeite die hij had gedaan.

Hij fantaseerde over een nevenactiviteit die hem veel geld op zou leveren en die hem uiteindelijk de levensstijl zou bezorgen waarvan hij vond dat hij er recht op had. Hij dacht eraan iets uit te vinden en de kleine achterkamer in te richten als werkplaats, maar die veranderde al snel in een soort uitdragerij vol spullen zoals radio's en klokken, waarvan hij er altijd wel een aan het uit elkaar halen was. Na een tijdje gaf mijn moeder het op om die rommel op te ruimen en deed gewoon de deur van zijn domein achter zich dicht. Ik herinner me haar gemopper en dat ze hoopte dat ze ooit een woning zouden hebben waar hij buiten een werkplaats kon inrichten.

Toen ik vijf was, ging ik in januari 1954 voor het eerst naar school. Ik begon op de Whifflet Primary, die in die tijd twee toelatingsdata per jaar had. Ik vond mijn eerste dag daar geweldig en was maar een klein beetje van mijn stuk toen degene die naast me zat een dampend plasje recht onder onze tafel achterliet, wat ik met veel empathie negeerde. Ik kwam verbijsterd thuis omdat ik erachter was gekomen dat ik mijn voornaam deelde met een ander klein meisje, Sandra Corbett. Vreselijk opgewonden van alle nieuwe ervaringen, trakteerde ik mijn moeder op de letters van het alfabet die ik had geleerd, en controleerde goed of ze het allemaal wel begreep.

'Ik ken het ABC al,' legde ze lachend uit. 'Jij bent hier degene die net naar school is geweest om al jouw letters te leren en dat zal een hele tijd duren. Ik hoop dat jij langer op school kunt blijven dan ik – ondanks mijn medailles moest ik er op mijn veertiende al vanaf om in Coatbridge te gaan werken. Dat zal jou niet gebeuren, jongedame, maar morgen ga je terug en je gaat je uiterste best doen. Als je zo doorgaat, kun je morgen je bed niet uitkomen.'

'Moet ik terúg?' Ik schrok me wezenloos. Net als veel andere kinderen kon ook ik het concept dat ik nog jaren naar school moest, niet bevatten. Daarom ging ik nogal chagrijnig naar bed.

Ik bleef een jaar op Whifflet Primary, maar in 1955 werd mijn schoolroutine door twee mijlpalen onderbroken. De ene was de geboorte van mijn jongere broer, van wiens komst ze me niet op de hoogte hadden gesteld. Ik werd bij wijze van vakantie naar Granny Jenny gestuurd en ik kwam er pas achter dat Ian was geboren toen ik weer thuiskwam en een wieg naast het bed van mijn ouders zag staan. Ik was gefascineerd door het kleine handje dat in de lucht zwaaide. Zijn geboorte betekende dat we een groter huis nodig hadden. Dunbeth Road 51, in Coatbridge, ongeveer twee kilometer van Whifflet, werd ons toen aangeboden en wij beschouwden dat als een grote stap omhoog op de sociale ladder.

Mijn moeder was in de zevende hemel. Het was een benedenhuis in plaats van een appartement op een overloop, en het bevond zich dicht bij alle winkels in het centrum van de stad en het gemeentehuis en het politiebureau lagen er recht tegenover. Er woonden minder mensen in het gebouw en dat betekende dat het rooster van de wasruimtes minder streng was en dat de droogvelden flexibeler waren, wat voor een jonge vrouw met een jonge baby een grote zegen was. Helaas hadden we weer een gedeeld buitentoilet.

Nummer 51 had een kleine keuken, een zitkamer met twee bednissen en een aparte kamer voor mijn ouders. Er was zelfs een kleine tuin die door mijn moeder met veel plezier werd opgevuld met muurbloemen en wingerd en andere plantjes en ze leerde mij hoe ik de kleine zaadjes moest planten.

In de grote zitkamer werd de ene nis opgevuld met een tweepersoonsbed voor de kinderen, terwijl mijn vader van de andere een eetkamer maakte, door er een geïmproviseerde bank en tafel neer te zetten.

Mijn vader werkte inmiddels voltijds op de bussen en draaide diensten met soms asociale tijden. De compensatie was een aanzienlijke stijging van zijn loon dat van zestien shilling per week naar enkele ponden ging, wat in de jaren vijftig een behoorlijk goed salaris was. Hij verdiende zelfs zoveel dat hij op zoek ging naar een gezinsauto. Toen hij voor meneer Allison, de slager, werkte had deze hem toegestaan de bestelwagen in de weekends te gebruiken en mijn vader miste dat.

Nadat hij eerst had geprobeerd twee aftandse auto's tot leven te wekken, kocht hij uiteindelijk een glimmend zwarte Baby Austin van meneer Cowie, die met pensioen ging en zijn kapperszaak in Coatdyke sloot. We waren allemaal erg opgewonden toen de nieuwe aanwinst van de familie arriveerde – vooral ik, als mijn vader me naar mijn nieuwe school reed.

Gartsherrie Academy was een groot en mooi victoriaans gebouw, dat de top van de hoogste heuvel in Coatbridge domineerde. Het wedijverde met Mount Zion, de plaatselijke naam voor de kerk met de klok die vandaag de dag nog steeds vier enigszins verschillende wijzerplaten heeft.

Buiten zijn werk had mijn vader nu twee grote obsessies. Dingen uit elkaar halen en zijn Baby Austin, die zijn oogappel werd. Hij besteedde er al zijn vrije tijd aan, poetste en reinigde de carrosserie, schilderde de zwarte spatborden en behandelde alle tekenen van ophanden zijnde roest. Iedereen die het ook maar waagde het glimmende oppervlak van de motorkap of achterbak aan te raken, kreeg een tirade naar zijn hoofd en ik vond het vreselijk toen Ian, mijn kleine broertje dat net pas twee was geworden, een fikse afranseling kreeg omdat hij er witte muurverf op had gekalkt. Kinderen van alle leeftijden, maar in het bijzonder mijn vrienden, werden naar dit voertuig toe getrokken als bijen naar de honingpot en beschouwden het echt als een feest als ze mee mochten rijden.

Een auto betekende uitstapjes voor de hele familie. Een dagje eropuit met tassen vol boterhammen was een welkome gebeurtenis, vooral omdat een vakantie van veertien dagen naar Millport of Rothesay – aan de andere kant van het water – financieel niet haalbaar was. In de Baby Austin reden we naar plekjes als de East Neuk van Fife, en dan vooral de Silver Sands bij Aberdour, en Culross, Pittenweem en Burntisland. Onze andere favorieten aan de westkust waren Largs en Ayr, en landinwaarts, als het aan de zee te koud was, gingen we naar Loch Lomond, waar vooral Balmaha een geliefde plek was.

Het enige wat ik me van deze familie-uitjes herinner, is dat mijn vader niets anders deed dan ons heen en weer rijden en dat hij meedeed aan de picknicklunch. Als hij had gegeten, ging hij weg en nam de auto mee. Wij bleven achter en speelden en mijn moeder las of kletste met een van de grootmoeders, voor wie we altijd wel een plekje vonden. We gingen er altijd vanuit dat hij samen was met andere buschauffeurs, want hij kende hier de biljartcafés en andere veelbezochte plekjes die populair waren bij de mannen die hier busladingen vol bezoekers naartoe brachten.

In het begin vond ik het heerlijk als mijn nieuwe vriendinnen van Dunbeth Road kwamen spelen en we de kans kregen een kort ritje te maken met mijn vader. Ik voelde me heel speciaal als ze naar hun ouders renden om te vragen of ze met Sandra en haar papa mee mochten. Opgewonden lachend klommen we allemaal in de auto. Je had Joy, die naast de Maxwell Church woonde, die een toneelclubje had voor kinderen waar ze me heel graag bij wilde hebben. Je moest ouder zijn dan zeven, dus ik moest nog even wachten, maar samen met haar ging ik naar een voorstelling die werd opgevoerd door de kinderen van de Maxwell Church. De twee Andersons, Moira en haar zus Janet, en Moira's vriendin, Elizabeth Taylor, maakten allemaal deel uit van deze club en Joy en ik zagen hen op het toneel. We konden niet wachten tot we ook zingend en dansend op het toneel zouden staan. Joy en ik gingen ook samen naar de Kabouters. Ik raakte bevriend met twee 'zusjes' die allebei Elizabeth heetten. De ene had lange, donkere pijpenkrullen en werd aangesproken met haar volledige naam, de andere was blond, ook met pijpenkrullen, en zij werd Beth genoemd. Eigenlijk waren het nichtjes die samen werden grootgebracht. Een ander vriendinnetje dat soms meeging was Elizabeth Bunting, die een paar deuren verderop woonde, in dezelfde straat als ik. Een bruisende roodharige, die heel vaak giechelde en die op de Gartsherrie Academy bij mij in de klas zat. Elizabeths vader was de manager van de plaatselijke Co-op. Er waren nog andere meisjes, Jean en Beryl, de dochters van een politie-inspecteur.

Mijn vader nam mij en een groepje vriendinnen mee naar mooie plekjes in de omgeving, zoals de meren van Coatbridge, die nu deel uitmaken van een landschapspark. Toen was er slechts een provisorisch parkeerterrein – dat 's avonds werd gebruikt door een enkel vrijend paartje – en een tussen rododendrons staand vervallen toiletgebouw, en wat wandelpaden. Op een hete dag in 1956 nam hij ons mee naar dit verafgelegen gebied. De oudsten waren acht of negen, de anderen net zeven. Toen we daar aankwamen, werd ik naar een busje gestuurd dat we een tijdje terug gepasseerd waren om ijsjes te gaan halen. Het was een aardig eindje weg en toen ik terugkwam, met armen vol druipende ijsjes, waren de deuren van de zwarte Baby Austin dicht en de ramen beslagen. Voordat iedereen er weer uit was, zag ik her en der wat kledingstukken liggen. Ik vroeg me af wat er gebeurd kon zijn. Had hij weer dat vreselijke baardjespel gespeeld?

Op een keer, op dezelfde plek, moesten we allemaal in de auto stappen om aan een regenbui te ontsnappen. Ik zat op de stoel naast die van de bestuurder en mijn vader begon een kietelspelletje. Toen hij met mijn knie begon, slaakte ik zoals gebruikelijk een kreet en lachte als hij op weg ging naar mijn ribben. Twee van mijn speelkameraadjes giechelden om zijn capriolen en toen richtte hij zijn aandacht op hen. Ik keek over mijn rechterschouder achterom en hoewel hij mij onder mijn arm en tussen mijn ribben had gekieteld, trok hij nu aan de onderbroekjes van mijn vriendinnen en betastte hij hun borsten. Ik keerde me van hen af, ik voelde me ziek. Ik trok mijn knieën tegen mijn borst en staarde recht voor me uit, proberend de geluiden te negeren. Iets vertelde me dat het niet deugde wat er gebeurde. Twee van mijn vriendinnetjes hadden geen vader, dus misschien dachten ze dat een liefhebbende vader zich zo gedroeg. Misschien was het mijn aanwezigheid die hen geruststelde.

Ik herinner me dat we op dezelfde plek verstoppertje hebben gespeeld. Mijn vriendinnetjes giechelden toen hij met ons speelde in het rododendronbos, maar ik vond het toen al vreemd dat een volwassen man het leuk vond om met zulke kleine meisjes te spelen. We speelden alle rollen om de beurt en hij zei dat hij goede plekjes wist om je te verbergen als iemand met hem mee wilde gaan. Die zomer betrapte ik me erop dat ik steeds vaker excuses verzon om bij hem uit de buurt te blijven. Mijn verwarring werd groter en hij lachte alleen maar.

Op een dag vertelde de roodharige Elizabeth mij dat ze niet meer met me mocht spelen en ze noemde geen reden. Beth en Elizabeth kwamen ook naar me toe om me te vertellen dat ze niet meer met me mochten spelen en dat ze het huis op Dunbeth Road 51 niet eens binnen mochten gaan. 'We mogen het gewoon niet en we mogen niet zeggen waarom,' mompelden ze eensluidend en schudden ontroostbaar met hun pijpenkrullen. Hun wangen waren roze.

Toen ik zeven was en daarna acht, kon ik mijn twijfels niet in vragen verwoorden, en iets stond me niet toe om met iemand te praten, vooral niet met mijn moeder. Maar het lukte me wel om mijn vriendinnen bij mijn vader uit de buurt te houden. Ik kon helaas niet voorzien dat Alexander zijn aandacht van mijn vriendinnen naar jonge meisjes zou verplaatsen die hij zijn bus in lokte.

Diverse collega's waren getuige van zijn gedrag en hoewel ze het ongetwijfeld smakeloos vonden, rapporteerde niemand het aan de autoriteiten.

Hoofdstuk 6

Vanaf een jaar of zeven, toen mijn vriendinnetjes zich van me af-
keerden, ontsnapte ik naar de wereld van de boeken. Als het buiten te koud was om te spelen, kon je me óf in de kleine bibliotheek
vinden, een paar deuren verderop in Dunbeth Road, waar ik hun
hele voorraad boeken van Enid Blyton en de Bobbsey Twins verslond, óf opgekruld in een hoekje van het huis, mijn rug tegen de
muur en een boek op slechts enkele centimeters van mijn gezicht.
'Haal je neus uit dat boek, lui, klein secreet!' brulde mijn vader als
ik zijn constante bevelen beu was. Hij was het type man dat weigerde een kopje af te wassen en liever een hele rij kopjes verzamelde op de schoorsteenmantel, zodat ánderen zich daarmee bezig
konden houden. 'Het is niet gezond als een meisje als jij de hele
tijd zit te lezen. Straks moet je nog aan een bril en zullen alle jongens je "jampot" noemen – hoor je me? Je bederft je ogen nog!'

Ik negeerde hem en dan probeerde mijn moeder hem weer
rustig te krijgen.

'Wie denk je wel dat je bent? Juffertje Kak, dat ben je!'
schreeuwde hij dan. 'Je denkt dat je beter bent dan wij allemaal,
nietwaar? Nou, je bent gek, stijve trut. Ik zal je wel eens laten zien
wie de baas is in dit huis! Straks geef ik je een pak slaag!'

'Laat haar met rust,' smeekte mijn moeder dan. 'Ze doet niemand kwaad.'

Dan ging ze tussen ons in staan of stuurde me om een boodschap tot hij wegging voor zijn volgende dienst. We hadden elk
onze eigen strategie om met mijn vader om te gaan.

Maar hij had daarnaast een andere kant en ik herinner me hem

ook als een liefhebbende vader, goedgemutst en grappig, me op-
tillend en me zijn prinsesje noemend. Op mijn zevende verjaardag
nam hij mij en een aantal van zijn maten van Baxter's mee om
The Dancing Years on Ice te zien. De reis naar Murrayfield in
Edinburgh was al reuzespannend, maar ik werd helemaal meegesleept door de spectaculaire show en keerde met glanzende ogen
terug naar Dunbeth Road, waar ik elk moment aan mijn moeder
beschreef en het speciale programmablad koesterde dat hij voor
me had gekocht.

Een of twee keer probeerde ik mijn moeder heel voorzichtig te
vertellen dat mijn vader 'rare dingen' deed met mijn vriendinnen,
maar dat leverde helemaal niets op. 'O, hij speelt gewoon met jullie allemaal,' zei ze afwimpelend. 'Hij is gewoon een groot kind.
Leer het maar te negeren.'

De zomer van 1956 was warm en mijn vader nam me mee op
een uitje van Baxter's, terwijl mijn moeder en broers thuisbleven.
Het was een dagexcursie naar de Trossachs of Scotland, een
prachtig gebied om op een zonnige dag te bezoeken. In de bus
verviel mijn vader weer in zijn favoriete streken met een groepje
van drie of vier jonge vrouwen dat achterin zat, terwijl een oudere
conductrice die ik niet kende verzocht werd op mij te passen.

Wat een geweldige dag had moeten worden, pootje badend in
de rivier die door het pittoreske Callendar stroomde, werd een
rotdag. Met mijn helblauwe van bobbeltjesstof gemaakte jurk in
mijn onderbroek gestopt, sloeg ik hem gade terwijl hij met de giechelende meisjes zat te zoenen en flikflooien. Ik probeerde hem tevergeefs te negeren, maar de tranen prikten in mijn ogen toen hij
de hele middag in het gras lag te rollen, zijn hand voortdurend
onder de rokken van de vrouwen stak en zich regelmatig terugtrok in de bosjes, zodat iedereen het kon zien. Andere volwassenen in de grote groep kregen medelijden met mij en hielpen mij
stekelbaarsjes te vangen die ik in mijn pot kon stoppen. En tussen
alle hilariteit door poseerden ze voor foto's die werden genomen
met de kleine Brownie die mijn vader had meegebracht.

Uiteindelijk viel het mijn vader op hoe stil ik was geworden,
want opeens nam hij me mee naar een café in de stad voor iets lek-

kers. Het was de eerste keer dat ik een Knickerbocker Glory at, en de enorme ijscoupe vrolijkte me op, al was het maar een beetje.

Mijn vader wist dat ik mijn moeder nooit de wrede waarheid zou vertellen – dat ik, haar kind, wist dat hij haar ontrouw was. En hij wist hoe klein de kans was dat ze zelf zijn fouten zou inzien. Ze steunde hem door dik en dun. Ik heb me hier eindeloos over verwonderd. Wáárom bewonderde ze hem, keek ze zelfs naar hem op? Hij was een betrouwbare werker, hij zorgde voor zijn gezin en was de belangrijkste kostwinner, hoewel onze financiën altijd werden aangevuld door een serie deeltijdbaantjes van mijn moeder. Hij was tevens ontzettend trots op het feit dat hij geheelonthouder was. Hij was als de dood om zijn chauffeursdiploma te verliezen, want zo gemakkelijk kreeg je dat niet, en weigerde daarom om ook maar een druppel alcohol te drinken, en dit hield hij zelfs op oudejaarsavond vol. Hij bood bijna altijd aan om over te werken, nam niet eens een slokje van opa Frews beroemde vlierbeswijn, en weigerde ronduit een pub te betreden.

Mijn moeder zag zijn geheelonthouding als een zegen en ze keek altijd vol afschuw naar andere vrouwen die maar met moeite rondkwamen, omdat hun mannen hun wekelijkse loonzakje niet op vrijdagavond overhandigden, maar rechtstreeks naar de kroeg gingen en elke penny opdronken voordat ze wankelend naar huis gingen. 'Er zijn ergere dingen dan gek zijn op vrouwen,' zei mijn moeder dan zuchtend.

Hoe onprettig bepaalde aspecten van haar huwelijk ook waren, ze kwam nou niet bepaald uit een familie waarnaar je zomaar terug kon als het niet goed ging. Een huwelijk werd gezien als een onherroepelijke verbintenis en een scheiding ging tegen alles in wat de kerk ons leerde. 'Je hebt je bedje gespreid, ga er nu maar in liggen,' zou het antwoord van haar ouders zijn geweest op mogelijke klachten. Een scheiding was een sociaal stigma en net zoals we accepteerden dat jonge mannen hun hele leven hetzelfde werk zouden doen, gingen we er ook vanuit dat een huwelijk slechts met een levenslange partner zou zijn. In de jaren vijftig kenden we niemand die gescheiden was en het woord werd eigenlijk alleen in verband gebracht met filmsterren uit Hollywood.

Zelfs mijn belangstelling voor het gedrukte woord leidde tot een verwarrende en van streek makende ontdekking over mijn vader. Toen ik een kast doorzocht en me afvroeg of de Kerstman echt bestond, kwam ik een aantal tijdschriften van mijn vader tegen. Ik had iets zien liggen met een kerstpapiertje eromheen en hoewel ik beter wist, haalde ik de kast toch overhoop. Onder stapels *Exchange and Mart* vond ik tijdschriften, waarvan ik me nu realiseer dat ze pornografisch waren. Ze leken niet op *TitBits* of *Reveille*, die ik hoog op de planken had zien staan van de kleine kiosk van mevrouw Linnie in St John's Street, vlak bij de kapel. Deze tijdschriften publiceerden foto's van naakte vrouwen die in oorlogsconcentratiekampen met hete ijzers werden gebrandmerkt. Met een vreemde mix van schuld, fascinatie en schaamte legde ik de tijdschriften weer netjes terug zodat niemand kon zien dat ze waren aangeraakt. Wetend dat mijn moeder het domein van mijn vader liever niet betrad, wist ik zeker dat zij er niets vanaf wist. Ze was er zelfs op tegen dat ik in de medische encyclopedie blader de, waar foto's in stonden van ingewanden en waar je informatie kon vinden over het mysterieuze menselijke voortplantingssysteem. Ik had geleerd het boek te bestuderen als zij er niet was, maar dit was iets anders. Dit was het zoveelste waarvan ik instinctief wist dat het beter was om er mijn mond over te houden.

Hoofdstuk 7

Toen ik zeven was, was mijn vader betrokken bij twee incidenten waardoor het kleine beetje liefde dat ik nog voor hem voelde, volkomen verdween.

Mijn moeder vond dat ik oud genoeg was om mijn vader zijn lunch te brengen als hij gevraagd werd een extra dienst te draaien. Het kwam erop neer dat ik heel Dunbeth Road moest aflopen en vandaar naar de bushalte in Main Street, waar alle plaatselijke bussen stopten. Dan keek ik uit naar zijn gebruikelijke voertuig, de bus naar Cliftonville, die daar elk halfuur langsreed. De diverse bemanningen kwamen elkaar daar tegen of troffen elkaar voor de maaltijd bij het eindpunt. Op drukke tijden reden er wel acht bussen langs deze route, die erg populair was omdat hij de mensen rechtstreeks door het centrum voerde. Het eindstation varieerde, de bus van mijn vader ging bijna altijd naar Kirkwood in Old Monkland en draaide om op een plek die toen nogal stil en verlaten was, vlak bij een begraafplaats.

Normaal gesproken stapte ik in, begroette mijn vader, ging voorin zitten en kletste met hem. Het spreekt voor zich dat ik nooit iets hoefde te betalen aan zijn conductrice die als ze de kans kreeg op de eerste stoel rechts ging zitten, zodat ze met de chauffeur kon praten. Een kleine deur ter hoogte van zijn middel scheidde hem van zijn passagiers. Mensen praatten altijd met de chauffeur en daarom werd er een regel vastgesteld die je verbood met de chauffeur een gesprek aan te knopen, een regel die met grote letters werd opgeplakt.

Op een dag in 1956 ging ik op stap met de boterhammen van mijn vader. Omdat de bus naar Kirkwood ging en de tante van mijn vader, May, recht tegenover het eindpunt woonde, bedacht mijn moeder dat ik een bosje bloemen moest gaan brengen naar Mays oude moeder, in plaats van mijn eigen boterhammen samen met mijn vader en zijn conductrice op te eten. Ik wilde dit met alle plezier doen, want tante May en haar echtgenoot oom Harry hadden een televisie. Ik wist dat ze me na de lunch naar het kinderprogramma zouden laten kijken, dat onder andere een aflevering inhield van *The Woodentops*, dat ik erg leuk vond.

Mijn tante begroette me en wuifde naar mijn vader, die zijn bus aan het keren was en hem toen naast een andere bus parkeerde. Ze was eraan gewend dat chauffeurs en conductrices die bevriend waren met mijn vader even langskwamen om te vragen of ze hun thermosfles konden vullen en of ze even naar het toilet mochten. Ze zette thee voor me en vertelde me toen het trieste nieuws dat de televisiereparateur de televisie had meegenomen omdat hij kapot was. Na een wat onsamenhangend gesprek liep ik op mijn tenen met de bloemen de slaapkamer van mijn overgrootmoeder in. Ze bewoog niet en ik besloot me bij mijn vader te voegen, die elk moment een pauze kon nemen van een halfuur.

Ik stapte de bus in door hard op de harmonicadeur te duwen die zich voor in de bus bevond. Mijn komst werd totaal niet verwacht door de vier volwassenen die zich achter in de bus bevonden, en die op de zijbanken lagen. Ze realiseerden zich niet eens dat ik door het smalle gangpad naar hen toe liep, totdat ik er bijna was. Mijn vader en zijn conductrice worstelden met elkaar op een manier die ik nog nooit had gezien, terwijl tegenover hen de chauffeur van de andere bus in een hartstochtelijke omarming gewikkeld was met diens conductrice. Ik had een paar seconden nodig om te registreren wat ik daar zag en toen zag ik opeens een kanten onderbroekje uit mijn vaders zak steken en dat de kousen van de vrouw zich om haar enkels bevonden. Hij was bezig op de bank te klimmen waar zij op lag en hield haar stevig op haar plek door haar polsen vast te houden met één sterke arm. Wat waren ze in vredesnaam aan het doen?

'Hun televisie is stuk, dus daarom ben ik teruggekomen,' verkondigde ik.

In de worsteling die daarop volgde, was ik me bewust van mijn vaders woedende rode gezicht toen hij over zijn rechterschouder achteromkeek. Hij keek me met open mond aan. 'Sodemieter op!' brulde hij.

Ik rende terug naar het huis van mijn tante. Toen ik haar snikkend vertelde wat er was gebeurd, wees ze naar boven, naar de plek waar haar oudere moeder sliep, en legde een vinger op haar lippen. Ze sloeg haar arm om me heen. 'Het was niet jouw schuld,' mompelde ze sussend. 'Vergeet het nou maar, lieverd. Als je teruggaat zul je zien dat hij het ook is vergeten. Wacht maar.'

'Maar wat zal mama zeggen? Hij zal het haar vast vertellen,' sputterde ik tegen.

'Wedden van niet?' Ze keek me wetend aan. 'En misschien is het beter als jij het ook niet vertelt, Sandra. Weet je, hij trouwde een heilige toen hij met je moeder trouwde. Dat is wat Jenny, mijn zus, altijd zegt. Alex is met een heilige getrouwd.'

Met een nogal bruuske efficiëntie veegde ze mijn wangen droog met een koud stuk flanel en zei: 'Kom, vergeet het nou maar.'

Misschien dat mijn vader zich na het incident bij het eindpunt van de bus inderdaad zorgen maakte dat ik de relatie tussen hem en zijn conductrice zou verklappen. Er volgde namelijk een korte periode waarin hij heel aardig was voor mijn moeder. Hij moest haar vaker mee uit nemen, peinsde hij, Mary moest wat vaker bij de kinderen weg. Mijn moeder was verbijsterd en merkte nadrukkelijk op dat ik bij lange na nog niet oud genoeg was, ik was pas zeven, om voor twee kleine jongens te zorgen. Toen had hij het over een babysitter en hoewel Mary ook dit idee afdeed als een koe met gouden hoorns, bracht hij op een dag een dertien jaar oud meisje mee naar huis en stelde haar voor als Betty. De giechelende jonge, blonde zus van een van zijn collega's, die graag wat zakgeld wilde verdienen.

Mijn moeder was aangenaam verrast en stemde in dat het leuk zou zijn om met haar echtgenoot naar de bioscoop te gaan en af en toe uit dansen te gaan. Er werd een afspraak gemaakt en Betty werd een geregelde bezoeker van Dunbeth Road, en mijn vader bracht haar altijd naar huis. Ik verheugde me op haar bezoekjes, maar ik zag wel met een zekere walging hoe mijn vader naar haar keek, vooral als mijn moeder niet in de kamer was. Ik zag ook haar als een bedreiging voor het geluk van mijn moeder en stelde me erg koeltjes op, wat vader weer arrogant van me vond. Betty's bezoekjes gingen vrolijk door nu de winter naderde, maar op een zaterdag kwam ze niet opdagen. Mijn vader, die in een joviale bui was, gaf mijn moeder met veel vertoon wat geld. 'Waarom gaan jij en de kinderen niet naar de film?'

Ik sprong van opwinding op en neer, want *The Wizard of Oz* speelde in het Garden-theater, vlak bij mijn grootmoeder, en ik was helemaal weg van het verhaal. Mijn moeder was blij met zijn vrijgevigheid en de wijze waarop hij haar had geholpen met de twee jongste kinderen door Ian voor haar in een wandelwagen te zetten. Met een brede glimlach wuifde hij ons uit en zei dat hij voor het avondeten iets bij de snackbar zou halen als we weer terugkwamen. We gingen er vrolijk vandoor, arriveerden bij de bioscoop en kochten een kaartje bij de kiosk. Alles ging goed tijdens het voorprogramma en Ian viel knikkebollend in slaap. Toen begon de hoofdfilm. Terwijl ik helemaal werd meegesleept door de Munchkins, begon Norman, die drie jaar jonger was dan ik en die nog niet naar school ging, opeens te jammeren, eerst zachtjes en toen steeds harder.

Mijn moeder deed tevergeefs haar best om hem weer stil te krijgen en keek verontschuldigend om zich heen. Misschien zou hij weer tot rust zijn gekomen als de slechte heks uit het Westen niet op dat moment haar dramatische entree had gemaakt. Normans angstige gekrijs vulde het theater en Ian werd wakker en ging meedoen. Mijn moeder sleurde ons mee naar de uitgang, wat ik natuurlijk niet wilde, en daarom deed ik mee met het luidkeelse protest, tot we door een nerveuze ouvreuse de gang in werden geduwd. Gelukkig kende mijn moeder haar en ze gaf ons niet alleen het geld voor de kaartjes terug, ze vertelde mijn moeder ook dat ik een gratis kaartje zou krijgen voor een andere voorstelling.

Maar daar stonden we dan, veel eerder de bioscoop uit geknikkerd dan verwacht. 'Het maakt niet uit,' zei mijn moeder stoïcijns. 'Laten we maar snel naar huis gaan voor onze vis en frites.

Dát gedeelte van je vaders traktatie krijg je in ieder geval wel, Sandra.'

We namen de bus van Whifflet naar Coatbridge. Ik rende voor mijn moeder uit en was het eerst bij de achterdeur. Ik stormde onze kleine zitkamer in en bleef als aan de grond genageld staan. Mijn vader was daar met een klein meisje van een jaar of twee, het kind van een van onze buren. Ze zat op onze bank, half aangekleed, en ze keek verbijsterd om zich heen. Toen verscheen mijn moeder achter me. Er ontstond een vreselijke ruzie en wij kinderen werden de slaapkamer in geduwd en kregen te horen dat we stil moesten zijn.

In 1956, vlak voor de kerst, stond er opeens een aantal mannen voor de deur die mijn vader meenamen. Norman was er getuige van. Gedurende een aantal dagen waren we helemaal de kluts kwijt en de mensen weigerden over mijn vaders verdwijning te praten. Ik had werkelijk geen idee wat hij nu weer had gedaan en ik was te bang om het te vragen. Het enige wat ik wist, was dat volwassenen zwegen als ik de kamer inliep, of dat nu thuis was, bij Granny Katie in Ashgrove, of bij Granny Jenny in Bellshill. Als ik in de buurt was, veranderden de stemmen in gefluister, de kinderen op school deden raar tegen me en de buren ontweken mijn moeder en stonden in kleine groepjes bij elkaar te mompelen. Ik begon het idee te krijgen dat ik iets te maken had met wat er was gebeurd, maar ik was te bang om daarachter te komen. Uiteindelijk kon ik mezelf niet bedwingen. 'Wat is er met mijn papa gebeurd? Waar is hij naartoe?'

Ik confronteerde mijn moeder en grootmoeder, die in onze zitkamer met zijn tweeën, en toch ook weer alleen, zaten te snikken, ermee, terwijl de eenzame kerstboom wachtte om te worden opgetuigd. Mijn moeder kon me niet aankijken en snikte des te harder. Het was al erg om haar te zien huilen, maar het was heel bijzonder om Granny Jenny, een grote, indrukwekkende vrouw die haar hele leven vissen had schoongemaakt en dieren had geslacht, tranen met tuiten te zien huilen. Ik schrok van haar gezicht. Ze snoot luidkeels haar neus en keek toen met rode en gezwollen ogen naar mij. Ze was van top tot teen in het zwart gehuld en de stof rook naar kamfer. Was er iemand gestorven?

'Ziekenhuis,' zei ze krakend. 'Je vader is meegenomen naar het ziekenhuis, liefje. Vraag er maar niets over aan je mama, want zij is veel te veel van streek. Je hoort het allemaal wel als je een heel stuk groter bent.'

Ik keek haar ernstig aan en knikte. Er viel een lange stilte die slechts werd onderbroken door het getik van de klok op de schoorsteenmantel, hun zachte gejammer en de af en toe opvlammende sintels in het vuur als het hout verschoof. Mijn ogen fixeerden zich op de vlammen, die me zoals altijd fascineerden met hun prachtige tekeningen, en ik rolde mezelf op in een kleine bal, mijn kin mistroostig op mijn knieën leunend. 'Betekent dat dat de Kerstman ons dit jaar niet komt opzoeken?' Ik werd geruststellend geknuffeld en ze zeiden dat het dit jaar een beetje anders zou zijn, maar dat de Kerstman niet zou vergeten waar we woonden. Het gespreksonderwerp was veranderd, maar geen van beide vrouwen heeft me ooit vrijwillig verteld waar mijn vader was.

Met tegenzin accepteerde ik wat me werd verteld. Op een zomerdag in 1957 vroeg ik mijn grootvader, met wie ik lathyrus aan het plukken was, op vertrouwelijke toon: 'Waarom mag ik papa niet opzoeken in het ziekenhuis?'

Hij keek me snel aan en ging toen verder met het knippen van de vervlochten ranken. 'Er zijn ziekenhuizen waar ze geen kinderen toelaten – weet je nog dat Gran en ik je een keer meenamen met de trein naar Hartwood, om daar iemand op te zoeken?'

Ik knikte en spitste mijn oren. De vader van mijn vader was toen de hoofdboilermonteur in Bellshill Maternity, dicht in de buurt waar ze woonden, en volgens mij had hij wel verstand van dit soort dingen.

'Nou, het is een psychiatrische inrichting – jij en William moesten buiten gaan spelen, weet je nog? Dit is hetzelfde. Je vader zit in een psychiatrische inrichting. Ze zouden je nooit binnenlaten, Sandra.'

Ik verwerkte dit antwoord en onderdrukte mijn andere vragen. Ik herinnerde me het bezoek aan een of ander familielid. Het was me bijgebleven, want terwijl we op het terrein van het ziekenhuis speelden, zagen mijn neefje en ik een paar patiënten sneeuwruimen. Terwijl de een zich transpirerend over een spade boog, de glinsterende hopen in een kruiwagen deponerend, was een ander bezig de sneeuw er langs de achterkant weer uit te halen. We hadden er als vijfjarigen hartelijk om moeten lachen, maar we waren ook een beetje bang geweest voor deze wezens die 'gek' werden genoemd en daarom renden we weg toen ze naar ons toekwamen.

Gedurende heel wat jaren accepteerde ik dat mijn vaders afwezigheid te wijten was geweest aan een mentale ziekte – waar toen zo'n stigma op rustte dat niemand erover wilde praten.

Hoofdstuk 8

In alle families zijn er onuitgesproken afspraken over wat wel of niet besproken mag worden. Mensen leven met de zorg dat op een onbewaakt moment een vreselijk geheim onthuld zal worden dat niet meer herroepen kan worden en dat de familie zou kunnen vernietigen.

In 1957 werden kinderen onwetend gehouden waar het seks betrof en er was maar een enkeling die wist om te gaan met exhibitionisten, of iemand die ons onfatsoenlijk betastte in de bus of bioscoop. De mensen geneerden zich en spraken niet met hun kinderen over seks. Je leerde de feiten van kameraadjes op de speelplaats, die een rijke bron waren van verkeerde informatie. Ik was zo naïef wat menstruatie betrof, dat toen mijn beste vriendin op de lagere school, Carol Fairley, me giechelend vertelde dat haar ongesteldheid zo hevig was, dat ze ervan tolde, ik in alle onschuld zei: 'Ik heb er ook een – ik durf te wedden dat de mijne beter is dan de jouwe! Ik heb er een prachtig patroon op geschilderd.'

Haar geschokte gezicht verwarde me tot het haar begon te dagen dat ik haar misschien niet helemaal goed had verstaan. Alleen het woord 'tolde' was blijven hangen, want de rest zei me niets. (We waren erg trots op deze kleine houten speeltjes die we met een zweep op de grond lieten ronddraaien. Afhankelijk van de vaardigheid van de speler, konden ze eeuwen blijven rondtollen en ik had van een van de oudere meisjes geleerd dat je er met kleurkrijt golvende strepen op moest tekenen, zodat een goede mep van het touw een prachtige, hypnotiserende caleidoscoop van levendige kleuren tot gevolg had.) Toen begon ze weer te giechelen tot ze zich realiseerde dat dit haar kans was om haar superieure kennis te tonen over iets wat mij binnenkort elke maand kon overkomen.

Hoewel mijn vader kort na mijn achtste verjaardag weer terugkwam, vertelde mijn moeder me op 7 januari 1957 dat hij weer weg zou gaan. Haar stem klonk zo ellendig, dat ik wist dat ik hem een hele tijd niet zou zien. Het gaf me een gevoel van opluchting maar ook van schaamte, wat ik aan niemand kon uitleggen, zelfs niet als ik iemand zou hebben gevonden die naar me wilde luisteren.

Toen hij weer verdween, was het lente en tegen die tijd was de zoektocht naar Moira al in volle gang.

Wat herinner ik me zelf van het weekend van haar verdwijning? Toen mijn moeder en ik erover praatten, vele jaren later, pasten onze herinneringen precies in de puzzel van gebeurtenissen. Het was voor ons beiden een keerpunt geweest, en om heel verschillende redenen.

Mijn moeder zei dat mijn vader die dag vroeg was opgestaan om de mijnwerkers naar de Annathill-kolenmijn te brengen. Halverwege de ochtend was hij weer thuisgekomen en zou na de lunch een dienst draaien van twee tot tien. Ze vertelde me dat ze zich dat weekend goed kon herinneren omdat haar ouders een bezoeker uit Australië hadden gehad. De zus van opa Frew, tante Cis, die jaren daarvoor was geëmigreerd, was teruggekomen voor een familiereünie. De hele familie kwam die zaterdagavond in Ashgrove bij elkaar om haar komst te vieren en mijn moeder had de pest in dat mijn vader zijn dienst niet met iemand had geruild, vooral omdat hij die dag al een vroege dienst had gedraaid. Ze had het zo geregeld dat we allemaal naar het feest konden en moest het toen toch afblazen, want ik kreeg net als een heleboel anderen in de stad de A-griep, die op dat moment bijna heel Schotland in zijn greep hield.

Het was de eerste keer dat ik ooit ziek was geweest met hoge koorts en ik herinner het me nog goed. Pas de volgende zondag ging ik op wiebelbenen naar mijn grootmoeder, nadat ik de hele week niet naar school was gegaan. Ik vond het enig om met kangoeroes erop geborduurde zakdoekjes te krijgen van de Australische eregast. Mijn moeder vertelde hun dat ze me de vorige avond meteen in het bed in de nis had gestopt, samen met de kleintjes. Om tien uur had ze zich afgevraagd of ze de dokter moest laten komen, want mijn temperatuur was schrikbarend hoog en daarom bleef ze maar naar buiten kijken, tot mijn vader zijn auto op de binnenplaats zou parkeren.

Hij was in geen velden of wegen te bekennen, maar ze kwam erachter dat ze de temperatuur omlaag kon krijgen door me af te koelen met een natte, flanellen doek. Het had die avond vreselijk gesneeuwd en ze maakte zich zorgen dat hij nog niet thuis was. Daarom besloot ze niet naar bed te gaan, maar een oogje op mij te houden terwijl ze groentesoep maakte voor zondag.

Het was bijna middernacht toen mijn vaders auto eindelijk op de binnenplaats tot stilstand kwam en hij zichzelf het huis in liet. Ze vertelde hem over mij en herinnerde hem eraan dat hij de volgende dag even langs moest gaan bij haar tante. Toen bood ze hem wat soep aan. Hij zei dat hij moe was, en het viel haar op dat hij er uitgeput uitzag, maar het weer had die dag dan ook voor veel overlast gezorgd.

Op zondag stond mijn vader vroeg op en nam de sandwiches mee die ze in vetvrij papier had ingepakt, papier waarin het brood verpakt had gezeten dat we bij de Co-op kochten. Hij ging naar zijn werk en zei dat hij halverwege de middag weer terug zou zijn. Toen ik opstond voelde ik me heel wat beter, maar mijn moeder besloot om niet naar de kerk te gaan. Na de lunch vond ze dat ik sterk genoeg was om naar Coat's Sunday School te gaan, vijf minuten van ons huis vandaan, en ze stuurde me daar met Norman naartoe. Omdat het al na drieën was, verwachtte ze elk moment mijn vader te zien, maar hij was weer te laat en daarom dacht ze dat hij naar haar tante Cis was gegaan. Toen de deur eindelijk openging, was het niet mijn vader maar haar schoonzus, tante Betty, die net als tante Margaret in Alexander Street woonde, aan de andere kant van de heuvel. Ze had zich zo gehaast dat ze buiten adem was en haar benen hadden blauwe en paarse vlekjes van de kou.

'Je hebt geen idee wat er thuis allemaal gaande is!' Ze liet zich op de bank vallen en vertelde mijn moeder dat mannen alle straten uitkamden op zoek naar een kind dat de dag ervoor was verdwenen. 'Er zijn overal mannen, ze controleren onze steegjes en kolenkelders, zelfs de vuilnisbakken. Ze hebben geen idee wat er met dat arme kleine meisje is gebeurd. Vind je het niet vreselijk?' Mijn moeder was het met haar eens. 'Wie is het?'

'Iemand vertelde me dat het een van de dochters van de familie Anderson is, de middelste,' verkondigde haar schoonzus op gewichtige toon. 'Volgens mij heet ze Moira, maar ik zou me kunnen vergissen. Hij werkt samen met mij in de zuivelfabriek in Red Bridge. Ik heb gehoord dat hij helemaal gek is van de zorgen, de arme man. Als ze is weggelopen na een of andere ruzie en al deze ellende met de politie en zo heeft veroorzaakt, dan durf ik te wedden dat hij haar vermoordt als hij die kleine doerak te pakken krijgt.'

Toen we terugkwamen, waren ze aan het discussiëren over het avondeten. Mijn moeder vroeg me of ik het vermiste meisje kende. Ik zei dat ik haar kleine zusje kende, Marjorie.

'Ach, die komt snel genoeg weer boven water.' Mijn tante Betty rolde met haar ogen. 'Maar ik zou niet graag in haar schoenen willen staan als het zover is. Er staat haar wat te wachten!'

'Nee, nee, het spijt me voor haar ouders,' mompelde mijn moeder. 'Zij vergeven haar alles, als ze maar in orde is – je weet hoe het is als kinderen je helemaal over de rooie jagen. Waarschijnlijk heeft ze verstoppertje gespeeld en zit ze ergens opgesloten. Ze heeft zich vermoedelijk lekker opgekruld en is in slaap gevallen. Je hebt gelijk, ze komt wel boven water, gezond en wel, en zal zich afvragen waar al die drukte voor nodig was.'

Maar de dagen gingen over in weken en nog was ze niet gevonden. Tante Cis ging weer terug en hoewel we haar nooit meer hebben gezien, staan deze gebeurtenissen nog steeds in detail beschreven in haar dagboekgedeelte van het bezoek.

Mijn vader ging weer weg, niet voor de eerste keer en zeker niet voor de laatste keer, en ons leven kreeg een andere invulling. Zonder hem waren er weinig spannende gebeurtenissen en er werd overwegend heel hard gewerkt. Mijn moeder was nu het hoofd van het gezin en gaf mij de verantwoording voor dingen die ik nu niet eens aan mijn eigen jonge dochter zou durven voorleggen.

Ik hielp niet alleen met zorgen voor mijn broertjes, ik ging ook met haar mee als ze ging schoonmaken bij Falconer and Prentice's, het kantoor van een bouwkundig adviesbureau in de nabijgelegen Church Street, tegenover de zij-ingang van Woolworths. We misten mijn vaders inkomen en dit maakte het onbrekende deel weer goed. In die dagen was er geen bijstand of eenoudertoeslag. Soms ging ik in de schemering in mijn centje naar deze kantoren om ze schoon te maken, hoewel ik nog niet eens tien jaar oud was.

Ik vond het leven van mijn vriendinnen maar saai vergeleken met het mijne. Na school gingen ze naar huis waar het eten al op tafel stond, bereid door moeders die niet hoefden te werken – de norm was toen dat vrouwen thuisbleven. Ik kan me niet herinneren dat een van mijn vriendinnen soortgelijke klusjes deed. Maar terwijl mijn moeder me als volwassene behandelde en zelfs in vertrouwen nam, beschermde ze me ook voor informatie die me volgens haar zou kunnen bezoedelen.

Op een vreselijke dag werd ik in Dunbeth Road aangevallen en aangerand. Mijn tante Margaret was ziek en mijn moeder stuurde me op een avond naar haar huis met wat vis. Ik ging op pad, het was een wandeling van vijf minuten, een jaar na de verdwijning van Moira. Het was donker, maar het was niet laat, zo rond het avondeten. Vlak bij de middelbare school sprong een jongeman plotseling op me af. Ik viel op mijn rug op de grond. Mijn capuchon gleed voor mijn ogen en ik kon hem niet goed zien, maar er waren twee dingen die me van streek maakten; de vreselijke stank van wilde kamperfoelie en een ondraaglijke pijn nadat hij zijn hand onder mijn rok had gestoken. Terwijl hij vuile praat uitsloeg, hapte ik naar lucht en ik voelde de bult op mijn achterhoofd al groter worden. Maar toen werd ik opeens zo boos dat ik een luide kreet slaakte. In een van de grote huizen ging het licht in de portiek aan en de man rende weg, maar pas nadat hij me nog een harde schop had gegeven.

Ondanks de herrie kwam er niemand naar buiten. Ik kwam

trillend overeind en pakte mijn gekreukte pakje vis van de grond. Toen mijn oom de deur opendeed, zag hij daar een klein, totaal verward meisje staan, geschaafd en gekneusd, met bloed dat over een kniehoge schoolsok omlaagdruppelde. Het duurde langer dan een halfuur voordat ze me konden kalmeren met het bijbehorende kopje thee.

'Je komt er wel overheen, Sandra,' mompelde mijn tante sussend, nadat ik hun had verteld wat er was gebeurd. 'Je oom Archie loopt zo mee terug om te kijken of die man nog steeds in de buurt is en dan zal hij het wel aan je moeder vertellen.'

Dus we gingen samen naar huis, passeerden het politiebureau, en mijn oom en moeder spraken fluisterend met elkaar, terwijl ik me klaarmaakte om naar bed te gaan. Ik verwachtte dat mijn moeder me zou vragen wat er was gebeurd. In plaats daarvan knuffelde ze me, gaf ze me een warme kruik, en herinnerde me eraan mijn gebeden op te zeggen. Ze verzekerde me dat we er later over zouden praten, als ik me beter voelde, en gaf me toen snel een kus. Volwassen stemmen dreunden terwijl ik in slaap viel.

Alsof er niets bijzonders was gebeurd, werd ik de volgende dag gewoon naar school gestuurd. Ik schaamde me en durfde er niets over te zeggen tegen mijn vriendinnetjes, en mijn moeder bracht het onderwerp nooit ter sprake. Wat door haar gerapporteerd had moeten worden als een obscene aanval op een kind werd onder het tapijt geschoven, alsof mijn moeder zich ervan kon overtuigen, door deze confrontatie niet aan te gaan, dat haar kind door niemand was aangeraakt.

Toen mijn vader terugkeerde van zijn lange afwezigheid, was zijn houding jegens mij er bepaald niet beter op geworden. Terwijl hij weg was, was ik gegroeid en net na zijn terugkomst vierde ik mijn tiende verjaardag. Ik trok me weer terug en hoewel ik allesbehalve ondeugend was, kreeg ik toch weer klappen. Zogenaamd om mijn 'brutaliteit' eruit te slaan. Mijn moeder hield ons zoveel mogelijk bij elkaar vandaan. Omdat ze tijdens zijn afwezigheid voor zichzelf had moeten zorgen, was ze wat assertiever geworden en daarom kwam ze regelmatig tussenbeide als hij me weer eens bont en blauw sloeg.

'Ze mogen je dan geslagen hebben waar jij was,' schreeuwde ze een keer naar hem waar ik bij was, 'maar heb niet het lef mijn kleintjes aan te raken zonder dat je daar een goede reden voor hebt!'

Ik keek tevreden naar de vijandige blikken die tussen hen over en weer gingen.

'Blijf uit zijn buurt, Sandra! Erger hem niet en wees ook niet brutaal,' siste ze naar me, en meestal gaf ik hier gehoor aan, maar ze was er niet altijd bij. Ik wilde niet reageren als mijn vader liefkozende woordjes gebruikte, ik weigerde hem goedenacht te kussen, en ik negeerde zijn regels en hield me aan die van mijn moeder, waar we tijdens zijn afwezigheid aan gewend waren geraakt. Ik trok zelfs mijn lip minachtend voor hem op en deed geen moeite dat te verbergen, wat natuurlijk vreselijke ruzies tot gevolg had.

Hij gaf me een keer een pak rammel dat zo erg was, dat ik wegliep. Mijn lip gespleten door een klap in mijn gezicht, terwijl hij me normaal gesproken elders sloeg, zodat niemand het kon zien. Ik liep uren rond, verliet Dunbeth Park toen de poort bij zonsondergang werd gesloten en zwierf door de straten tot de dageraad me bijna terug had gebracht naar huis. Ik zat op de trap van het gemeentehuis en moet in slaap zijn gesukkeld, want het volgende wat ik me herinnerde, was een vriendelijke politieman met een zaklantaarn die me optilde en me de hoek om droeg naar het politiebureau. Daar bekeek hij mijn gezicht, maakte een kopje hete Cadbury-chocola voor me en vroeg wat er aan de hand was.

Ik barstte in tranen uit. 'Mijn vader is een grote bullebak en hij slaat me om niets.' Zodra die woorden eruit waren, werd ik overvallen door schuldgevoel. Dit was een groot verraad, hoewel ik mijn vader niets verplicht was. Maar hoe zat het met mijn moeder? Had zij niet genoeg op haar bord, zonder dat ik daar nog iets aan toevoegde? Ze moest zich vreselijke zorgen hebben gemaakt. 'Misschien verdiende ik het. Ik zal wel terug moeten,' voegde ik er op effen toon aan toe, naar de grond kijkend. 'Maar ze zullen vreselijk boos zijn.'

Hij keek me welwillend aan en gaf me een chocoladekoekje,

wat echt een traktatie was. Ik werd verscheurd tussen hier blijven, voor het kleine verwarmingselement, of naar huis gaan. Hij vroeg me om mijn naam en adres en noteerde het in zijn kleine notitieboekje en niet in het enorme boek dat boven op de mahoniehouten balie lag. Ik liet me met tegenzin van mijn stoel zakken.

'Maar je woont hier om de hoek!' Hij glimlachte naar me. 'Ik loop wel even met je mee.'

Hij moet gezien hebben hoe mijn gezicht veranderde toen mijn vader, keurig gekleed in zijn uniform, naar de achterdeur kwam. Mijn moeder was nergens te bekennen, maar mijn vader stond daar met een vergenoegde grijns op zijn gezicht, waar ik niets van begreep. Terwijl ik daar onzeker op de stoep stond, wisselden hij en de vriendelijke politieman een glimlach uit.

'Ik denk dat we hier wat verloren bezit hebben.' De agent sprak op vriendelijke toon.

'Je hebt me de moeite bespaard om naar het bureau toe te komen,' zei mijn vader innemend, terwijl hij een hand op mijn schouder legde die me vertelde dat mijn nachtelijke avontuur voorbij was. 'Naar binnen, jongedame, je moeder is ziek van de zorgen.'

'Een kibbelpartijtje?' De stem van de jonge agent bleef vriendelijk. 'Het meisje heeft een gespleten lip, maar ik denk niet dat het ernstig is.'

'Een kleine kloppartij, dat is alles,' antwoordde mijn vader gladjes. 'Dat los ik zelf wel op. Laat dit maar aan mij over, agent.'

Ik werd de zitkamer in geduwd, terwijl zij over de kinderen van tegenwoordig spraken en toen nam de jonge agent met een zwaai afscheid. Ik realiseerde me met een ziekmakende zekerheid dat de jonge knul met geen mogelijkheid op kon tegen de een meter tachtig lange reus op onze stoep. Ze kenden elkaar van gezicht en de agent was een van de vele agenten die in en uit mijn vaders bus sprongen; hij zou geen aandacht besteden aan wat hij had gezien.

Mijn ouders dachten dat een gezinsvakantie dé manier was om hun huwelijk te repareren. Maar onze tocht naar het kustplaatsje Montrose was een absolute ramp. Het was niet alleen slecht weer, maar mijn moeder barstte ook regelmatig in tranen uit. Ik heb nooit geweten wat er is gezegd toen we familie opzochten in de buurt van Banchory om daar een kopje thee te drinken, maar toen iemand het over een kennis had die Betty heette, begon ze te snikken. Ons vakantiehuisje in een van de achterstraten van Montrose was spartaans ingericht en had meters die regelmatig met shillings gevoed moesten worden om gas te leveren voor de verwarming of heet water. Het oudere echtpaar dat een deel van hun huis verhuurde was niet bepaald dol op jonge kinderen en verwachtte van ons dat we het grootste deel van de dag buiten zouden zijn, of het nu regende of niet. We ondernamen een aantal dagexcursies die altijd leken te beginnen met beschuldigingen van mijn vader. Dat het altijd zo lang duurde voordat mijn moeder de kinderen en het eten had georganiseerd. Het eindigde altijd met ruzies over de juiste route naar plaatsen als Brechin en Stonehaven, en natuurlijk stiltes. Net zo erg waren de blikken vol haat die ik zag in de achteruitkijkspiegel als ik voorstelde even te stoppen of om nog een spelletje 'Ik zie, ik zie wat jij niet ziet' te spelen ten behoeve van de twee kleintjes.

De boeken op ons logeeradres stelden niets voor, behalve *The Pilgrim's Progress*, dat ik in een dag verslond. Het enige uitje dat een succes was, was naar de vuurtoren bij Scurdie Ness, waar mijn broers en ik de kans kregen om rond te rennen en alles te verkennen zonder te horen dat we stil moesten zijn.

Op de laatste avond, een vrijdag, moedigden onze hospita en haar man mijn moeder aan om mij mee te nemen naar hun Kingdom Hall, waar we volgens hen voldoende vermaak zouden vinden om onze vakantie af te ronden. Het was voor het eerst dat de regen niet op ons neersloeg en we gingen op pad. Ik had de pest in omdat Ian en Norman met mijn vader naar de kermis gingen. De vele lichtjes waren uitnodigend en ik smeekte mijn moeder onze plannen te veranderen. Ik herinnerde haar aan het zakgeld dat ik nog overhad, maar ze was onvermurwbaar en zei dat meneer en mevrouw Young, onze gastheer en gastvrouw, tijdens hun religieuze bijeenkomst naar ons zouden uitkijken en ze verbrak nooit een belofte.

De zaal zat vol mensen met vochtige regenjassen en paraplu's die allemaal enthousiast hun gezangen zongen, begeleid door een valse piano. Na de dienst dronken ze een kopje thee en aten heerlijke Schotse cake en schudden mistroostig hun hoofd over het weer. 'Nee, dat kan niet blijven voortduren...'

Ik was dolblij toen mijn moeder ermee instemde dat het nog niet zo laat was en dat we naar de kermis konden lopen om ons bij de anderen te voegen voordat die naar huis zouden gaan. Misschien konden we onderweg wat vis en patat kopen. Ik probeerde mijn geluk bij een ringwerpspel, maar we zagen mijn vader en broers nergens. Mijn moeder glimlachte toegeeflijk toen ik iets pluizigs oppakte dat ik had gewonnen en vond het goed als ik nog wat geld uitgaf in het volgende stalletje, waar je een kokosnoot kon winnen door blikjes om te gooien. Maar ze was te afgeleid om van het kijken naar mij te genieten. 'Misschien zijn ze al naar huis gegaan,' zei ze bezorgd. 'O, goed, kom, Sandra, laten wij dan ook maar gaan. Vergeet niet dat we morgen alles weer in moeten pakken.'

Ik vertrok mijn gezicht, maar ik probeerde niet te laten zien hoe teleurgesteld ik was dat mijn vader er niet was om me mee te nemen in de botsautootjes, of een kaartje voor me te kopen voor de cakewalk. Maar toen we ons appartement in liepen, was de rest van het gezin in geen velden of wegen te bekennen. We aten onze vis, ruimden de tafel af en wasten af en dachten erover om naar bed te gaan. Mijn moeder was bezorgd. 'Waar kan hij in vredesnaam zijn?' wilde ze weten, terwijl ze mij gebood mijn babydoll aan te trekken, die we speciaal voor de vakantie hadden gekocht. Ik haalde mijn schouders op en las een *Reader's Digest*. De minuten tikten voorbij en mijn moeder ijsbeerde over het versleten linoleum. Toen begon ze dingen in te pakken. Net toen ik in mijn ogen wreef en op de Baby Ben-klok keek of het echt al na middernacht was, en zij iets mompelde over naar het politiebureau gaan, hoorden we een sleutel omdraaien in het slot. Mijn vader droeg een kind, dat diep lag te slapen, en duwde een ander in zijn wandelwagen voor zich uit.

Mijn ouders sisten boos naar elkaar toen zij hem vroeg waar hij had uitgehangen. Naar het scheen had mijn vader op de kermis een vrouw ontmoet, en volgens hem had ze hem en de kinderen uitgenodigd om bij haar te komen eten.

'Je hebt bij een of andere vrouw gezeten terwijl ik ziek was van de zorgen over deze kleintjes? Hoe kon je?' vroeg mijn moeder.

'Ze was een heel aardige vrouw.' Mijn vader gniffelde. 'Ze vond me meteen erg aardig en ze was goed voor Norman en Ian. En voor mij,' voegde hij er toen aan toe.

Mijn moeder gaf hem een klap in zijn gezicht en beende naar het bed.

De spanning in de auto de volgende dag was om te snijden, en toen we Montrose achter ons lieten, wist ik dat het een plek was waar ik nooit meer naar terug wilde.

Hoofdstuk 9

In november 1955 gaf een vriendelijk gemeenteraadslid gehoor aan mijn moeders smeekbede om tijdens de afwezigheid van haar echtgenoot wat dichter bij haar ouders te mogen wonen. We kregen Ashgrove 9 toegewezen, direct boven mijn grootouders die op nummer 11 woonden en die een grote hoektuin hadden. Misschien had mijn moeder het gevoel dat de nabijheid van zijn schoonvader ervoor zou zorgen dat mijn vader zich anders gedroeg als hij thuiskwam, maar het mocht niet zo zijn. Mijn grootvader verachtte hem en betreurde zijn seksuele gedragingen, maar hij besloot hem te mijden en zijn sterke patriarchale invloed op de rest van zijn grote familie uit te oefenen.

De normen en waarden van mijn grootvader werden er bij me ingehamerd. Het maakte niet uit hoe mooi het weer was, er werd zondags niet buitengespeeld, zelfs een spelletje kaart was verboden. Het is nooit bij mijn moeder opgekomen om zich af te vragen waarom wij ons moesten houden aan de nogal strenge discipline van haar vader.

Religie speelde ook een grote rol in het leven van de familie Anderson. Na Moira's tragische verdwijning bleven haar zusjes naar de bijeenkomsten van de Band of Hope gaan, waar Moira altijd zo dol op was geweest. Janet had zich nooit kunnen neerleggen bij het feit dat ze Moira op een avond snel mee naar huis had genomen, terwijl het jongere meisje had willen blijven omdat ze graag wilde weten hoe je missionaris moest worden. Dat komt nog wel, had ze gezegd, maar kort daarna verdween Moira.

Toen ik in augustus 1961 naar de Coatbridge High School ging, nam mijn werklast dramatisch toe. Terwijl mijn moeder en haar zus me hielpen al mijn boeken en schriften te kaften met behangmonsters, waren ze het eens dat ik de privacy van een eigen kamer verdiende en een groot deel van de zondag om mijn huiswerk goed te kunnen maken.

Hoewel mijn moeder verrukt was dat ik een plekje had veroverd op de meest elitaire middelbare school van de stad, kreeg ze van het regelen van mijn uniform nachtmerries. Een marineblauwe blazer bleek een enorme investering en van een leren schooltas was geen sprake. Wederom schoten afdankertjes me te hulp. De blazer die ik kreeg had elleboogstukken en de witte jongensoverhemden moesten veranderd worden. Ik maakte er zelf maar blouses met korte mouwen van, waar ik mijn marineblauwe trui met de V-hals met het gouden randje langs de hals, gebreid door Granny Frew, overheen aantrok.

Ik schaamde me dood om op de middelbare school te beginnen zonder de tas die ik nodig had voor boeken, en dat boezemde me zelfs meer angst in dan algebra, logaritmen, Frans en Latijn. Verder kromp ik ineen onder de blik van de angstaanjagende rector, James Cooper, die al door vele generaties plaatselijke schoolkinderen werd gevreesd, hoofdzakelijk vanwege zijn lengte. Hij was ruim twee meter lang.

Terwijl ik aan mijn carrière op de middelbare school begon, waar ik vriendinnen vond die ik nog steeds heb, begon mijn vader aan een reeks affaires met jonge vrouwen. Sommigen waren vreemden en anderen waren bij mijn moeder bekend. Je had Norma, de zus van een van mijn vriendinnetjes, diverse busconductrices, meestal vrijgezel, en dan een heleboel vrouwen die allemaal getrouwd waren, onder wie ook een Lily en een Rose. Af en toe nam mijn moeder mij mee om de vrouw van dat moment met de realiteit te confronteren. Een van hen steekt met kop en schouders boven de anderen uit. Ik werd op een dag van school gehaald en hoewel ik ineenkromp van gêne, werd ik in het Townhead-gebied van Coatbridge een tuinpad op geduwd, naar de voordeur van een werkelijk totaal verbijsterde vrouw die Cora heette, en wier echtgenoot buiten de stad werkte. Mijn moeder stak een woedende tirade af en verklaarde dat Alexander getrouwd was en dat hij met rust gelaten diende te worden. Niet alleen dat, hij was tevens de vader van drie kinderen en dít was de oudste, waarop ik naar voren werd geduwd om het mogelijke gevaar dat ons gezin zou worden vernietigd, te onderstrepen. De luide stemmen trokken een klein groepje belangstellenden aan, overwegend vrouwen, die elkaar zachtjes aanstootten en die allemaal de armen over elkaar sloegen.

Cora vertelde ons die middag dat zij en mijn vader van plan waren geweest om naar Engeland te vluchten, maar dat haar echtgenoot hiervan anoniem op de hoogte was gesteld en dat hij meteen naar huis was gekomen en gedreigd had mijn vader te wurgen. Ze waren het eens geworden dat de affaire moest stoppen en dat er geen contact meer zou zijn. Later vertelde Mary me dat ze hem nog een ander ultimatum had gesteld. 'Ik wil hem van die bus af hebben, Sandra,' had ze gezegd. 'Om twee goede redenen.'

Om te beginnen verschafte die omgeving hem een eindeloze rij vrouwelijke conductrices en gelegenheden voor affaires. Ten tweede was ze ervan overtuigd dat hij onder invloed stond van een chauffeur die volgens haar een twijfelachtige reputatie had. Het was een kleine, maar krachtig gebouwde man, met wie hij bevriend was geraakt. De man had de reputatie over losse handjes te beschikken en ik had ook een hekel aan hem, want ik zag hoe bang zijn stille kleine vrouw en zijn jonge zoon waren als hij in de buurt was.

Mijn moeder was er zeker van dat als onze familie Coatbridge zou verlaten, ze het verleden kon vergeten en weer een nieuwe start kon maken met mijn vader. Met dit in gedachten, schreef ze naar zijn jongere broer, die in Leicester woonde, om te zien of hij kon helpen. Oom Robbie was het tegengestelde van mijn vader. Hij was een ex-marinier en zijn taal kon kleurrijk zijn en zijn lontje wat kort, maar hij deelde geen van mijn vaders seksuele karaktertrekken en was een zeer integere man. Hij had hard gewerkt en was nu manager bij het plaatselijke rioleringsbedrijf. Robbie beloofde voor Alex werk te zoeken en dat vond hij ook. Alexander kon beveiligingsbeambte worden in de fabriek. Als mijn vader zijn best deed iets van deze redelijk betaalde baan te maken, hoefde hij alleen nog maar een huis te vinden en dan zou mijn moeder zich bij hem voegen en als er genoeg geld was zouden ze ons laten overkomen. Mijn broers, die nog steeds op de lagere school zaten, vonden het allemaal heel opwindend.

Mijn vader wilde heel graag uit Coatbridge weg. Toen hij vertrok waren zijn eigen ouders en die van mijn moeder erg opgelucht, want ze vonden het allemaal erg moeilijk om met hem om te gaan. Echter, toen mijn moeder hem daar ging opzoeken, had hij net een enorme ruzie gehad met zijn broer. Hij had van hem een kopie gekregen van de telefoonrekening van de fabriek, waar een heleboel interlokale gesprekken naar Coatbridge op stonden. Rekeningen werden in die tijd niet gespecificeerd, maar omdat wij thuis geen telefoon hadden, had Robbie mijn vader erop aangesproken en was erachter gekomen dat de affaire met Cora nog niet voorbij was. Het huis dat hij had gevonden wilde hij met háár delen en niet met ons.

Mijn oom ging compleet door het lint. Hij moest zelf voor deze gesprekken betalen en daarna moest hij zijn eigen broer ontslaan. Mijn vader had hem zo vernederd dat hij hem meteen op straat zette en hem vertelde dat hij niets meer met hem te maken wilde hebben. Hij vroeg mijn moeder te gaan zitten en legde haar op vriendelijke toon uit waarom hij niet meer wilde helpen met de geplande verhuizing. Terwijl zij zat te snikken, pakte mijn vader zijn spullen in en dat tot grote opluchting van mijn tante. 'Ik zal altijd voor jou en de kinderen klaarstaan, Mary, en ik zal je zoveel mogelijk helpen,' vertelde Robbie haar, 'maar ik trek mijn handen af van Alex. Als die schoft hier nog een keer zijn gezicht laat zien, sla ik hem in elkaar. Ik weet hoe sterk jouw christelijke plichtsgevoel is, maar als ik jou was zou ik zo snel mogelijk van hem scheiden.'

Maar mijn moeder volgde mijn vader terug naar Lanarkshire.

Het eerste waar ik op stond in ons nieuwe huis op Ashgrove 9, was dat ik niet alleen een slaapkamer voor mezelf wilde hebben, ik wilde ook een slot op de deur. Niemand vroeg me waarom ik dat wilde, en toen mijn vriendinnen verrast reageerden, legde ik hun uit dat ik dat slot had om mijn kleine broertje uit mijn kamer te weren. Het andere grote voordeel van wonen naast mijn grootmoeder, was dat ik een groot deel van de tijd in haar huis door kon brengen. Die keren dat ik alleen was met mijn vader, ging ik meteen naar beneden of verzon redenen om mijn slaapkamerdeur niet open te hoeven doen.

Ik was nu heel voorzichtig met wie ik meenam naar huis. Twee vriendinnen met wie ik speelde waren allebei op hun eigen manier heel volwassen, maar ze zagen er niet even volwassen uit. Barbara was opgevoed in een streng religieus gezin. Ze was klein, ontzettend slim en ze droeg een bril. Het andere meisje, dat ik Ellen zal noemen, was veel groter, zwaarder, fysiek meer ontwikkeld dan Barbara of ikzelf en ze had ook meer praatjes. We kregen met zijn drieën maar weinig zakgeld, en het viel Barbara en mij op dat Ellen heel vaak beweerde geen geld te hebben. Maar er waren ook momenten dat ze opeens barstte van het geld en dan trakteerde ze ons als de ijscowagen kwam. Mijn vader keek altijd uit naar haar bezoekjes en Ellen was blij met elk teken van affectie.

Ik heb Ellen de tiener altijd graag gemogen. We waren allebei gek op lezen en gingen soms samen naar de bioscoop. Op een avond, toen we veertien waren, waren Ellen en ik zo onder de indruk van de eerste James Bond-film in het Odeon in Coatbridge, dat we de laatste bus naar Whifflet misten. Het was een wandeling van twee kilometer, maar dat deerde ons niet. We gingen in de rij staan voor patat, en gingen toen op pad, kletsend met twee jonge knullen die dezelfde reis ondernamen – we waren heel blij met hun gezelschap, want het was erg donker op straat. Voordat we in de hoofdstraat van Whifflet arriveerden, spraken we elkaar al bij de voornaam aan en liepen we arm in arm. Vlak bij Tennents Works porde de jongen naast me mij in mijn zij en wees naar een kleine zwarte auto die langzaam achter een blonde vrouw aan reed, die zich ervan weg haastte. 'Ik word ziek van die griezels,' mompelde hij en legde beschermend zijn arm om me heen. 'Je weet toch hoe ze genoemd worden, hè?'

Ik haalde nerveus mijn schouders op. Ik had een misselijk gevoel in mijn maag toen ik de vrouw boos met haar vuist zag schudden naar de bestuurder van de auto, die er meteen vandoor ging. Ik wist wie het was.

'Hoerenrijders, zo worden ze genoemd,' ging mijn escorte, goed op de hoogte, verder. 'Het is maar goed dat jullie bij mij en mijn maat zijn, hoewel ik wel denk dat die vrouw hem heeft verjaagd.' Om de hele gebeurtenis van me af te zetten, begon ik geanimeerd met hem te praten terwijl Ellen en haar nieuwe vriend achter ons aan liepen. Aangekomen in Whifflet besloten we elk ons weegs te gaan, omdat Ellen in Shawhcad woonde. We namen zwaaiend afscheid en mijn begeleider en ik liepen verder in de richting van mijn huis. Net voordat we mijn straat in wilden lopen, kwam er naast ons met gierende remmen een auto tot staan en sprong er een dreigende figuur uit. Mijn metgezel schrok zich wezenloos toen mijn vader naar hem schreeuwde. Hij liet mijn arm los, ging er als een haas vandoor en keek niet één keer om om te kijken wat er allemaal aan de hand was. Ik moest bijna lachen toen ik hem over het een meter tachtig hoge hek zag springen, aan de achterkant van de St Mary's school, en in de nacht zag verdwijnen. 'Wat ben jij verdomme aan het doen, juffrouw?' schreeuwde mijn vader. 'Ik zal je met de riem geven! Stap onmiddellijk in de auto, klein secreet!'

Ik deed dat heel stilletjes en verwachtte elk moment door zijn vuisten in elkaar geslagen te worden. Maar in plaats daarvan keek hij me in het donker aan en mompelde hoe onnadenkend het van me was om mijn moeder zo bezorgd te maken, want zij had hem gevraagd of hij me wilde gaan zoeken. 'Wie was dat kleine onderdeurtje?' wilde hij weten, toen hij onze auto parkeerde.

Ik vertelde hem waarom we de reis hadden ondernomen en ik zei ook dat ik zijn auto op het viaduct had gezien. 'Je zult toen wel naar me op zoek zijn geweest,' zei ik sardonisch, en keek hem recht in de ogen. 'Jammer dat je ons toen hebt gemist. Ik zal mama laten weten dat alles in orde is.'

'Nee, nee.' Hij keek me boos aan. 'Dat hoeft niet. Ik vertel het haar wel. Ze zal nu toch wel in bed liggen, dus laat het maar. We zullen het er niet meer over hebben.'

Dat incident waarschuwde me voor gevaar. Als hij de kans had gekregen, zou mijn vader die jongeman in elkaar hebben geslagen. Hij had er bijna ziekelijk jaloers uitgezien. Ik realiseerde me dat ik iets anders zou moeten bedenken om hem zo ver mogelijk bij me uit de buurt te houden.

De bescherming kwam in de vorm van mijn vriendschap met Irene. We raakten bevriend in de tweede klas van de middelbare school en deelden de gebruikelijke tienerinteresses die alle pubers bezighouden. Op zaterdagavond bezochten we alle plaatselijke kerklokalen, waar je voor de vorstelijke entreeprijs van een shilling en sixpence de hele avond kon dansen op hits uit de Top Tien en waar je de locomotion, de hitchhiker en de twist kon leren, terwijl je van veilige drankjes als Coca-Cola en limonade nipte. We werden opgenomen in een groep die in kerken en clubhuizen rondhing waar meisjes met zijn tweeën naar hartenlust konden dansen, vaak in grote groepen rondom een berg handtassen, tot een paar verlegen jonge mannen hen op de schouders tikten.

Irene woonde een aantal kilometers verderop en als we samen uitgingen, bleef ik vaak bij haar logeren. We versierden de muren van onze slaapkamer met posters van de Fab Four, die we uit een tijdschrift knipten dat *208* heette. Irenes oudere zus, Elizabeth, tolereerde het gebabbel van twee pubers tot laat in de nacht, en hun ouders mochten me graag – ze mochten me zelfs zo graag dat ze me een aantal zomervakanties meenamen, waardoor ik mijn herinneringen aan Montrose toevertrouwde aan het album van de vakantie van de hel die ik in de onderste la had gelegd. Irenes vader leerde me zwemmen en duiken in plaatsen als Bournemouth en Scarborough en nam geleidelijk de plaats in van mijn eigen vader. Hij moedigde ons aan om overal naartoe te fietsen en van de ene jeugdherberg in Schotland naar de andere te reizen. Ik voel nog steeds de warme bries in mijn haar toen we door de pas van Killiecrankie fietsten, 'The House of the Rising Sun' zingend en een flesje Creamola Foam drinkend.

Het was via Irene dat ik mijn eerste echte vriendje leerde kennen, John Somerville, die in Muirhead woonde, een ander dorpje in de nabijheid van haar huis. Zij was eerst met hem uitgegaan en kende zijn familie goed, dus ik was helemaal niet bang voor hem en we gingen gedurende drie jaar met veel plezier met elkaar om. John was een zeer atletisch gebouwde achttienjarige, die hardliep op districtsniveau en die profvoetbal had kunnen spelen. Hij was knap, had brede schouders en indringende blauwe ogen met kraaienpootjes als hij lachte, en zijn haar was blond. Mijn vader kon zijn fitheid en kracht niet negeren, John was monteur in Fagan's Garage vlak bij mijn huis in Whifflet en draaide zijn hand er niet voor om als hij in zijn eentje een automotor uit de carrosserie moest tillen. Mijn vader en John hadden op het eerste gezicht al een hekel aan elkaar, wat me niet verbaasde, en ik realiseer me nu dat John de fysieke rots van kracht was die ik nodig had om mij te ondersteunen. Mijn vader hield ermee op me zomaar te slaan als hij er zin in had. Het was net alsof hij wist dat hij er dan voor gestraft zou worden.

Granny Katie was ook een enorme steun en toeverlaat en verdedigde altijd alles wat ik deed. Toen ze John ontmoette, veegde ze mijn moeders zorgen over een jongen die me het hof maakte terwijl ik nog zo jong was, meteen van tafel. Granny had nog maar een paar jaar te leven en stierf in 1966 tijdens de kerst aan kanker. Haar dood was een grote klap voor Mary in de zoveelste turbulente periode in haar leven die werd veroorzaakt door mijn vader.

Hoofdstuk 10

Toen mijn vader in 1965 uit Coatbridge wegliep, besloot mijn moeder dat het tijd werd een advocaat te raadplegen met betrekking tot een scheiding. Iedereen hield zijn adem in om te zien of ze van gedachten zou veranderen. Dat deed ze niet.

Nog steeds een beetje verbijsterd, maar ook heel erg opgelucht, vertelde ik het verhaal van zijn snelle vertrek aan een van mijn vriendinnen op school toen we op krukjes zaten en tekeningen maakten van levende modellen voor het eindexamen kunst. Myra Readings was een vlot, blond en beeldschoon meisje dat ik vaak na school opzocht in haar huis in Alexander Street, voor ik de Cliftonville-bus naar Ashgrove pakte. Haar ouders leken een warme en stabiele relatie te hebben. Ze was enig kind, woonde in een prachtig huis en leek alles te hebben wat haar hartje begeerde. Ze keek me nu vol afgrijzen aan, toen ik haar vertelde dat mijn vader was verdwenen met zijn conductrice, Pat Hanlon, die half zo oud was als hij.

'Ze zijn zomaar samen weggelopen? Mijn god!'

Myra's geschokte toon trok de aandacht van de anderen die zich nieuwsgierig omdraaiden en met een knalrood gezicht gebaarde ik haar wat zachter te praten.

'Voor hen was het niet echt een kwestie van "zomaar", denk ik. Ze lieten een in bruin papier verpakt pakket achter bij onze voordeur,' fluisterde ik. 'Later bleken dat hun busuniformen te zijn, netjes opgevouwen met hun naamplaatjes en hoeden, en of we die maar even wilden afgeven bij Baxter's op het hoofdkantoor.'

'Dus het was gepland!' Myra sperde vol verbijstering haar grote blauwe ogen wijdopen.

Ik dacht aan de busreis die mijn moeder en ik hadden ondernomen naar Gartlea, het busstation in Airdrie, om die spullen terug te brengen. We liepen de binnenplaats over en gingen de sombere garage in, waar men ons naar een vies kantoor bracht, dat door de inspecteurs werd gebruikt. Mijn vader haatte die inspecteurs (hij noemde hen 'rukkers met horloges' als hij ze zag rondhangen bij bushaltes). Mijn moeder gaf het pakket met een korte uitleg af en ging toen weer naast me zitten. De man aan wie ze het pakket had gegeven, ging kijken of er nog iets uitbetaald moest worden. We wisten dat mijn vaders tijdschema was ingeleverd. Het was het enige wat hij bijhield.

Mijn moeder was als de dood dat er geen geld zou zijn, hoewel haar gezonde verstand haar vertelde dat er altijd nog zoiets was als toeslagen of vakantiegeld. Toen de man terugkwam, zette hij zijn pet af en schraapte zijn keel. Het was duidelijk dat hij niet blij was met zijn taak. 'Het spijt me heel erg wat er met u is gebeurd, mevrouw Gartshore,' zuchtte hij, 'en meneer Baxter vindt het ook verschrikkelijk. Hij zegt dat als hij iets kan doen om uw... situatie was gemakkelijker te maken, u hem dat beslist moet laten weten.'

Mijn moeder hield haar ogen neergeslagen toen ze knikte, maar ik zag er opluchting in toen hij haar een bruin loonzakje overhandigde voordat hij ons naar buiten begeleidde. Pas toen we weer terug waren in Whifflet, stond ze me toe het loonzakje aan de keukentafel open te maken. Toen ik vragen probeerde te stellen, zei ze: 'Kom, kom', alsof ze probeerde een rusteloos jong dier te kalmeren. Ik trok er een lange strip vol getypte informatie uit van vetvrij papier, die ze als een soort van accordeon hadden opgevouwen en die vergezeld ging van een stapeltje bankbiljetten, hoofdzakelijk biljetten van vijf pond. Ze sorteerde de biljetten in stapeltjes voor de diverse huishoudelijke benodigdheden en stopte het geld van de bonus toen in een oude koekjestrommel, en zei met een vermoeide overtuiging: 'Laten we dit maar opzijleggen, want ik weet zeker, en God is mijn getuige, dat hij ons geen enkele ondersteuning zal sturen, niet voor mij en ook niet voor zijn drie kleintjes.'

'Wat gebeurde er toen?' Myra's stem haalde me uit mijn dagdroom. Ze viel bijna van verbijstering van haar kruk toen ik haar vertelde dat mijn moeder, toen er echt een eind aan haar geduld was gekomen, mijn vader op zijn hoofd had geslagen met een koekenpan. Myra had mijn moeder nooit ontmoet, maar ze kende Alexander Gartshore van de bus die haar voordeur passeerde. Ze was zich ervan bewust dat hij bijna een meter negentig lang was, terwijl zijn vrouw klein was.

'Zij heeft hém geslagen?' Myra's blauwe ogen waren zo groot als schoteltjes. 'Mijn god! Waarom?'

'Op een avond kwam ze om half negen thuis; ze was naar een bijeenkomst van de vrouwenvereniging geweest in de kerk. Toen zag ze hem in zijn Cortina zitten. Vlak voor ons hek. Hij zat te knuffelen met een meisje en het kon ze helemaal niets schelen als iemand hen zou zien. Toen mijn moeder zich realiseerde wat er aan de hand was en het autoportier opentrok, vertelde hij haar dat ze naar Leeds gingen, zomaar, en dat ze mijn kleine broertje Ian mee wilden nemen,' legde ik uit. Het klonk allemaal erg vanzelfsprekend en ik probeerde Myra's geschrokken gezicht te negeren. 'Daarom rende mijn moeder het huis in en probeerde hem tegen te houden toen hij zijn spullen inpakte terwijl de vrouw in de auto op hem wachtte. Ze was zo boos op hem, dat ze zich niet meer kon bedwingen en toen heeft ze hem met de koekenpan op zijn hoofd geslagen. Maar hij sloeg niet terug.'

'Is Ian met ze meegegaan?' Myra wist dat ik erg gesteld was op allebei mijn broers, maar dat ik erg beschermend was ten opzichte van Ian, die pas negen was. Ik schudde mijn hoofd.

'Nee, godzijdank. Opgeruimd staat netjes, wat mij betreft. Zonder hem zijn we veel beter af.'

'Ik ben ook blij dat je je kleine broertje niet hebt verloren, maar ik begrijp niet hoe je kunt zeggen dat je je vader niet zult missen, Sandra. Ik zou het vreselijk vinden als de mijne wegging, want ik zou hem heel erg missen. Dat zal jou straks ook gebeuren.'

Als je eens wist, dacht ik bij mezelf.

Maar ik was niet voorbereid op de depressie van mijn moeder in de herfst van 1965. Ik had constant het gevoel dat ik haar moest opvrolijken. Ik probeerde haar op te monteren met opmerkingen als: 'We redden het prima, mams. Zonder hem zijn we beter af. We redden het wel, wacht maar af. Je hebt mij toch, niet-waar?'

Hoewel ze instemmend knikte, liepen haar ogen vol tranen. Hoewel ze het niet tegen me kon zeggen, wist ik dat ze hem miste en dat ze hem nodig had, en dat maakte me heel erg boos. Want met zo'n man was er geen toekomst en tranen waren daarom zin-loos. Een of twee keer, terwijl de maanden voorbijgleden en zijn terugkeer steeds onwaarschijnlijker werd, maakte ze opmerkin-gen die hem in een goed daglicht plaatsten. Op een avond, toen ik wat brood roosterde aan een lange vork die ik boven een knet-terend vuur hield, terwijl ik in de tussentijd mijn haar droogde, zei ze: 'Weet je dat ik deze haard van je vader heb gekregen, San-dra, net nadat we hier waren ingetrokken? Ik ben er altijd erg blij mee geweest. Mis jij hem niet?'

Ergens halverwege mijn keel bevroor een geeuw.

Ze sprak verder op dezelfde, weemoedige toon. 'Ik weet dat je het haat als ik zijn naam noem, maar hij heeft óók goede kanten, echt waar... Ik herinner me toen we hier rondkeken dat ik hem vertelde dat ik dolgraag een nieuwe haard wilde hebben, en de week daarop stopte hij met zijn bus voor de deur om me te laten weten dat hij de voetbalpool op zijn werk had gewonnen. "Ga jij maar lekker een haard uitzoeken, Mary." Dat waren zijn woor-den. "Ik wil dat we het goed hebben in dit huis." Toen hij het geld kreeg, gaf hij alles aan mij. Weet je, dat zouden een heleboel man-nen niet hebben gedaan. Ze zouden de helft aan drank hebben be-steed, maar je vader niet. Ik kreeg mijn haard en mijn rooster, pre-cies zoals hij had beloofd.'

Ze keek me smekend aan, maar ik wilde haar niet aankijken. Dat ik me ooit op mijn gemak zou voelen in een huis dat ik met mijn vader had gedeeld, was een onmogelijkheid. Ik zou haar nooit kunnen vertellen dat een van mijn laatste herinneringen aan mijn vader een vreemd incident was dat zich uitgerekend afspeel-de in de kerk.

Slechts enkele weken voordat hij ons verliet, zat mijn vader, die nou niet bepaald een enthousiaste kerkganger was, naast me in de kerk. Omdat het een warme nazomerdag was, had ik een marine-blauwe mini-jurk aan, die ik met het geld van mijn zestiende ver-jaardag had gekocht, met een keurige, nauwsluitende witte kraag en een vest eroverheen. Granny Katie was erg onder de indruk geweest van mijn nieuwe marineblauwe pumps met de witte bies en mijn bijpassende schoudertas, en had opgemerkt dat ik een echte 'Sweet Sixteen' was. Ik haastte me naar de kleine kerk met verende tred en pas gewassen haar dat om mijn schouders danste. Mijn stemming veranderde zodra mijn vader naast me ging zitten en hij gniffelde toen ik naar links schoof om wat meer ruimte te maken – tevergeefs, wat de kerkbank zat die dag vol. Ik zat met hem opgescheept.

Hij grijnsde spottend, want hij wist hoe erg ik het vond als hij zo dicht bij me was, keek met opzet naar alle vrouwen die in de banken voor ons zaten en deed dat met het air van een ervaren handelaar tijdens de verkoop van stamboekvee.

Toen de dienst begon, voelde ik me heel claustrofobisch en werd me steeds meer bewust van mijn ademhaling. Tijdens de preek leek het wel alsof ik mijn eigen bloed door mijn oren hoor-de stromen, en mijn hart klopte alsof ik een marathon rende. Het was zo luid, dat ik het vreemd vond dat niemand het hoorde. Wat veroorzaakte die paniek? In het begin wist ik niet of het door al die mensen kwam in een warme omgeving, of door de slechtheid die mijn eigen vader uitstraalde. Opeens realiseerde ik me dat zijn ogen zich door mijn jurk boorden en naar alle bewegingen van mijn dijen keken. De dienst leek eindeloos en ik zat daar in angst; ik was niet eens in staat mijn ogen te sluiten tijdens het gebed.

Als mijn vader ooit de kans zou krijgen, al was het maar een kleine, zou hij me zonder gewetensbezwaren verkrachten, daar was ik van overtuigd. Het is daarom niet zo vreemd dat mijn moeders nostalgische verlangen naar hem mij mateloos ergerde.

Ik was vastbesloten te overleven zonder een hoofdkostwinner in ons huis, maar op financieel gebied werd het steeds moeilijker, en zelfs kleine dingen werden grote uitgaven. Naarmate de in-komsten afnamen, werd de kans steeds groter dat ik mijn plannen om door te leren zou moeten laten varen en dat ik werk moest gaan zoeken. Ik zette me over mijn trots heen en ging naar meneer Cooper, nog steeds een indrukwekkende man hoewel ik nu al in de vijfde klas zat.

Dat gesprek in zijn kantoor, in de lente van 1966, toen ik stamelend uitlegde waarom ik hem wilde zien, staat me nog helder voor de geest. Het was nagenoeg ongehoord dat een leerling naar zijn kamer ging zonder door hem opgeroepen te zijn. Ik vertelde hem iets over onze omstandigheden en dat ik onder druk stond om de school te verlaten en aan het werk te gaan. Hij fronste zijn wenkbrauwen.

'Dus, ziet u, mijn moeder moet nu in haar eentje drie kinderen opvoeden. Ik wil niet van school, meneer Cooper, maar misschien moet het toch een keer en mijn oma die in Bellshill woont, nou, zij zegt dat ze een goed baantje bij Woolworths voor me kan regelen, als ze maar iemand te pakken kan krijgen die ze kent – '

'Hoe oud ben je, kind?' viel hij me met zijn bulderende stem in de rede. Zijn grote, borstelige zilveren wenkbrauwen waren niet meer gefronst.

'Ik ben een paar weken geleden zeventien geworden.' Ik haalde diep adem. 'Ik zou met Pasen kunnen vertrekken, meneer, maar ik wil graag naar de kunstacademie of ik wil leraar worden, en daarvoor heb ik mijn middelbareschooldiploma nodig... en op dit moment help ik mijn moeder zo goed als ik kan – '

'Wat doe je dan?' onderbrak hij me weer.

'Op zaterdag werk ik in een platenzaak in Glasgow, tot zes uur. 's Avonds maak ik samen met mijn moeder kantoren schoon. Maar we hebben het echt heel zwaar en het was deze week zelfs heel moeilijk om het geld voor de bus bij elkaar te krijgen, laat staan voor de lunch.'

'Heeft je moeder geen verzoek ingediend voor gratis schoolmaaltijden voor jou en je broers?'

'O, nee, meneer, dat zou ze veel te gênant vinden... Ze zou niet willen dat een van ons een gratis maaltijd krijgt. Ze heeft haar trots.'

'Vertel me over je zaterdagbaan en wat het inhoudt.'

Ik vertelde hem dat ik zeventien shilling en sixpence verdiende

89

voor een hele dag werk in Paterson's, een grote platenzaak in Buchanan Street. Ik verkocht helemaal achter in de winkel langspeelplaten en ik had de baan gekregen via mijn vriendin Irene, die de strenge vrouwelijke manager, een vrouw met arendsogen, had overgehaald mij uit te nodigen voor een gesprek. Irene verkocht singles en ep's. Onze kameraadschap was het enige wat me gaande hield.

De rector stond op en liep naar het raam, zijn zwarte jas wapperde achter hem aan. 'Slavenwerk,' gromde hij uiteindelijk. 'Zeventien shilling en sixpence is onacceptabel voor het werk dat je doet, als je me tenminste de waarheid hebt verteld. Dat kan gewoon niet.'

Ik keek hem in stilte aan en was zo nieuwsgierig dat ik vergat nerveus te zijn.

'Ik zal met het Carnegie Library Committee praten, waar ik dit jaar lid van ben, en ik zal voorstellen dat er voor jou een baan wordt gezocht voor zaterdagen en tijdens vakanties, tegen een redelijke betaling, en om je huidige onkosten, reisgeld en dergelijke, te verminderen. Hou je van boeken, meisje?'

Ik kon mijn oren niet geloven. Of ik van boeken hield? Ik verzekerde hem dat ik mijn kaart voor de volwassenenafdeling van de hoofdbibliotheek in Coatbridge al had voordat ik de officiële leeftijd bereikte, omdat ik de voorraad van de kinderafdeling al had uitgeput. 'Boeken – die zijn het allerbelangrijkst, meneer. Ik zou daar heel graag willen werken.'

'Ik kan je niets beloven, maar ik heb hoge verwachtingen van je en ik zal mijn uiterste best doen. In de tussentijd zal ik het zo regelen dat je volgens de normale procedure tegoedbonnen krijgt voor de schoolmaaltijden, maar je moeder hoeft er niet voor te betalen. Vertel haar dat alsjeblieft. Nog één ding, ik denk dat lesgeven op de lagere school je heel goed zal liggen, Sandra. Zeg maar tegen haar dat ik dat heb gezegd. Welnu, terug naar de klas.'

Ik was zo opgewonden dat ik nauwelijks kon ademhalen en daarom piepte ik een bedankje terwijl hij me met een bars gezicht naar de deur bracht. In de wolken ging ik terug naar de Engelse les. Ik wilde wanhopig graag naar huis om mijn moeder te vertellen dat ik misschien toch niet aan Woolworths hoefde te denken en dat ik Granny Jenny's opmerking kon negeren dat het geen zin had om een meisje op school te laten zitten. 'Ze krijgen straks toch kinderen, dus wat heeft het voor nut.'

Mijn moeder was verrukt en ik slaakte een zucht van opluchting. Meneer Cooper gebruikte zijn invloed inderdaad en ik hoefde 's zaterdags niet meer naar Glasgow te reizen, want in plaats daarvan werkte ik in de Carnegie Library, waar ik dol was op mijn deeltijdwerk op de kinderafdeling en vervolgens de afdeling voor volwassenen, en ik bleef daar maar liefst vier jaar. Ik behaalde het zo broodnodige middelbareschooldiploma en volgde toen een leraarsopleiding.

Ik maakte het uit met John om me op mijn studie te concentreren en kwam erachter dat het leven op de universiteit me goed beviel. Cooper bleef zich voor mijn carrière interesseren en hij speelde ook nog eens de koppelaar, hoewel hij zich daar natuurlijk niet bewust van was. Hier, in deze bibliotheek, ontmoette ik een knappe medestudent die kerstpost afleverde en die later mijn echtgenoot werd.

Hoofdstuk 11

De meerderjarigheid lonkte en daarom was er volgens mij maar één manier om met het verleden om te gaan: die vreselijke herinneringen te begraven en elk contact met mijn vader te vermijden. Ik probeerde de invloed die hij op me gehad zou kunnen hebben te ontkennen en ook het feit dat ik op hem leek. Ik was woedend toen Granny Jenny opmerkte dat al zijn drie kinderen zijn lengte hadden geërfd, maar dat ik ook zijn neus had. Gedurende vele weken bestudeerde ik mijn gezicht in de driedelige spiegel van Granny Katies kaptafel en was ervan overtuigd dat Granny Jenny misschien gelijk had, maar dat ik haar nooit de voldoening zou geven om het ook te bevestigen.

Veel mensen vonden het opmerkelijk dat mijn moeder zich niet tegen Granny Jenny had gekeerd vanwege de wijze waarop haar zoon zijn eerste gezin had behandeld. Maar ze konden het erg goed vinden en mijn moeder benadrukte: 'Het is niet Jenny's schuld dat haar zoon Alex zo'n zwakkeling is... ze heeft ons niets aangedaan en ze is nog steeds je grootmoeder.'

Jenny was er trots op dat ze in hetzelfde jaar was geboren als de koningin-moeder. We waren heel hecht, hoewel dit meer aan mij te danken was dan aan haar, maar we deelden nooit de bijna paranormale relatie die ik had met Granny Katie, aan wie ik al mijn dromen vertelde. Net als de vrouw van Joe Gargery in *Great Expectations*, droeg ook Jenny een rubberen schort, met allemaal spelden en broches erop en daarom zat haar borst altijd vol scherpe voorwerpen wat geknuffel al bij voorbaat uitsloot. Haar gevoel voor humor verborg het feit dat ze het niet gemakkelijk vond om haar genegenheid te tonen voor kinderen en jonge volwassenen.

Toen ik me in 1967 inschreef als student bij het Hamilton College of Education, bleek ik recht te hebben op een volledige beurs. Het kwam niet eens in me op om de eerste cheque die ik kreeg uit te geven, een cheque voor het grootste bedrag dat mijn moeder en ik ooit hadden gezien. Mijn moeder wisselde de cheque in bij de bank en we verdeelden het geld plechtig tussen ons beiden zodat ik mijn boeken kon gaan kopen. Ze kon niet geloven dat de enorme som geld die ik had gekregen, elk kwartaal herhaald zou worden. Ze was in de zevende hemel. Ik kreeg het niet over mijn hart om haar te vertellen dat de meesten van mijn medestudenten zeer rijke jongedames waren, die hun beurs als zakgeld zagen dat ze helemaal zelf mochten opmaken. Sommige van de driehonderd studenten van dat jaar waren meisjes uit een bevoorrecht milieu die op een privéschool hadden gezeten. Enkelen van hen reden zelfs naar school in mooie kleine sportauto's. Eindelijk leefde ik op dezelfde planeet als sommige van die St Clare'-types uit stripboeken van mijn jeugd en ik realiseerde me nu pas dat ik weinig met hen gemeen had.

Ik kon het beste opschieten met de docenten die zelf uit een arbeidersmilieu kwamen en die mijn groeiende interesse om te schrijven alleen maar aanmoedigden. Ik koester warme herinneringen aan mijn studententijd omdat ik me niet druk hoefde te maken over de aanwezigheid van mijn vader. Ik had voldoende geld en hoefde geen make-up en panty's te lenen van Irene, die talen studeerde op de universiteit.

Mijn moeder volgde alle aspecten van mijn universitaire carrière met belangstelling en genoegen en er was niemand trotser dan zij toen ik in 1970 afstudeerde met een leraarsdiploma dat me toestond academische onderwerpen te doceren. Na de ceremonie zei ze dat een goede opleiding de sleutel was om iets van je leven te maken. 'Er zijn tijden dat ik wilde dat ik nooit was getrouwd,' zei ze bedachtzaam. 'Als ik terugkijk en bedenk hoeveel tijd ik heb verspild... ik had heel graag leraar willen worden, of auteur...' Toen verzachtte haar gezicht zich. 'Maar als ik niet was getrouwd, had ik jullie niet gehad.'

Pas nu kan ik publiekelijk erkennen dat ze me altijd enorm heeft ondersteund. Er valt veel aan haar te bewonderen. Tijdens mijn jeugd, toen alles fout ging, heeft ze veel moed en kracht getoond. Maar ze kon ook heel grappig zijn als ze bij kinderen was. Als ze over haar jeugd vertelde, klonk het als pure magie. We lagen dan in bed en lachten over alle avonturen en problemen waar haar broers in verzeild waren geraakt. Maar in al die verhalen klonk haar eigen kracht en vastberadenheid door. In de jaren die volgden vertelde ik haar verhalen aan de kinderen van de lagere school en toen aan mijn eigen twee kinderen, Ross en Lauren.

Over elke jongen die ik na mijn eerste serieuze relatie met John mee naar huis nam, had ze een mening en ze maakte zich grote zorgen over wie ik uiteindelijk als partner zou kiezen. Het was belangrijk voor mij dat ze Ronnie goedkeurde, de man die ik trouwde toen ik drieëntwintig was. Ik heb hem al mijn vertrouwen gegeven, en door ons hele huwelijk heen deelden we gelijke waarden en overtuigingen. Via onze kinderen heeft hij me laten zien hoe bijzonder het vaderschap kan zijn. Goddank maakte hij een goede indruk op mijn moeder.

In 1971, in oktober, prikten Ronnie en ik een trouwdatum, en we spaarden heel hard. Ik verdiende als onderwijsassistent veertig pond per maand, en daarvan ging tien pond naar mijn moeder voor kost en inwoning. De rest legde ik opzij. Ik werd meteen na mijn afstuderen in dienst genomen door mijn oude hoofd van de lagere school, meneer Allan. Ronnie zette zijn karige loon als afgestudeerd civiel ingenieur meteen op een gezamenlijke bankrekening. Zonder er ooit over te praten, wisten we allebei dat als we een echte bruiloft wilden, we daar zelf voor moesten betalen.

Hij wist ook, volledig intuïtief, dat er elementen uit mijn jeugd waren die ik niet met hem kon bespreken. Hoewel onze families dicht bij elkaar woonden, had hij mijn vader nooit ontmoet. Zijn ouders leken me aardig te vinden, en ik respecteerde hen. De lelijke delen van mijn verleden sloot ik in mezelf op.

Het voelde vreemd om weer terug te zijn op de school die ik zelf zoveel jaar geleden had bezocht, maar ik genoot van het lesgeven. Het personeel van de Gartsherrie Academy was nog steeds een beetje van de oude stempel, maar gelukkig was iedereen dol op hen en ze deden veel om de nieuwe leerkrachten te helpen. Juffrouw Pringle, die verrukkelijke kleuterleidster, die haar leven had gewijd aan het lesgeven aan kinderen omdat een hele generatie jonge mannen niet was teruggekeerd van de Eerste Wereldoorlog, was er nog steeds. Dat gold ook voor juffrouw McLean, een aparte tante, wier zusters een werkelijk heel bijzondere lingeriezaak hadden in de stad, die bekendstond als een surrealistisch labyrint van ondergoed en kousen en sokken waar je in kon verdwalen. Ik vernieuwde ook een vriendschap uit mijn jeugd. Fiona, een speelkameraadje uit Dunbeth Park, stond tot mijn grote genoegen in het klaslokaal naast het mijne.

Na onze verloving hoorde ik Granny Jenny en mijn moeder goedkeurend over Ronnie praten en ik wist wat er nu zou volgen. Jenny's onderlip trilde en ze zei tegen mijn moeder: 'Hij zou zijn enige dochter moeten weggeven.' Ik weigerde ronduit mijn vader een uitnodiging te sturen.

Mijn moeder was het met me eens, en zei tegen haar schoonmoeder: 'Sandra en Ronnie betalen overal zelf voor, dus het is aan hen wie ze willen uitnodigen. Ik ben inmiddels van Alex gescheiden en de bruid mag bepalen wie haar weggeeft. Jenny, ze mag het vragen aan wie ze wil.'

Toen ik trouwde, gaf oom Robbie me weg in de kerk. Hij wilde me met alle plezier uit de brand helpen en had zijn hele gezin meegebracht. Ze woonden niet meer in Leicester, maar hadden zich gevestigd op Canvey Island.

'De stomme klootzak,' was zijn krachtige commentaar toen hij me in mijn bruidsjurk zag en we in de limousine stapten. 'Hij krijgt nog spijt van wat hij achter heeft gelaten.'

Gedurende de eerste drie jaar van ons getrouwde leven woonden mijn echtgenoot en ik op de vijftiende verdieping van een van die nieuwe hemelhoge torenflats die plotseling het landschap van Coatbridge domineerden. De flat bevond zich op een steenworp afstand van mijn oude huis in Dunbeth Road, dat in het midden van de jaren zestig was gesloopt. We maakten grapjes over ons penthouse met het panoramische uitzicht. Onze stad had haar eigen versie van Amerikaanse wolkenkrabbers. Vanuit mijn torenhoge waarnemingspost zag ik dat, ondanks de komst van de hoge flats, de oude spelletjes nog steeds niet helemaal verdwenen waren. Meisjes gooiden nog steeds met ballen tegen de muren van de flats en als ik naar de wasruimte ging in de kelder, vond ik het leuk als ik ze daar af en toe 'Mens erger je niet' zag spelen.

Overal waar ik als kind had gewoond, maakte mijn moeder zich altijd zorgen over 'ruwe elementen'. Het is nooit in haar opgekomen dat de ergste invloed die ik ooit heb ervaren, die van mijn vader was. Het viel me tevens op dat de kleintjes uit deze wolkenkrabbers nooit ver van huis gingen; ze waren de lessen van 1957 nog niet vergeten.

De mensen spraken nog steeds over het mysterie van Moira Anderson. Het gefluister en de wijzende vingers waren heel zwaar geweest voor de familie Anderson, vooral toen een of andere kwade tong het gerucht verspreidde dat Mandy Rice-Davies, de prostitué die betrokken was geweest bij het Profumo-schandaal in de jaren zestig, niemand minder dan Moira Anderson was. De gelijkenis was iemand opgevallen, zeiden ze, en het volgende moment stond het verhaal in alle kranten. Het was heel pijnlijk voor de familie toen de roddelkranten vroegen of Moira misschien een van de vele weglopers was uit het noorden, die hun identiteit met opzet in Londen verloren om dan jaren later weer boven water te komen met een aangenomen naam. Maar de meeste mensen dachten toch dat gezien Moira's jonge leeftijd, haar achtergrond, en de wijze waarop ze was verdwenen, het beeld niet overeenstemde met het verhaal van een wegloper die op zoek ging naar de felle lichten van de grote stad. Er was sprake geweest van kwade opzet, en daar was iedereen het over eens.

Er hingen veranderingen in de lucht en dat niet alleen in de stad, als er weer eens van de ene dag op de andere bekende herkenningspunten verdwenen, maar ook in het klaslokaal. In februari 1971 gingen we over op het metrische stelsel en de vreugde van decimalen. Mijn broers trouwden en mijn moeder vond het huis in Ashgrove te groot. Ze verhuisde om de hoek naar School Street, en een van haar broers, Bobby, die vele jaren op het vasteland had gewoond en die ook was gescheiden, trok bij haar in. Voor haar betekende het gezelschap en de regeling kwam hun beiden goed van pas.

De meisjes van de familie Anderson trouwden en trokken weg uit de stad. Misschien hadden ze het gevoel dat ze nooit een normaal leven zouden kunnen leiden als de verdwijning van hun zus nog steeds het onderwerp van allerlei speculaties was. Janet emigreerde naar Australië en Marjorie ging in Engeland wonen.

Op het eerste gezicht was ik heel gelukkig en ik vond het huwelijk heel bevrijdend. Ik genoot van het lesgeven op de lagere school voordat we in 1978 aan ons eigen gezin begonnen. Maar voor een jonge vrouw van in de twintig, was mijn gezondheid niet zo best. Vanaf mijn puberteit had ik regelmatig last van ernstige mondzweren. Soms waren het er wel vierentwintig of meer. Ik zat nooit lang zonder. Ik werd doorverwezen naar een tandartskliniek in Glasgow, waar ik door specialisten, mondhygiënistes en anderen werd onderzocht om te proberen de oorzaak hiervan te achterhalen, maar het mocht niet baten. Zwangerschappen maakten weinig verschil, wat een teleurstelling was voor diegenen die zeiden dat het een hormonale kwestie was, vitaminen hielpen niet en bloedonderzoeken toonden geen abnormaliteiten aan. Gedurende vele jaren moest ik me zien te redden met spoeldrankjes en als het echt heel erg was, grote doses steroïden.

Voor iemand die verder volkomen normaal was, was dit een mysterie, zeiden ze. Maar hoewel ik altijd geloofde dat gevoelens die je niet uit gewoon verdwijnen, weet ik nu wel beter. Als kind had ik de vreselijkste herinneringen opgeborgen.

Hoe pijnlijker ze zijn, hoe giftiger ze worden in ons systeem. Na veel jaren met pijn te hebben geleefd, was het de homeopathie, waarbij de hele persoon wordt onderzocht, die me hielp. De zweren namen af tot een hanteerbaar niveau. Onlangs ben ik zelfs helemaal vrij van zweren geweest en ik kon weer alles eten wat ik wilde en ik genoot er ook van. Heel belangrijk was dat de homeopathische behandeling op een gegeven moment hand in hand ging met een hele serie therapiegesprekken die me eindelijk in staat stelden de geheimen die ik diep in mij had begraven, te bespreken. Ik werd me ervan bewust dat onze emoties en herinneringen verbonden zijn met onze zenuwen en hoe daaruit stress kan voortkomen.

Toen mijn grootvader stierf, spoorde de politie mijn vader op voor de begrafenis van zijn vader en hij arriveerde op het laatste moment. Ronnie en ik vingen een glimp van hem op toen hij in de rouwwagen stapte. Het was de eerste keer dat mijn echtgenoot hem zag, want ik had hem nog nooit foto's laten zien. Ik weigerde bij hem in de buurt te zitten. Daarom zaten Ronnie en ik met mijn moeder aan het andere eind van de kamer en ik wilde niet in de richting van mijn vader kijken. Hij sprak kort met mijn broers, wat me deed briesen van woede, maar gelukkig was hij verstandig genoeg om mij te vermijden.

Granny Jenny was naar een kleine verzorgingsflat verhuisd in Bellshill. Mijn moeder belde haar elke dag en ik ging regelmatig op bezoek. Ik zei niets toen het me opviel dat de foto's die ik haar van mijn gezin had gegeven, waren verdwenen. Ik vermoedde dat ze de foto's naar Leeds had gestuurd. Toen ze in de negentig was, en Alexander haar laatste nog levende kind was, kon ze af en toe heel zwaarmoedig zijn. Om Robbie, die haar favoriet was, kon ze openlijk rouwen, maar Alexander bracht ze slechts een keer ter sprake. Ze sprak over de dingen die hij had gedaan. Toen ik haar verward aankeek, voegde ze er snel aan toe: 'Ik heb het alleen over de nare dingen die hij je moeder heeft aangedaan, lieverd. Hij heeft jullie allemaal door een hel laten gaan, en mij en opa ook, God hebbe zijn ziel. Ja, hij was zeker ongelooflijk stom.'

Hoewel vermaard vanwege haar gevoel voor humor, was ze op die dag gedeprimeerd. 'Slecht, slecht,' herhaalde ze tegen mij. 'Maar we houden allemaal van ons eigen vlees en bloed. Je kunt het niet helpen dat je van je kinderen houdt, zelfs al weet je dat ze – ' Ze brak de zin af en wreef haar ogen droog. Ze gebaarde me dichterbij te komen.

'Zelfs als ze wat?' Maar wat ze me ook had willen toevertrouwen, ze was op andere gedachten gekomen.

Ze wendde haar helblauwe ogen van me af. 'Ach, laat maar.' Ze maakte een wegwimpelend handgebaar. 'Soms is het beter om de dingen achter je te laten en alles niet weer op te rakelen. Zet een kopje thee voor me, Sandra, lieverd.'

Wat ze volgens mij bedoeld had, was de wijze waarop mijn vader alle verantwoordelijkheid voor zijn eerste gezin overboord had gegooid.

In de tussentijd spaarden Ronnie en ik vrolijk door tot we ons eigen huis konden kopen, iets wat voor de generatie voor ons een ongekende prestatie was. Je kinderen grootbrengen in een mooie bungalow en niet in huurhuizen of gemeentewoningen waar mijn ouders bekend mee waren. Ik genoot van de eerste jaren van het ouderschap, maar hoewel ik niet wil zeggen dat ik mijn kinderen in liefde smoorde toen ze klein waren, vond ik het heel erg moeilijk om niet té beschermend te zijn. Toen ze klein waren, was ik altijd op mijn hoede en hield ze voortdurend in de gaten. Ik vertelde mezelf dat het normaal was voor een jonge moeder om voortdurend te kijken wie er rondhing bij het schoolhek, of wie er met de kinderen sprak. Ik vertelde mezelf dat ik dit zo belangrijk vond, omdat het deel uitmaakte van mijn leraarsopleiding voor de lagere school, de vele jaren dat ik verantwoordelijk was voor grote groepen kinderen. Ik kon de gewoonte niet loslaten, dat was alles.

Maar de dag kwam waarop ik me de waarheid realiseerde over mijn terughoudendheid om mijn kinderen bij andere volwassenen achter te laten. Ik was weer volledig aan het werk en doceerde nu opvoedkunde aan de universiteit. 'Tante' Rosie, onze kinderjuf, had mijn volledige vertrouwen en werd door beide kinderen geadoreerd. Haar huis was vlak bij het onze, en de regeling kwam alle partijen prima uit. Maar de dag dat ik Lauren op kwam halen, was er niemand thuis. Ik kreeg te horen dat Rosie voor een spoedbehandeling naar de tandartsenkliniek was gegaan en dat ze elk moment kon terugkomen. Ik schrok me wezenloos toen Rosie me later vertelde dat ze langer met haar bezig waren geweest in de kliniek dan verwacht, en dat Ally, haar echtgenoot, de middag met Lauren had doorgebracht aan de andere kant van de weg in het Chambers Street Museum. Ik begon te trillen. Ik was volledig in paniek en flapte eruit dat ik Ally pas een of twee keer had ontmoet, en ik hoorde mezelf vragen: 'Maar de sociale dienst heeft Ally toch ook gecontroleerd, hè? Hij heeft toch geen strafblad?'

Vele maanden later, toen ik Rosie eindelijk iets kon vertellen over mijn verleden, zei ze dat ze zich op dat moment erg beledigd had gevoeld, maar dat wat ik had gezegd volkomen begrijpelijk was.

Vandaag wil ik nog steeds weten waar mijn kinderen zijn. Er is geen sprake van dat mijn dochter in haar eentje ergens naartoe gaat, zelfs niet voor een wandelingetje door de weilanden. Het is, en dat zeggen veel mensen, een trieste reflectie van de wijze waarop de maatschappij zich heeft ontwikkeld. Ik ben het daar niet mee eens. De gevaren waren er vroeger ook, maar ze werden niet herkend, en nu we eindelijk weten waarom we kinderen niet te beschermend moeten opvoeden, geven we hun mechanismen om zichzelf te beschermen, en leggen we hun uit dat hun lichaam van henzelf is en dat niemand het recht heeft hen aan te raken.

Hoofdstuk 12

In 1992 ging het me voor de wind. Ik had een goed huwelijk, twee redelijk populaire kinderen die zich goed hadden aangepast aan hun school in een aangename buitenwijk van Edinburgh, én ik had een interessante baan. In 1989 had mijn carrière weer een sprong gemaakt en werd ik gepromoveerd tot hoofddocent, en kort daarna tot sectiehoofd. Hoewel dit meer administratieve werkzaamheden met zich meebracht, vond ik het ontzettend leuk en ik probeerde de balans te bewaren tussen het werk dat ik vaak meenam naar huis en de eisen van mijn rol als moeder en echtgenote.

Na een lange en moeilijke periode, toen ik gedurende bijna twee jaar de plaats had ingenomen van een meer ervaren collega die met ziekteverlof was, greep ik de kans meteen aan om van 3 tot 7 februari een training managementvaardigheden te doen. Het hotel waar dit plaatsvond, bevond zich aan de kust in Portobello, dicht genoeg bij Edinburgh als er een familiecrisis zou uitbreken. Ik had het sterke voorgevoel dat als er iets fout zou gaan in de familie, dat ongetwijfeld zou gebeuren als ik een tijdje weg was.

En het gebeurde ook, maar het had gelukkig niets te maken met Ross of Lauren. Toen ik mijn moeder opbelde, vertelde ze me dat mijn grootmoeder ziek was en dat ze waarschijnlijk zou worden opgenomen. Ik was bezorgd en belde Jenny op de dinsdag van mijn cursus en verzekerde haar dat als ze echt naar het ziekenhuis moest, dat net zo zou uitpakken als die andere twee keren toen haar ijzeren gestel de dokter had verbijsterd en ze snel weer werd ontslagen. Ik spoorde haar aan vooral te eten en maakte een grapje over haar eetlust. Ik zei dat ze de enige vrouw was die we kenden, die in haar eentje een hele schotel gehakt en aardappelen op kon. Hoewel ze lachte, zat er toch wat berusting in haar stem, alsof ze wist dat ze deze keer niet thuis zou komen.

'Ach, ik denk dat het mijn beurt is,' zei ze, in het geheel niet sentimenteel. 'Vroeg of laat gaan we allemaal en ik heb een lang leven gehad, Sandra. Als ik in het ziekenhuis lig, wil ik niet dat ze allemaal slangen in me stoppen om me langer te laten leven. Dat zou ik vreselijk vinden. Ik heb lang genoeg geleefd.'

'Zeg dat nou niet, Gran,' smeekte ik. 'Je haalt nog steeds heel veel uit je leven en je weet altijd wat er in de wereld omgaat. Dat in tegenstelling tot een hoop andere oude vrouwtjes – '

'Ach, dat weet ik wel,' zei ze op effen toon, 'maar ik haat ziekenhuizen en het is tijd dat ik ga. Bedankt voor je telefoontje, lieverd, ik ben er blij om. Nu heb ik tenminste gedag kunnen zeggen.'

Later vertelde mijn moeder me dat de humor van Granny Jenny tot het laatste moment intact was gebleven. Ze stierf in het Law Hospital, in de nacht van donderdag op vrijdag, mijn laatste cursusdag. Ronnie belde me vrij vroeg op en ik vertelde hem tussen mijn tranen door dat ik later die dag naar Coatbridge en Bellshill zou gaan om mijn moeder naar het huis van Granny Jenny te brengen en met haar te bespreken wat er moest gebeuren.

Ronnie was zich er echter niet van bewust dat de politie van Leeds contact had opgenomen met mijn vader en dat hij al onderweg was naar het noorden. Hij kwam met de trein en reisde samen met mijn neef William en Williams verloofde, Lily. Ze hadden alle drie hun intrek genomen in het kleine huisje van Granny Jenny. Ik kwam er later achter dat mijn vader niet zo blij was geweest met het feit dat ze een van mijn broers had aangewezen als executeur-testamentair. Met andere woorden: ze had haar enige nog levende kind uitgesloten. Hij schrok toen hij ontdekte dat alleen mijn broer Norman was gemachtigd haar bankopdrachten te ondertekenen. Hij zou ook degene zijn die haar financiën zou regelen.

Die bewuste vrijdagochtend, 7 februari 1992, kostte het me moeite om me op de laatste lessen van de managementcursus te concentreren. Voor alle betrokkenen was de week een emotionele achtbaanrit geweest. Rollenspellen en discussies die heel erg diep gingen. Een groot deel van de ongeveer vijfentwintig deelnemers had dat net zo afschrikwekkend gevonden als ik. We waren bijna allemaal op een bepaald moment in tranen geweest en de mannen waren daar geen uitzondering op.

Jeanie, de cursusleidster die uit Bristol was gekomen, had ons halverwege de week een intermenselijke vaardigheidsoefening gegeven, en daar had ik het best wel moeilijk mee gehad. We kregen een partner toegewezen en we moesten de dingen die we al op vroege leeftijd van onze ouders hadden meegekregen, met elkaar vergelijken. Ik was heel erg verbaasd over de grote hoeveelheid negatieve dingen die ik had opgepikt op het gebied van politiek, geld, relaties, seks, werk, et cetera. Als ik naar de strijdige boodschappen kijk die ik van mijn beide ouders tijdens mijn jeugd heb meegekregen, begrijp ik niet waarom ze dachten iets met elkaar gemeen te hebben toen ze elkaar voor de eerste keer ontmoetten.

Van mijn moeder had ik geleerd dat ik heel hard moest werken als ik iets wilde bereiken. Dat ik de centen moest sparen zodat de ponden voor zichzelf konden zorgen. Dat je regelmatig naar de kerk moest gaan en dat seks voor het huwelijk niet eens een optie was, maar dat er ook niet over gesproken mocht worden. De filosofieën van mijn vader waren het tegenovergestelde. Het had geen zin om een meisje naar school te sturen. Een 'goede baan' in een fabriek of winkel kon altijd geregeld worden als ik het opnam met iemand die hij kende. Geld gaf je uit als het beschikbaar was en sparen interesseerde hem niet. Het budget voor een huishouden en de kinderverzorging was de verantwoordelijkheid van de vrouw. De kerk was niet nodig tenzij je daar een goede reden voor had en seks was om van te genieten en het te hebben met iedereen die je aardig vond.

Heel diep vanbinnen had ik mijn herinneringen wel erkend, maar ik wist ook dat ik die kast al heel lang geleden dicht had gedaan.

Ze hadden maar één keer geprobeerd die kast open te wrikken, op een kiertje. In 1981, toen ik zesendertig was, waren Ronnie en ik vrij kort na Laurens geboorte naar Pitlochry verhuisd, in de Schotse Hooglanden. Ronnie had daar voor twee jaar een baan gekregen. Het waren heel gelukkige jaren voor me. Ik doceerde kunst op een privéschool, hielp met het peuterklasje en nam deel aan de zeer welvarende amateurtoneelclub. Verder had ik ook iets gedaan wat ik al jaren wilde doen. Ik had geld gespaard en dat ging ik gebruiken om het enige wat me niet aan mezelf beviel te veranderen. Ik werd geopereerd in Glasgow, in de Bon Secours Clinic, en liet daar de erfenis van mijn vader verwijderen. Toen ze me vroegen wat voor soort neus ik wilde, keek de specialist verrast op toen ik zei: 'Als het er maar een is die ánders is.'

Ik was blij met het resultaat en het verbaasde me dat het bijna niemand opviel wat ik had gedaan, zelfs mijn eigen familie niet. Ik besteedde er nadien weinig aandacht aan, maar het kon me niet meer schelen als ze een foto namen van mijn profiel, zoals ze dat bijvoorbeeld bij een van mijn huwelijksfoto's hadden gedaan.

Gedurende de zeer bijzondere zomers van 1982 en 1983 ging ik helemaal op in de plaatselijke toneelfestivals en ging met de kinderen zwemmen en picknicken en dat op de allermooiste plekjes. Het kleine stadje voelde zo veilig aan, dat ik zelfs in de winter na het babysitten 's nachts naar huis ging en in mijn eentje door het kleine bos liep, vlak bij ons huis bij de golfbaan. Ik kon genieten van de schoonheid ervan, zonder ooit angst te voelen. De jeugdangst om aangevallen te worden, was heel ver weg en ik was het met anderen eens dat Pitlochry een voorbeeld was van stadjes zoals ze dertig jaar geleden waren. Het bevond zich in een soort van tijdgat. Ik woonde op een plek waar iedereen elkaar kende en waar de mensen hun kinderen lieten spelen waar ze dat wilden, wetend dat hun niets zou overkomen.

Maar opeens gebeurde er iets naars. Het was tijdens een pantomimespel in het gemeentehuis van Pitlochry, toen ik de mannelijke hoofdrol speelde in *Aladin*, en opeens een oude buurvrouw uit Coatbridge tegenkwam. 'Ik herinner me je nog, Sandra!' merkte ze tijdens het feestje erna op. 'En ik herinner me vooral je vader. Een grote, lange, knappe buschauffeur met donker haar, nietwaar?'

Ik knikte beleefd terwijl ik hapjes verzamelde voor mijn vrienden Ian en Linda. Ik wilde haar net gaan vertellen dat mijn ouders eind jaren zestig waren gescheiden, toen ze verderging en me vertelde: 'Hij had een kleine zwarte auto, nietwaar, en de dames vonden hem geweldig! Toch vind ik het jammer wat er daarna met hem is gebeurd.'

Ik fronste mijn wenkbrauwen. Ze ging door en vertelde me dat mijn vader, van wie ik altijd had gedacht dat hij tussen 1957 en 1959 in een inrichting zat, in de gevangenis had gezeten. Volgens haar was hij veroordeeld voor de verkrachting van een dertien jaar oud meisje, onze babysitter. Terwijl de vrouw praatte, probeerde ik me zo normaal mogelijk te gedragen, maar eigenlijk voelde ik me ziek. Eigenlijk had ik een glas cognac nodig, een drankje dat ik zelden aanraak.

Opeens drong het tot haar door dat haar openbaring een grote schok voor me was. 'Ik dacht dat je het wist', was alles wat ze kon zeggen. 'Je kunt het onmogelijk gemist hebben, het stond in alle kranten.'

'Ik was toen pas acht,' mompelde ik. 'Ik heb het nooit geweten.'

Ik voelde me zo vernederd dat ik dit niet met mijn echtgenoot kon bespreken. Waarom deed ik niet alsof het nooit was gezegd? Maar deze ontdekking liet me maar niet los en daarom besloot ik het met mijn moeder te bespreken. Ik was totaal de kluts kwijt. Zij en ik stonden elkaar zo na, hoe had ze dit in vredesnaam voor mij verborgen kunnen houden? Ik herinnerde me dat de volwassenen fluisterden of ophielden met praten als ik een kamer inliep. Ik had altijd het gevoel gehad dat de afwezigheid van mijn vader tussen mijn achtste en mijn tiende iets was om je voor te schamen. Ik had gelijk had.

Ik sprak mijn moeder erop aan dat ze me zo lang in het ongewisse had gelaten. Ik vertelde haar hoe naar het was geweest om op mijn zesendertigste de waarheid te horen van een nagenoeg vreemde. Met tegenzin bevestigde ze dat de informatie juist was. Mijn vader had in de gevangenis gezeten in Saughton, Edinburgh. 'Ik probeerde je alleen maar te beschermen,' zei ze ijskoud en brak toen in duizend stukjes. 'Toen dacht ik dat ik er goed aan deed. En daarna bleef ik het maar uitstellen. Maar het was geen verkrachting. Het meisje was een tiener die erg promiscue was – ze flirtte met alle chauffeurs. Alex was de enige die werd betrapt. Ze was een kleine slet.'

Haar laatste zin werd met veel vergif uitgesproken en dat was niets voor haar. Toen snapte ik het. Zij gaf het meisje de schuld. Totaal verbijsterd merkte ik op dat het meisje pas dertien was en mijn vader zesendertig. Probeerde ze nou echt te zeggen dat het meisje mijn vader op het slechte pad had gebracht? Ik was niet tevreden met de korte versie van haar verhaal en ik nam me voor om op een later tijdstip wat onderzoek te verrichten naar de gebeurtenissen in december 1956, vlak voor mijn achtste verjaardag, die tot zijn arrestatie hadden geleid.

Maar de gelegenheid om haar nogmaals te ondervragen, deed zich niet bepaald gemakkelijk voor.

Na mijn aanvankelijke schok over het gesprek met die vrouw, was ik in staat het hele gebeuren van me af te zetten, maar slechts voor een heel korte tijd. In mijn dromen kwamen verontrustende beelden en herinneringen boven. Ik drong ze terug. Een heleboel mensen kennen iemand die in de gevangenis heeft gezeten, vertelde ik mezelf, het is nou eenmaal iets waar je mee zult moeten leren leven. Maar als iemand me op de man af zou vragen waarom hij in de gevangenis had gezeten, zou ik het ze niet kunnen vertellen. 'Ik ga de mensen gewoonweg niet vertellen waarvoor,' besloot ik.

Ik probeerde met Granny Jenny te praten, die me niet eens wilde aankijken. 'Het enige wat ik kan zeggen, Sandra, is dat het een hele tijd geleden is. Ik haat het om erover te praten, want hij heeft zijn eigen vader er bijna mee vermoord. Sanny is nooit meer dezelfde geworden nadat je vader – na wat er gebeurde. Je grootvader was een totaal andere man. Het enige wat ik over Sanny kan zeggen, is dat hij gestorven is zoals hij leefde. Híj heeft nooit een ziel kwaad gedaan, maar hij zei altijd dat je vader hem vermoordde – '

Ze stopte alsof ze bang was dat ze te veel had gezegd. Lauren, die de kamer in drentelde, leidde me even af en ik zette het scherm voor de haard die ik net had aangestoken. 'Je vader heeft al Sanny's liefde voor hem vermoord. Dat is het enige wat ik bedoelde.'

Ze weigerde er nog iets meer over te zeggen. Maar ik had het koud.

Op de zonnige en heldere ochtend van de dood van mijn grootmoeder zag Jeanie, de cursusleidster, een enorme verandering in me en tijdens de pauze dronk ze een kopje koffie met me. Ze had gehoord dat ik iemand had verloren en wilde me troosten. We spraken over de assertiviteitstraining die deel had uitgemaakt van de cursus en toen vertelde ik haar over een man op mijn werk, een oudere man, die altijd heel subtiel probeerde mijn autoriteit te ondermijnen. Ik vond het moeilijk om met hem om te gaan. Ze keek me zijdelings aan.

'Vrouwen die op vroege leeftijd zijn afgewezen door hun vader willen heel graag aardig gevonden worden door mannen en daar stuiten ze op problemen,' vertelde ze me en stelde een paar strategieën voor die ik met de man op mijn werk kon uitproberen. Ik legde uit dat mijn vader inderdaad, toen ik nog jong was, weg was gegaan en dat hij alleen maar was teruggekomen om ons weer in de steek te laten. Jeanie zei dat ze wist wat ik bedoelde. Op sommige manieren, zei ze, was ik een jongere versie van haar. We hadden een beetje hetzelfde soort leven geleid en ook zij had iets moeten doen met de problemen die uit haar jeugd stamden. Ik vertelde haar dat ik mijn vader haatte om de dingen die hij had gedaan. 'Je moet de vader-dochterrelatie niet onderschatten,' zei ze. 'Gedurende de eerste zeven jaar is die relatie heel krachtig. Het is je allereerste relatie met iemand van het andere geslacht. Uit pure nieuwsgierigheid, wanneer heb je het laatst met hem gesproken? Heb je hem al eens verteld hoe je je voelt?'

Ik legde haar uit dat ik al zevenentwintig jaar geen zin had om ook maar een woord met hem te wisselen. Ik was als de dood voor de gevolgen.

'Wat zou je tegen hem zeggen als je hem vandaag zou tegenkomen? Laten we even een rollenspel doen,' zei Jeanie. Ik stopte een heleboel woede in de oefening en zocht mijn woorden zorgvuldig uit. Ik voelde me toen een stuk beter en beloofde dat ik, als de gelegenheid zich voordeed, mijn vader echt zou vertellen, wat ik van hem dacht.

Die kans kreeg ik diezelfde avond nog.

Ik haalde mijn moeder op om naar Granny Jenny te gaan. Vanwege haar blindheid die veroorzaakt was door suikerziekte, wist ik dat ze niet kon zien dat ik van streek was, maar mijn adem stokte in mijn keel toen ze in de auto zei: 'Overigens, ik denk dat je moet weten dat je vader in het huis van Granny is. Hij en je neef William, en zijn verloofde, blijven allemaal hier tot de begrafenis op dinsdag.'

Ik gaf gas en zei grimmig: 'Eigenlijk komt dat me prima uit, mams. Ik wil graag even onder vier ogen met hem praten.'

Terwijl ze dit verwerkte, viel er een stilte. Zodra we aankwamen, regelde zij thee voor iedereen. William en Lily waren bezig een luchtbed op te blazen in de zitkamer, omdat mijn vader de kleine slaapkamer in beslag had genomen die van Gran was geweest. Hij stond daar maar en keek me met een flauwe glimlach vol verwachting aan. Hij zag er niet uit als een man die bijna eenenzeventig was. Hij was nog steeds een man die je moeilijk kon negeren.

'Ik zou graag even onder vier ogen met je willen praten.' Mijn woorden waren kort en de anderen keken vol belangstelling naar de grond. Hij ging me voor naar de slaapkamer, nog steeds knikkend en glimlachend. We gingen op enkele decimeters afstand van elkaar op het bed zitten, hij aan de raamkant, ik dicht bij de deur. Ik was nerveus, maar de adrenaline pompte door me heen en de boosheid die ik tijdens het rollenspel met Jeanie tot uiting had gebracht, kwam in gerepeteerde zinnen terug. Het lot had me een prachtig mooi spel toebedeeld en ik was vastbesloten om niet te huilen of mijn zelfbeheersing te verliezen. Ik haalde diep adem en begon.

Hij deinsde terug, hij was zichtbaar geschokt en niet voorbereid op de meedogenloze tirade die ik afstak.

Hij mompelde. 'Eens een zwart schaap, altijd een zwart schaap.'

Aan zijn houding kon ik zien dat mijn aanval hem op het verkeerde been had gezet. Hij probeerde er een woord tussen te krijgen, voerde het excuus aan dat zijn moeder altijd de voorkeur had gegeven aan Robbie, zijn jongere broer. Hij had zich altijd ver-

waarloosd gevoeld en daarom was hij degene die altijd in moeilijkheden kwam.

'Moeilijkheden?' riep ik vol walging. Mijn huid trok samen toen
hij me een klopje op mijn hand wilde geven. 'Is dat jouw benaming
voor naar de gevangenis gaan vanwege een seksueel misdrijf?'

Zijn adem stokte in zijn keel en er flikkerde een vreemd licht in
zijn ogen. Ik vertelde hem dat ik achter de waarheid was gekomen
van zijn 'ziekenhuisopname'. Hij keek de andere kant op.

'Ik dacht dat je het wist,' zei hij langzaam. 'Je moeder had je
dat moeten vertellen. Haar naam was Betty, maar je zult je haar
niet herinneren.'

'Dat doe ik wel,' kaatste ik boos terug. 'Ze had blond haar en
een heleboel sproeten en ze giechelde voortdurend. Ze kwam
babysitten.'

Hij kneep zijn ogen samen tot spleetjes. Er was iets vreemds
aan, realiseerde ik me. Ze zagen er nu uit als grijze kiezelstenen,
heel afstandelijk en vol boosheid. Maar ik merkte tot mijn grote
vreugde op dat ze me niet meer zoveel angst inboezemden als
vroeger.

'Niemand heeft me de kans gegeven om een nieuw begin te
maken,' zei hij. 'Niemand.'

'Dat is niet waar!' barstte ik uit. 'Mijn moeder vertelde me dat
jullie, toen jij uit de gevangenis kwam, samen voor de dominee
knielden en baden voor een nieuw begin. Je beloofde dat je het
deze keer anders zou doen.'

'Dat heb ik geprobeerd,' zei hij met een diepe zucht en keek
naar zijn handen, 'maar niemand wilde me vergeven en me een
nieuwe start gunnen. Je oma heeft me vergeven, en je moeder,
maar mijn vader nooit ofte nimmer.'

Er heerste nu een stilte tussen ons. Ik vond het raar dat hij dat
had gezegd. Volgens mijn moeder was haar schoonvader een bron
van kracht geweest, een man die samen met de collega's van mijn
vader een petitie had opgesteld om de rechter te overtuigen dat
dat gedoe met de babysitter een regelrechte leugen was. Hij had
de mensen van de kerk brieven laten schrijven, waarin ze vertelden dat mijn vader een steunpilaar was van de gemeenschap.

'Waaróm zou je vader je niet vergeven?' vroeg ik hem meerdere keren. Ik was nu niet bereid om het te laten gaan, niet nu ik hem aan de haak leek te hebben.

Weer een lange stilte.

'Hij wilde me niet vergeven voor die toestand met Moira Anderson.'

Ik keek met een ruk op. Had ik hem wel goed verstaan? Hij keek nu uitdrukkingsloos door het raam naar buiten, waar het inmiddels was gaan sneeuwen.

Toen ging hij verder. 'Ze hadden me aangeklaagd vanwege die babysitter, maar toen werd ik op borgtocht vrijgelaten. Je zult je dit niet herinneren, het is allemaal heel lang geleden gebeurd. Het vond allemaal plaats in 1957. Mijn vader wilde me niet vergeven voor Moira Anderson. Je zult je haar ook niet herinneren – je was nog te klein.'

Mijn hart klopte als een bezetene en mijn keel deed pijn. Ik wilde niets meer horen.

'Je vergist je. Ik herinner me haar wel degelijk,' wist ik er met moeite uit te persen.

'Opa was er altijd van overtuigd dat ik het had gedaan. Hij zei tegen me dat ik de politie moest vertellen waar ik dat kleine meisje had gelaten.'

Mijn vaders vingers plukten nu aan de chenille sprei. Hij staarde nietsziend naar de sneeuw, die langs het raam flitste. De vlokken hadden een vreemde oranje kleur vanwege het neonlicht van de straatlantaarns en het deed de wereld op fosfor lijken. Was het mijn fantasie of was de kamer donker aan het worden? Mijn instinct zei me elk detail van dit bizarre gesprek in mijn geheugen te prenten.

Het afgrijzen trok aan me en ik riep: 'Maar waarom zou opa je überhaupt met Moira in verband brengen? Waarom dacht hij dat jij verantwoordelijk was?'

Die koude ogen bewogen weer van me weg en er viel een stilte. Uiteindelijk zei hij: 'Ik vertelde hem dat ik niets met haar te maken had, maar dat ik de bus bestuurde op de dag dat ze verdween. Ik vertelde opa dat ik haar niet eens kende, maar ze stapte toen het sneeuwde in mijn bus. Ik was de laatste die haar sprak. Ik was de laatste die haar...'

Zijn stem vervaagde en mijn hart maakte een sprong. In gedachten maakte ik de zin voor hem af, de zin die hij zelf niet kon uitspreken, want de tranen rolden over zijn gezicht.

In leven had gezien.

Hoofdstuk 13

Terwijl ik rillend over de M8, die die avond maar over één rijstrook beschikte, in oostelijke richting naar Edinburgh reed, probeerden verblindende flarden sneeuw de kleine stukjes zichtbare weg op te eisen. Mijn hersens maakten overuren. Terwijl er een caleidoscoop van sneeuwvlokken tegen mijn voorruit sloeg, leek het alsof ik door een ronddraaiende tunnel liep en niets voor me uit kon zien. Dit beeld is me bijgebleven en het geeft heel goed aan hoe ik me voelde tijdens de dagen die volgden op het gesprek met mijn vader.

Zelfs als ik sliep, bleef ik de woorden die hij had gebruikt steeds maar horen. Het leek wel een bandje waar geen eind aan kwam. Hij had me van twee dingen verzekerd toen we de slaapkamer van Granny Jenny verlieten, en de woorden echoden voortdurend in mijn hoofd. Ik wilde ontzettend graag weten of de politie hem had ondervraagd toen Moira was verdwenen. 'O, ja.' Hij knikte snel. 'Ik heb tegen hen hetzelfde gezegd als tegen opa. Ik kende haar niet eens.'

Deze twee verklaringen zaten me dwars, want ik wist dat hij loog. Hoe ik daar zo zeker van kon zijn, geen idee, maar ik was er vast van overtuigd dat mijn vader en Moira elkaar hadden gekend.

In de tussentijd was er de begrafenis van Granny Jenny. Ik wist mezelf zodanig te vermannen dat ik tante Margaret opbelde, de zus van mijn moeder.

'Margaret, ik neem aan dat je weet dat mijn vader op dit moment in de stad is, en dat heeft ons allemaal behoorlijk van streek gemaakt. Alsof ons verdriet om oma niet erg genoeg is.' Ze condoleerde me aan de andere kant van de lijn. 'Ik wil dit niet aan mijn moeder vragen, maar misschien weet jij het. Werd mijn vader in 1957 ooit verhoord met betrekking tot de vermiste Moira Anderson?'

Ik was verbijsterd toen mijn tante na een korte stilte categorisch zei: 'O, ja, dat klopt. Ik was er toevallig bij. Hij kwam binnen toen ik je moeder opzocht in Dunbeth Road en ik kan me herinneren dat hij zei: "Nee, schenk voor mij niets in, Mary, ik moet naar het politiebureau om verhoord te worden."'

Ik kauwde op mijn lip en zei: 'Wat kun je je er nog meer van herinneren?'

'Nou, je moeder was totaal de kluts kwijt. Mary ging compleet door het lint. Ze zei: "Wat is er nu weer gebeurd?" want er speelde natuurlijk al het een en ander en hij was vrij op borgtocht.' Er viel een kleine pauze. 'Ben je van dit alles op de hoogte, Sandra?'

'Nu wel,' zei ik wrang. 'Oké, dus als ik je goed begrijp ben je er absoluut zeker van dat ze hem hebben verhoord? Wanneer gebeurde dat?'

'Het was op een maandag, de week nadat ze was verdwenen. We woonden in Alexander Street, net om de hoek van haar huis, en ik herinner me dat alle mannen alle steegjes aan het doorzoeken waren. Hij zei tegen ons dat hij naar het politiebureau moest omdat een of andere vrouw had gezegd dat Moira bij hem in de bus was gestapt. Volgens haar had ze de chauffeur: "Hallo, Moira", horen zeggen. Hij ging er naartoe om ze uit te leggen dat hij die dag met een ander meisje had gesproken – een andere Moira, ene Moira Liddell, die altijd snoepjes gaf aan alle chauffeurs. Dat de vrouw zich vergist moest hebben... Hoe dan ook, je moeder was in alle staten en ik bleef bij haar wachten tot hij na een uur weer terugkwam.'

In gedachten zag ik het voor me en ik bracht mezelf in herinnering dat mijn vader alleen maar de hoek om hoefde te lopen naar het politiebureau. Het zou nooit in beide vrouwen zijn opgekomen, terwijl de ene zus de andere troostte, om zijn bewegingen na te gaan. Toen Alexander Gartshore terugkwam en zei dat alles in orde was, was hij wat hen betrof verhoord en ze hadden hem niet vastgehouden. Beide vrouwen deelden een familietrekje. Ze zagen altijd het beste in iemand en gingen tot het uiterste om een verdrukte te verdedigen. Ik kon bijna de opluchting op hun gezichten zien toen hij terugkeerde en zijn verhaal kennelijk voor waar werd aangenomen.

Hij had hen niet alleen weten te overtuigen, maar er bestond nu ook alle kans dat ze hem door dik en dun zouden verdedigen als zijn naam in het onderzoek naar boven zou komen. Ze zouden tegen iedereen vertellen dat hij allang was ondervraagd. Ik schudde mijn hoofd toen ik me realiseerde hoe hondsbrutaal mijn vader was. Maar ik was in het geheel niet voorbereid op de volgende openbaring van mijn tante, toen ik haar op de hoogte bracht van het rare gesprek tussen hem en mij. Ze mompelde dat mijn grootvader er inderdaad problemen mee had gehad om te geloven dat zijn zoon, die al beschuldigd was van een seksueel misdrijf met een jong meisje, niets met Moira's verdwijning te maken had gehad. Toen hij hoorde dat Alexander de bus bestuurde waar ze zogenaamd in was gestapt, waren hij en Jenny vanuit Bellshill naar Coatbridge gereisd om hem daarmee te confronteren.

Mijn grootvader negeerde het protest van mijn vader, en had met een koevoet de planken vloer van de keuken losgewrikt. Hij was zich ervan bewust dat zijn zoon de keuken onlangs had verbouwd en dat hij de nieuwe vloerplanken bij de ijzerhandel van Nelson en Clelland had gekocht, in Main Street. Hij wist ook dat het gootsteengedeelte vervangen was en daarom trok hij het eruit om erachter te kijken en demonteerde zelfs de nieuwe muurpanelen.

Mijn vader was des duivels geweest. Ik hoorde later van mijn moeder dat hij maar op zeer beledigde toon bleef herhalen: 'Je denkt toch niet dat ik haar ergens heb weggemoffeld?'

Mijn grootvaders zoektocht door het hele huis, waaronder ook de grote inloopkast in de slaapkamer van mijn ouders die tevens dienstdeed als werkplaats, bleek tevergeefs. Hij zat daar met zijn hoofd in zijn handen, en zei grimmig: 'Je hebt al genoeg problemen. God weet dat deze familie niet nog meer schande kan verdragen, maar ik ben ervan overtuigd dat jij hierbij betrokken bent. Ga de politie vertellen waar je dat kleine meisje hebt verstopt, Alex.'

Maar mijn vader bleef bij zijn verhaal dat de politie hem al had verhoord en dat het kind met wie hij had gesproken niet het meisje was geweest naar wie iedereen nu op zoek was. (Later kwam ik erachter dat mijn grootvader zich niet had beperkt tot ons huis, maar dat hij op elke plek had gezocht waar iemand het lichaam van een klein meisje had kunnen verbergen. Hij had er zelfs op gestaan de bagageruimte van mijn vaders bus en auto te doorzoeken.)

'Alsof ik zoiets zou doen,' klaagde mijn vader daarna. 'Wat voor man denkt hij wel dat ik ben? Ik iemand vermoorden? Het komt gewoon vanwege dat gedoe met die andere kwestie dat ze me dit ook in de schoenen willen schuiven. Mijn vader is veel te ver gegaan en ik heb hem alles verteld wat ik weet, maar hij gelooft me toch niet, dus wat kan ik doen? Je weet dat ik zo'n klein meisje nooit zou kwetsen, Mary.'

Toen mijn moeder me jaren later een verslag gaf van dit gesprek, was de verleiding erg groot om haar te vertellen dat hij absoluut in staat was om jonge kinderen iets aan te doen, en als de politie in die tijd met mij had gesproken, wat ze ook gedaan zouden hebben als ik een beetje ouder was geweest, had ik ze dat meteen kunnen vertellen. Moira's voorkomen, slank, speels, een uitzonderlijke glimlach, had ik hun kunnen vertellen, was iets wat door roofdieren, mannen zonder scrupules zoals mijn vader, erg werd bewonderd. Door haar stralende persoonlijkheid zou ze hem als een magneet naar zich toe getrokken hebben, want hij was dol op kinderen die genoten van het leven.

Mijn grootmoeders begrafenis vond plaats op een natte februaridag in 1992, met een dienst in Bellshill waar ze al haar hele leven had gewoond, gevolgd door haar crematie in Daldow bij Calderpark Zoo aan de zuidkant van Glasgow. Vreemd genoeg stonden er langs de route naar het crematorium allemaal politiemannen, die zich aan het voorbereiden waren op de begrafenis van een gerespecteerde collega.

Daarna kwamen we bij elkaar voor wat de Schotten een *purvey* noemen – thee, sandwiches, worstenbroodjes en cake – in de kleine hal van Granny Jenny's bejaardentehuis. Ik ging erheen met mijn vriendin Irene. Zodra we alleen waren, had ze het gevoel dat er iets mis was. Ze schrok zich wezenloos toen ze het verhaal van mijn vader hoorde.

'Ik neem aan dat de politie hem echt wel heeft verhoord, Sandra,' protesteerde ze. 'Ze hebben de recherche van Glasgow er toch bij gehaald? Het stond in alle kranten en als dit soort dingen gebeuren, roepen ze altijd alle plaatselijke verdachten op.'

'Stel dat ze hem toch gemist hebben?'

'Dat is onmogelijk. Hij was vrijgelaten op borgtocht; ze zullen hem toch wel in de gaten hebben gehouden?'

Ik was opgelucht toen ik de vragende toon in Irenes stem hoorde. 'Ik ben niet overtuigd van dat verhoor. Vraag me niet waarom, maar ik ben het echt niet. Wat ik wel weet, is dat ik moet besluiten of ik het wel of niet zeker wil weten.'

De maaltijd in de hal van het bejaardentehuis verliep zonder incidenten. Mijn vader zat aan de ene kant van de kamer bij zijn zoon, nog een Alex Gartshore die ik nog nooit had gezien maar die kennelijk mijn stiefbroer was, terwijl ik aan de andere kant zat met Irene, mijn moeder en mijn eigen gezin. De familieleden die op Canvey Island woonden, zaten in het midden, samen met mijn broers en hun echtgenotes, en tevens William, de neef die uit Leeds was gekomen met zijn verloofde Lily. De enige echte communicatie die tussen mijzelf en mijn vader aan de tafel plaatsvond, was toen we de foto's doorgaven die Ronnie en ik hadden gemaakt van Granny Jenny, die zich op eerste kerstdag amuseerde in het grote victoriaanse huis dat mijn broers enige jaren geleden hadden gekocht, en dat ze tussen hen beiden hadden verdeeld. Daar zat ze, levensgroot, te lachen en grapjes te maken in haar rolstoel aan het hoofd van Ian en Annettes met witte kant gedekte feestelijke tafel. Als je de drie foto's naast elkaar legde, zag je in de gloed van het flakkerende kaarslicht zestien gelukkige gezichten. Je kon je geen warmer familietafereel voorstellen.

Wat Alexander Gartshore betrof, was dit het bewijs dat de vrouw en de drie kinderen die hij in 1965 in de steek had gelaten, het niet alleen zonder hem hadden overleefd, maar dat het hun zelfs heel goed was gegaan.

Het viel me op dat de foto's een diepe indruk maakten op mijn vader. De reden begreep ik pas later, toen ik hoorde dat hij in een torenflat woonde, die allesbehalve luxe genoemd kon worden.

Toen we vertrokken, drukte mijn vader opeens een kus op mijn mond, en zoende mijn moeder kort op haar wang. Terwijl we bezig waren bij te komen van zijn wel heel late blijk van genegenheid, kropen we allemaal bij elkaar in auto's om de korte afstand tussen Bellshill en Coatbridge te overbruggen.

Ik vond het heel apart dat William en Lily van het huis van mijn grootmoeder naar dat van mijn broer Norman waren verhuisd. Lily was erg emotioneel en ze huilde tranen met tuiten, wat ik nogal bijzonder vond omdat ze Granny Jenny nauwelijks had gekend.

Ik was ontsteld toen ze me vertelde dat mijn vader seksuele avances in haar richting had gemaakt. Ze zei: 'William heeft met hem gesproken, maar het had geen zin – hij wilde het niet toegeven, deed net alsof het een grote grap was en ik me druk maakte om niets.'

'Waarom heeft William hem geen dreun gegeven, zodat het hem meteen duidelijk werd?' vroeg ik.

'Nou, het is zijn oom,' snikte ze tussen haar tranen door. 'Maar ik kon niet veel meer hebben. Het was de laatste druppel toen hij onze kamer in kwam en naast ons wilde gaan liggen – '

Mijn mond viel open en ik liet bijna de theepot uit mijn handen vallen.

'Het kwam door de geluiden in de slaapkamer van je oma. Hij zei dat hij spookachtige geluiden hoorde en dat hij bang was om daar in zijn eentje te slapen. We vertelden hem dat het waarschijnlijk de wind was of de afvoerbuizen, maar hij was ervan overtuigd dat zij het was.'

William had hem gezegd naar de pomp te lopen en toen waren ze kort daarna vertrokken.

Ik besloot op een later tijdstip met mijn broers en hun vrouwen te praten over wat Lily had gezegd en het vreselijke dilemma waar ik mij nu in bevond. Geschokte gezichten keken me aan toen ik zei dat we iets met deze man móésten doen. Niemand was veilig voor hem. Vrouwen niet en meisjes evenmin.

Mijn beide broers zaten daar alsof ik helemaal gek was geworden.

Het kostte me moeite om hun te vertellen hoe mijn gesprek was geëindigd. Ik bracht hen toen op de hoogte van mijn vermoeden dat onze vader verantwoordelijk was voor de verdwijning van Moira Anderson.

De reacties rondom de tafel varieerden van ongelovigheid tot verbijstering tot openlijke vijandigheid. Aanvankelijk wilde Ian het niet geloven. Hij verhief zijn stem. 'Je kunt niet van me verlangen dat ik geloof dat onze vader na zoiets afschuwelijks rustig kon doorrijden in zijn bus. Niemand kan zomaar doorgaan met zijn werk alsof er helemaal niets is gebeurd.'

Ik ervoer het als een stomp in mijn maag, maar ik begreep hoe hij zich voelde. Ik had toen ook gewild dat het allemaal weg zou gaan en dat het gewoon een nare droom was.

Ik wees Ian erop dat misdadigers áltijd gewoon doorgaan na het plegen van een misdaad en dat ze nou niet bepaald een tatoeage dragen op hun voorhoofd met als tekst DIEF of VERKRACHTER, maar ik zag dat ik hem en Norman vroeg het ondenkbare te denken.

Een van mijn schoonzussen vroeg me woedend: 'Wat levert het je op om dit na al die jaren weer op te rakelen? Haar familie is alles vermoedelijk allang vergeten. Waarom zou je iedereen weer van streek maken?'

'Wat bedoel je?' Ik hapte naar lucht. 'Haar familie heeft nooit geweten wat er met haar is gebeurd – we kunnen dit niet zomaar in de doofpot stoppen alsof het nooit is gezegd. Ik kan niet accepteren dat wat jij net hebt gezegd, waar is. Jij zou er nóóit overheen komen als jouw kind zou verdwijnen. Stel dat het Michelle of Lauren was overkomen?'

Ik was me er erg van bewust dat wij onze kinderen hádden,

maar dat het kleine meisje van de Andersons voor altijd was verdwenen. Dat ik refereerde aan Michelle en Lauren had een nogal ontnuchterend effect op iedereen. De gedachte dat een van hen vermist zou zijn en nooit meer thuis zou komen, was ondraaglijk. Ik zag Norman instemmend knikken.

Hij en Ian herinnerden zich toen dat mijn vader de afgelopen paar dagen rare dingen had gezegd. Ze hadden zich verplicht gevoeld om hem bij alles wat er na een overlijden moest gebeuren, mee te nemen. Hij had in de auto gezeten en was een beetje in de war geweest. Hij herinnerde zich bijvoorbeeld niet dat het Coatbridge Hotel zich vlak bij de Drumpellier-golfbaan bevond. De kans bestond, zeiden ze tegen me, dat alles wat hij over Moira Anderson had gezegd een vorm van dementie was.

Ik legde uit dat enige verwarring over de juiste locatie van dingen na een gat van dertig jaar niet onredelijk was en dat het voor iemand als ik, die bij de sociale dienst van Lothian cursussen had gegeven over dementie, met name aan medewerkers die veel te maken hadden met patiënten die aan de ziekte van Alzheimer leden, kristalhelder was dat mijn vader niet iemand was die hieraan leed. Ik probeerde tevergeefs door te dringen tot de geschokte groep rondom de tafel dat we de waarheid onder ogen moesten zien en aan het licht moesten brengen. Een schoonzus vloog me bijna aan. 'Jij hebt makkelijk praten. Jij woont hier niet meer! Jij hebt je naam veranderd in Brown en je woont nu in Edinburgh. Wij moeten hier leven, jij niet. Iedereen kent Norrie en Ian omdat ze taxichauffeur zijn. Wij moeten denken aan onze kinderen die hier naar school gaan. We willen niet dat iedereen naar hen kijkt. Jij bent er helemaal zeker van dat hij schuldig is, en daarmee uit. Je hebt er absoluut geen bewijs van en hij heeft je vertéld dat de politie hem heeft ondervraagd. Laat het toch rusten.'

'Er zijn dingen die ik van hem weet waar jij geen idee van hebt,' zei ik ten slotte, heel erg langzaam. 'Ik zie niet in waarom jij zo van streek bent, want hij is niet jóuw vader en je hebt hem nooit gekend. Maar ik wil weten of hij nu wel of niet bij de politie is geweest. Om de een of andere reden denk ik van niet en ik weet zeker dat hij haar kende. Hij is steeds door de mazen van het net geglipt. Hij heeft niet alleen in de gevangenis gezeten in Saughton in Edinburgh vanwege de babysitter, hij is ook verantwoordelijk voor Moira Anderson en daar is hij tot op heden toch maar mooi mee weggekomen.'

Hoofdstuk 14

De dag na de begrafenis gingen mijn vader en zijn zoon weer weg. Het enige dat bewees dat hij er ooit was geweest, was een brief waarin hij zich verontschuldigde voor hun 'slechte gedrag' omdat ze niet waren gebleven om te helpen. Maar op deze manier kwam ik achter mijn vaders adres in Leeds.

Weer was hij net zo snel uit mijn leven verdwenen als hij erin was gekomen, en liet zoals gebruikelijk een spoor van vernielingen achter. Maar deze keer ging ik er veel beter mee om. Ik bracht Ronnie op de hoogte van de details van het gesprek en van mijn vaders gedrag ten opzichte van Lily, maar ik kon het niet over mijn hart verkrijgen om met mijn moeder te praten. Wat ik ook ging doen, hij stond achter me, vertelde Ronnie me.

De volgende maanden waren een nachtmerrie vol pijn en verwarring en het enige wat me vasthield in de realiteit was mijn werk. Ik reed op de automatische piloot heen en terug naar de campus van de universiteit in Livingston. Ik had het gevoel dat mijn gedrag daar normaal was, dat mijn ademhaling rustig was, maar er waren natuurlijk veel collega's die een verschil bij mij zagen, maar die het toeschreven aan mijn verdriet, wetend dat ik en mijn grootmoeder een hechte band hadden gehad.

Toen nam mijn concentratie af. Ik kreeg een auto-ongeluk en mijn handtas werd uit mijn kantoor gestolen, waar de familiekiekjes in zaten die we tijdens de kerst hadden genomen. Ik kon mezelf voldoende vermannen om banken te bellen en onze dominee, George Grubb, te laten weten dat we een setje kerk- en zondagsschoolsleutels misten, maar ik kon absoluut niet uit de voeten met het verlies van die onvervangbare foto's en hun negatieven. Ik was ontroostbaar, maar wilde niet luisteren naar het advies van mijn echtgenoot om een tijdje vrij te nemen. Ik kon niet slapen, ik verloor gewicht en ik was kortaf tegen Ross en Lauren. Dat ik me niet meer kon concentreren, vooral als ik autoreed, was angstaanjagend. Ik reed naar het hoofdkantoor van de Scottish Vocational Council in Glasgow, waar ik deel uitmaakte van een klein, landelijk team dat een nieuwe cursus opvoedkunde aan het ontwikkelen was, en realiseerde me dat ik meer dan zestig kilometer over snelwegen had gereden zonder enig oriëntatiepunt of verkeersbord te zien. Ik was zelfs vergeten te kijken of ik nog voldoende benzine had. Dit kon zo niet doorgaan.

Ik maakte een afspraak met onze huisarts, Brian Venters. Tegen de tijd dat ik hem belde, was ik zo slap als een vaatdoek. Ik kon niet meer denken, ik kon niemand meer aankijken, en, erger nog, toen hij me vrolijk vroeg wat hij voor me kon doen, barstte ik in huilen uit. Er kwam geen woord uit toen hij me vriendelijk vroeg wat er aan de hand was. Het was alsof er een enorme steen vastzat in mijn keel. Twintig minuten gingen voorbij, waarin ik een aantal keren probeerde te praten. Er kwam niets uit. Net toen ik ervan overtuigd was dat onze huisarts zou voorstellen zijn tijd en die van anderen niet te verspillen, flapte ik eruit dat het allemaal met mijn vader te maken had. Er volgden nog vijf minuten met hevig gesnik. Toen wist ik op de een of andere manier iets te vertellen over de dingen die ik mijn vader had zien doen toen ik nog een kind was, wat er met mijn vriendinnetjes was gebeurd. Hij sloot zijn ogen. Ik vertelde hem over mijn vaders gevangenisstraf en dat ik daar pas op mijn zesendertigste achter was gekomen. Ik legde uit hoe de dood van mijn grootmoeder mijn vader weer in beeld had gebracht en herhaalde aarzelend het gesprek waarin hij zelf een link had gelegd tussen hem en Moira. Toen ik stopte, vloekte Brian binnensmonds en zei: 'Sandra, ik zie hier regelmatig mensen wier familie vernietigd is omdat er kinderen werden misbruikt, maar deze schoft spant echt de kroon. Het is duidelijk dat je ook van streek bent over de dood van je grootmoeder – volgens mij was zij de lijm die jullie allemaal, tot op zekere hoogte, bij elkaar hield – maar je zult ook een besluit moeten nemen over wat je gaat doen met deze onthulling van hem. Nietwaar?'

Ik was het met hem eens en vertelde hem over mijn slapeloze nachten. 'Ik kan helpen om je weer normaal te laten slapen,' zei hij kordaat. 'Niet door gebruik van medicijnen, maar ik kan je wat ontspanningsoefeningen leren. Maar je hebt ook therapie nodig, iemand die wil luisteren naar alles wat je is overkomen, vooral tijdens je jeugd. Ik weet precies de juiste persoon voor je. Ze heet Ashley en ze komt naar je huis.'

Pasen 1992 kwam en ging en dat gold ook voor onze eerste paar sessies, maar zelfs voordat ik Ashley ontmoette, een kleine, keurige vrouw met heldere ogen en zilverblond haar, had ik al een volgende stap gezet op de weg waar ik langzaam naartoe werd getrokken. Ik had mijn echtgenoot verteld dat ik van mening was dat ik de informatie die ik had aan de politie moest doorgeven en dat ik de beweringen van mijn vader wilde controleren. Ik kon er niet mee leven dit soort dingen voor mezelf te houden, waar ze voor altijd in mijn geweten zouden blijven wroeten. Ik was me bewust van de grote verantwoordelijkheid die dit met zich meebracht en wist nu al hoe negatief mijn familie zou reageren. Ronnie en ik bespraken het grondig en het was duidelijk dat er een risico bestond dat mijn familie zich vreselijk gekwetst zou voelen, maar dat andere levens misschien eindelijk konden helen.

Ik vroeg me af of ik er met een oude vriend over kon praten, Billy McCloy. Hij was nu politie-inspecteur en lid van de Coatbridge en Airdrie Operatic Society, de amateurclub waar ik zelf al zo'n jaar of tien bij betrokken was. Hij was met Fiona getrouwd, die bij mij op de Gartsherrie Academy had gezeten, als leerling én lerares. Ik kende Billy al sinds hij bij de politie was gegaan en we waren op elkaars bruiloft geweest.

We troffen elkaar bij hem thuis. Hij was een jongen uit Airdrie en was goed op de hoogte van Moira Andersons verdwijning. Hoewel we ons geen van beiden konden herinneren dat er ooit een bus bij deze kwestie betrokken was geweest, waren we het eens dat dit cruciale gegeven zowel door de politie als het publiek in 1957 over het hoofd was gezien.

Ik vertelde Billy dat ik wilde weten of Alexander Gartshore in 1957 wel of niet was verhoord. Ik smeekte hem het dossier door te nemen en dat aan niemand te vertellen. Billy legde langzaam uit dat het niet zo simpel was als ik dacht. Dossiers uit de jaren vijftig lagen niet voor het grijpen. Hij zou een reden moeten hebben om ze door te willen nemen. Ik vroeg hem de politiecomputer te raadplegen om te kijken of mijn vader in de jaren zeventig en tachtig in het zuiden nog bij andere problemen betrokken was geweest. Hij kreunde. 'Sandra, daar is mijn baan me te kostbaar voor. Het lijkt me het beste als ik met iemand praat die jij kunt vertrouwen. Iemand uit Airdrie. Ze komen dan naar je toe in Edinburgh, nemen je verklaring op en op díe manier kom je alles te weten. Maar ik kan je één ding verzekeren: als wat je zegt klopt, kunnen ze je vader in die tijd op geen enkele manier over het hoofd hebben gezien. Ze zullen hem ongetwijfeld hebben verhoord.'

Ik stemde in. Een paar dagen later belden Billy's collega's me op en we spraken een datum af dat ze naar me toe zouden komen. Ik zorgde ervoor dat de kinderen die dag weg waren; er was namelijk net een nieuw sport- en recreatiecentrum in Coatbridge geopend en daar had ik ze als traktatie naartoe gestuurd. Ze waren net vertrokken, helemaal opgewonden, toen de twee agenten in burger arriveerden. De ene was dik, nors, en ouder dan zijn maat, terwijl de andere knap was, fit, even oud als ik en een levendig, intelligent gezicht had. De stem aan de telefoon had vriendelijk geklonken, maar de moed zonk me in de schoenen toen ze met grimmige gezichten op de stoep stonden. Maar hun handdruk was stevig en positief. Beide mannen maakten het zich gemakkelijk in onze zitkamer aan de achterkant van het huis en ik zette een pot thee voor ons voordat het onderhoud begon. Jim McEwan stelde zich voor als inspecteur en introduceerde zijn metgezel als Bobby Glenn.

Jim vertelde me wat hij uit Billy McCloys verhaal had opgemaakt, leunde toen naar voren en tikte op een grote archiefdoos die hij had meegebracht. Mijn hart maakte een enorme luchtsprong toen ik daar een enigszins stoffig, maar nog heel goed leesbaar etiket op zag zitten met de tekst 'Onderzoek Moira Anderson, 1957'.

'Wat ik je met absolute stelligheid kan vertellen voordat we een formele verklaring opnemen, Sandra, is dat we het oorspronkelijke dossier met een stofkam hebben doorgenomen en dat er absoluut niets in terug te vinden is over een vraaggesprek met Alexander Gartshore. *Helemaal niets.* Wat ik kan doen is je laten zien, en dat gaat absoluut in tegen wat een groot aantal mensen zich herinnert over de verdwijning van dit meisje, dat er inderdaad een verklaring is dat zij gezien is. Er zijn er zelfs meerderen die allemaal beweren haar in een plaatselijke bus gezien te hebben na het bewuste tijdstip dat door het toenmalige onderzoeksteam is bepaald, maar die er destijds voor hebben gekozen deze informatie niet te openbaren. Je vindt er nauwelijks iets over terug in de kranten. Ik denk dat je deze pagina wel interessant zult vinden om te lezen.'

Hij gaf me het dikke dossier met de inmiddels vergeelde aantekeningen. Bijna veertig jaar later las ik de verklaring van James Inglis dat ze het kind was met wie hij had gepraat – hij kende alle drie de zusjes en de kans was heel klein, ondanks hun gelijkenis, dat hij Moira met Janet zou verwarren. Hoe dan ook, Janet was toen niet thuis geweest. Het incident was hem bijgebleven. Hij had in een portiek aan de overkant van de bushalte staan schuilen, terwijl zij, zoals kinderen doen, in de sneeuw had gespeeld.

Om redenen die alleen bekend waren bij henzelf, lieten MacDonald en McIntosh Inglis gaan en deden geen enkele poging om de buschauffeur te ondervragen. Verder legden ze ook de verklaring naast zich neer van de vrouw, hoewel die ervan overtuigd was geweest dat Moira niet alleen in de bus was gestapt, maar ook voorin was gaan zitten om met de chauffeur te praten. Zij was zelf door het middenpad naar een stoel bij de uitgang achterin gelopen, via welke ze de bus later verliet. Ze zei dat ze er niet zeker van was waar het kleine meisje was uitgestapt, maar dat het meisje volgens haar nog steeds in de bus zat toen zij uitstapte. Er was geen nader onderzoek verricht, hoewel ze de vrouw van een politieagent was uit Irvine Crescent, vlak bij het huis van Moira's grootmoeder.

Het onderzoeksteam verkoos niet openbaar te maken dat een

derde plaatselijke getuige Moira in de bus had zien stappen. Een oude dame die boven Molly Gardiners snoepwinkel in Alexander Street woonde, had naar buiten gekeken, naar de sneeuw, en had een klein meisje bij de afgesloten garages zien spelen. Terwijl de vrouw zich er wrang over verwonderde dat kinderen nooit last van de kou hebben, zag ze het meisje opeens een nare val maken, toen weer overeind krabbelen en over haar bips wrijven. Toen stond ze daar een tijd iets te zoeken in de sneeuw, alsof ze iets was kwijtgeraakt. Ze voelde in haar zakken en tas alsof, concludeerde deze getuige, ze geld had laten vallen, misschien voor de bus, want daar had ze steeds naar staan uitkijken. Enkele ogenblikken later kwam de bus tot staan bij de bushalte tegenover het huis van de vrouw. Toen de bus vertrok, was het kleine groepje wachtenden ingestapt en was het kleine meisje nergens te zien. Ze was er zeker van dat het kleine meisje met de anderen was ingestapt. Ik las de verklaring van de vrouw van een politieman, mevrouw Chalmers, die in de bus met Moira een glimlach had uitgewisseld.

Ik keek verbijsterd op naar Jim. 'Toen mijn vader me vertelde dat hij die dag de bus bestuurde en dat hij de laatste was die haar had gesproken, was ik helemaal van mijn à propos. Ik was pas acht, maar ik herinner me helemaal niets over het feit dat ze in een bus was gestapt. Iedereen zei dat ze in de sneeuwstorm was verdwenen. Waarom heeft niemand hier iets mee gedaan? Het is verdorie de vrouw van een politieagent die deze verklaring heeft afgelegd...'

'Dat betekent helemaal niets,' zei Bobby Glenn op effen toon.

'Zijn al deze getuigen dood?' Mijn hand gleed over de pagina.

'Alleen de jongeman leeft nog steeds.' Jim keek me vluchtig aan. 'Hij is inmiddels gepensioneerd. Maar we zijn al bij hem langs geweest. Ik heb hem verteld dat we dit onderzoek behandelen alsof het allemaal gisteren is gebeurd. Hij staat achter elk woord dat hij heeft gezegd. De verklaringen van de andere getuigen zullen met respect worden behandeld, zelfs al zijn ze niet meer onder ons.'

Ik realiseerde me dat Jim zei dat mijn gesprek met mijn vader, waar Billy McCloy hem van op de hoogte had gebracht, heel serieus werd genomen. Op een vreemde manier, want ik vond het eigenlijk doodeng, voelde ik me door die wetenschap een beetje getroost. Het was duidelijk dat deze twee rechercheurs me niet als een gefrustreerde vrouw zagen die de tijd van de politie verspilde. Ze geloofden in me.

'Lees maar door,' zei Jim en wees naar de onderste alinea van de pagina. Uit dit deel viel op te maken dat de man die de verklaringen van de twee buspassagiers had opgenomen, naar de remise was gegaan om de chauffeurs te ondervragen. Met enig ongeloof las ik de obligate woorden. 'De chauffeur geeft aan dat hij, noch de conductrice, zich bewust was van een kind dat beantwoordde aan de beschrijving van Moira.'

Terwijl ik de zin hardop voorlas, schudden we allemaal ons hoofd. De onbekende ondervrager had niet alleen verzuimd met de vrouwelijke metgezel van de buschauffeur te praten, hij had niet eens gecontroleerd of hij wel de juiste mensen voor zich had. Hij had de man die hij had ondervraagd niet eens naar zijn naam gevraagd.

Maar in ieder geval was er een mysterie opgelost. Mijn vader was nooit verhoord over Moira. Mijn instinct had het bij het juiste eind gehad.

Opeens vroeg Jim: 'Was je vader toevallig vrijmetselaar?'

Alexander was inderdaad vrijmetselaar geweest, vertelde ik hem, maar of hij echt actief was geweest, kon ik hem niet vertellen. Hoewel ik me bewust was van geruchten over corruptie die de politie met de vrijmetselaars verbond, verwierp ik dat als een reden voor anderen om hem te beschermen. Veel later kwam ik er via een betrouwbare bron achter dat mijn vaders loge voor negentig procent uit politiemannen had bestaan.

'Wel,' zei Jim, 'Sandra, ik denk dat je maar beter bij het begin kunt beginnen. Vertel me eens over je vroegste herinneringen aan je vader.'

Hoofdstuk 15

De twee rechercheurs luisterden naar wat ik die dag openbaar maakte. Ze namen mijn woorden in zich op, stelden af en toe vragen en gingen heel voorzichtig met me om. Sommige herinneringen waren niet meer zo scherp, terwijl andere enorm gedetailleerd waren. Psychologen hebben een fenomeen erkend dat ze hier het veertigjaarsyndroom noemen en dat vooral voorkomt bij mensen die de Holocaust hebben overleefd. De persoon in kwestie ontkent heel lang de pijnlijke waarheden om daarmee zichzelf en zijn geestelijk welzijn te beschermen. De realiteit komt pas enkele decennia later boven water, als de persoon zich veilig voelt in zijn eigen zelfbewustzijn en op het pad dat hij zelf heeft gekozen. Een kleinigheid kan de beelden wakker maken die de herinneringen vergezellen in de vorm van terugblikken die op het innerlijke projectiescherm van de hersenen worden geregistreerd. Wat het bij mij had wakker gemaakt, was het gesprek met mijn vader.

Ik was opgelucht dat deze mannen ook niet meer de jongsten waren en dat ze zich net als ik het tijdperk van de Verboden Onderwerpen konden herinneren.

Ze wisten me allebei te vertellen wat ze dat weekend dat Moira was verdwenen precies hadden gedaan. Jim was van mening dat mensen uit de generatie van onze ouders, collega's, vrienden, exburen, zich mijn vader uit die tijd goed zouden herinneren. Hij wilde heel graag een zo volledig mogelijk beeld van hem schetsen.

'Betekent dit dat jullie het onderzoek heropenen?'vroeg ik, toen Jim zijn papieren bij elkaar zocht.

Hij keek me aan. 'Het onderzoek is nooit afgesloten, maar ondanks de lange tijdspanne, die op zichzelf al aangeeft dat er iets niet deugt, hebben ze hier nooit een moordonderzoek van gemaakt. Het is altijd een dossier van een vermiste persoon gebleven.'

Ik gaf hem het adres van mijn vader en liet hun de foto's van hem zien in 1957, die in een oud fotoalbum zaten. Ik vroeg wanneer Jim van plan was hem op te zoeken. Ik was namelijk bang voor de consequenties als mijn vader erachter zou komen wie er met de politie had gepraat. Ik herinnerde me tevens het boze gezicht van mijn stiefbroer tijdens de begrafenis van Granny Jenny.

Jim stelde me gerust en vertelde dat hij pas naar Leeds zou gaan als hij zeker was van alle feiten, en dat hij me dan een seintje zou geven. Ik vroeg hem tevens mijn moeder niet te benaderen. Ik had haar niets verteld over mijn contact met de politie en ik vreesde voor haar gezondheid en gevorderde leeftijd. Jim zei dat hij eerst contact met mij op zou nemen als het nodig zou zijn om toch met mijn moeder te praten.

Jim nam een paar dagen later contact met me op en ik trof hem op het politiebureau in de Wellwynd in Airdrie. Terwijl ik in de kleine ontvangstruimte op hem wachtte, vroeg ik me af of de vriendelijke jonge agent achter de balie enig idee had van wat ik daar kwam doen. Hij had mijn naam genoteerd en zei dat inspecteur McEwan bezig was met politiezaken en dat ik even zou moeten wachten.

Toen Jim tevoorschijn kwam, nam hij me onmiddellijk mee naar zijn kantoor waar ik als aan de grond genageld bleef staan. De kamer was spaarzaam gemeubileerd en in het midden stond een mahoniehouten bureau en daartegenover een grote metalen kast. Naast een grote kaart van Coatbridge Burgh in de jaren vijftig prijkten twee zwart-witfoto's op de muur. Een was het bekende portret met het hoofd en schouders van Moira, die lachend naar de schoolfotograaf keek. Ze droeg haar blonde haar naar opzij en ze zat achter haar tafel, de armen over elkaar gevouwen. De andere was van een man met zware kaken die in de zestig was en wiens ogen met een indringende blik recht voor zich uitkeken. Mijn vader.

Jim vroeg: 'Zou je me willen bevestigen, Sandra, dat dat je vader is?'

Mijn mond was droog toen ik knikte. 'Is dat een portretfoto?' stamelde ik. 'Wanneer is die genomen?'

'Ja, dat klopt. In 1985 of zo.' Jim keek me recht in de ogen. 'In het zuiden.'

Hij wilde me niet vertellen welke misdrijven er waren gepleegd. Toen liet hij me een kopie zien van het krantenartikel van april 1957, waarin melding werd gemaakt van de verkrachtingszaak. Er stond in dat hij zich twee maanden aan Betty had vergrepen, maar ik wist dat het nog veel langer had geduurd. De advocaat van mijn vader probeerde de verantwoordelijkheid van al deze incidenten bij het meisje neer te leggen.

Hoewel het meisje pas veertien is, is ze heel volwassen. Nadat het eerste incident was voorgevallen, en ondanks de jeugd van het meisje, was Gartshore als de dood dat ze hem aan zijn vrouw zou verraden. Volgens mij was het meisje gewoon een dreiging voor Gartshore geworden en hij had haar eigenlijk weg moeten sturen. Hij had haar moeten vertellen dat ze nooit meer terug mocht komen. In plaats daarvan liet hij haar gewoon doorgaan.

Als ze naar Gartshores huis kwam, gebruikte ze alle verleidingsmiddelen die jonge vrouwen eigen zijn. Als er sprake zou zijn geweest van onbetamelijk gedrag, zou de beschuldigde het meisje weg hebben gelokt naar eenzame en geïsoleerde plekjes. Maar in dit geval deed de beschuldigde dat niet. De vergrijpen vonden plaats in zijn eigen huis, waar hij heel gelukkig was met zijn vrouw en zijn drie jonge kinderen, tot dit meisje in zijn leven verscheen.

Hij had aangevoerd dat mijn vader een heel goed oorlogsverleden had, dat hij een goede vader was en dat hij zijn hele leven naar de kerk was gegaan. Hij had een bittere les geleerd, maar wilde niet naar de gevangenis. Als hij naar de gevangenis zou worden gestuurd, zou zijn vrouw hem misschien verlaten. Zijn gezin zou een enorme dreun krijgen, zijn kinderen zouden eronder lijden en als hij uiteindelijk weer terugkwam, zou hij een 'verbitterd lid van de gemeenschap' zijn.

Maar rechter Young, die het geval had aangehoord, veroordeelde mijn vader tot achttien maanden gevangenisstraf. 'Ik heb niets gehoord wat deze ernstige zaak, waaraan u schuldig bent, zou kunnen bagatelliseren,' zei hij.

Jim vertelde me dat hij Betty onlangs had ondervraagd. Ze had verteld dat ze in die dagen beslist niet promiscue was en dat mijn vader haar tot geslachtsgemeenschap had gedwongen. Het was verkrachting geweest en hij had haar geld gegeven om haar mond te houden. Tijdens een periode van zes maanden had ze hem regelmatig ontmoet, meestal in Dunbeth Park waar Moira en haar vriendinnetjes hadden gespeeld, en na de eerste keer hadden ze vaker seks met elkaar gehad, met wederzijds goedvinden, maar nooit, hield ze nadrukkelijk vol, in haar huis.

Ik kon me voorstellen dat dit artikel mijn oma's en opa's vreselijk van streek had gemaakt. Mijn schoollerares, juffrouw Marshall, de vrouw met de paarse spoeling in haar haar, moet hebben geweten dat mijn vader een gevangenisstraf uitzat voor seksueel wangedrag met een meisje dat slechts een paar jaar ouder was dan haar eigen leerlingen. Er woonden relatief gesproken maar weinig mensen in deze streek, zo'n dertigduizend, en daarom leek me de kans erg klein dat iemand het krantenartikel over mijn vaders proces had gemist.

Jim was het met me eens, en zei: 'En dat maakt het des te vreemder dat onze vriend in Stornoway, ex-rechercheur John F. MacDonald, zich helemaal niet kan herinneren dat jouw vader ooit in de problemen heeft gezeten. Hij weet nog wel wie hij is, en ook zijn nogal ongebruikelijke achternaam, en hij wist ons zelfs een beschrijving van hem te geven. Feitelijk schrok hij van wat we hem te vertellen hadden. Hij zei: "Maar hij kan dat niet gedaan hebben. Hij stopte met zijn bus altijd voor alle oude vrouwtjes en zette ze bij hun eigen hek weer af. En alle kinderen gaven hem snoepjes." Hij was er honderd procent zeker van dat je vader op dat moment door niemand als verdachte werd gezien. Hij was ervan overtuigd dat het de gehandicapte man was, Ian Simpson.'

Ik kon zien dat Jim niet kon bevatten waarom de man die toen de leiding had wel het gezicht van mijn vader herkende, maar dat hij zijn geschiedenis was vergeten. Vooral omdat hij plaatselijk voorpaginanieuws was geweest en was veroordeeld. 'Ik weet dat wijsheid achteraf iets geweldigs is, maar ik vraag me werkelijk af wat deze mannen aan het doen waren. Je vader is gewoon door de mazen van het net geglipt.'

Mijn vader was gearresteerd en verhoord in december 1956. Hij werd op 23 januari 1957 beschuldigd van 'het hebben van vleselijke gemeenschap met een minderjarige en andere vergrijpen van seksuele aard'. Tussen de kerst en oud en nieuw had grootvader Gartshore het geld voor de borgsom bijeengeschraapt, om zijn zoon weer thuis te krijgen. Hij had er bij Baxter's op aangedrongen mijn vader zijn baan weer terug te geven tot deze kwestie in de lente voor zou komen. Aan het eind van januari had mijn vader zijn stoel voor in de Cliftonville-bus weer ingenomen, de bus die langs Moira's voordeur reed.

Ze verdween drie weken later. Mijn vader werd in april 1957 tot een gevangenisstraf veroordeeld. Die zomer, toen de mensen in de stad zich afvroegen waarom er met het onderzoek geen vooruitgang werd geboekt, was mijn vader veilig opgeborgen in een van de instellingen van Hare Majesteit.

Ik vroeg me af waarom MacDonald niet zo blij was geweest met de hulp van de recherche uit Glasgow. Waarom had hij Moira's foto niet op de televisie laten zien? Waarom had hij niet bekendgemaakt dat de vrouw van de politieman, mevrouw Chalmers, niet de enige getuige was geweest die Moira in de bus had gezien?

Het leek er allemaal op neer te komen dat ze mijn vader tijdens de oproep van alle verdachten over het hoofd hadden gezien en dat kwam óf door pure onbekwaamheid, óf doordat iemand bij het politiepersoneel van John F. MacDonald hem had beschermd.

Hoofdstuk 16

Mijn volgende bespreking met Jim McEwan vond plaats op het politiebureau in Bathgate. Op 30 april 1992 was de receptie volgeplakt met dramatische posters van een vermist vijftien jaar oud meisje. Het gezicht van Vicky Hamilton, die op 10 februari 1991 was verdwenen, keek van de muren op ons neer. Ze was verdwenen van het hoofdplein van Bathgate, en dat net zo mysterieus als Moira dat vijfendertig jaar geleden in een ander stadje had gedaan, toen het zo'n dertig centimeter had gesneeuwd. Ook zij kwam nooit meer boven water.

Het is moeilijk je in dergelijke slechte weersomstandigheden van een lichaam te ontdoen. De sneeuwstormen en de bevroren grond maken het onmogelijk om een voorlopig graf te graven. Jim en ik hadden dit besproken toen ik de gebruikelijke route van de bus van mijn vader aangaf, en waar alle haltes zich hadden bevonden. We waren het eens dat als hij Moira had vermoord, het niet waarschijnlijk was dat hij die nacht ver was gereisd, want de wegen waren slecht begaanbaar geweest en hij zou bang zijn geweest om gezien te worden. Als wij van een lichaam af wilden, besloten we, zou onze keus op een oude mijnschacht of het water zijn gevallen.

Helaas barst het in Coatbridge van oude kolenmijnschachten, verlaten groeven, meren en vijvers in het omliggende moerasland, om maar niet te spreken van het Monkland Canal, dat in de jaren vijftig dwars door de stad stroomde. Ik bracht Jim op de hoogte van een herinnering uit mijn vierde of vijfde levensjaar, toen mijn vader me op een zondag meenam voor een lange wandeling langs een klein meer, waar je soms de zwanen tussen het riet door zag glijden. Nu heet het Clyde Calders Nature Reserve en het is te zien vanaf de M8, maar mijn vader vertelde me toen dat het Dick's Pond heette. Hij kende deze plek al van toen hij een jongen was. 'Ja, Sandra, ik speelde hier vroeger altijd,' zei hij en liet me zien hoe ik een plat steentje moest uitkiezen om dat dan laag over het water te laten scheren. 'Kom, probeer jij het maar eens!' Ik vroeg hem waarom de stenen niet meer naar boven kwamen en hij legde het me uit. 'Zie je die plek daar? Toen ik heel klein was, kende ik een jongen die daar in het midden aan het zwemmen was. Hij verdronk en ze hebben hem nooit meer gevonden. Want weet je, daaronder bevindt zich een mijnschacht die recht omlaagloopt. Niemand weet hoe diep hij is. Gooi daar een lichaam overboord en niemand zal het ooit vinden. Het is daar zo diep, lieverd. Als ik ooit ergens vanaf wilde, zou ik het daar laten vallen.'

Jim vertelde me dat hij met de politie van West Yorkshire had gesproken, die nog aanvullende informatie had gehad. De overtredingen die de aandacht van de politie ten zuiden van de grens op mijn vader hadden gevestigd, hadden te maken gehad met misleiding en een poging om onder valse voorwendselen een hypotheek te verkrijgen. Ik slaakte een diepe zucht van opluchting, maar dacht toen: en wat dan nóg als hij voor andere dingen in de gevangenis heeft gezeten en niet voor het misbruiken van kinderen. Hij zou er nog steeds mee wegkomen. Jim ging verder. 'Kijk, ze hebben veel belangstelling voor wat we hun te vertellen hebben, maar de naam van je vader komt niet voor op hun lijst van bekende pedofielen. Hij is alleen bekend bij hen vanwege eerder genoemde overtredingen.'

'Wat is daar zo bijzonder aan?' vroeg ik. 'Ze weten gewoon niets van hem af, dat is alles.'

'Nou,' zei Jim, 'Leeds heeft een van de grootste groepen pedofielen in heel Groot-Brittannië. Maar hij is niet bekend bij hen vanwege klachten over perversiteiten.'

Ik stond op om te vertrekken en Jim zei dat hij contact zou houden. In de maanden die daarop volgden spraken we elkaar regelmatig via de telefoon, maar we kwamen pas in juli weer bij elkaar.

Ondertussen had Jim me verteld dat hij met mijn broers wilde praten. Hoewel ze drie en zes jaar jonger waren dan ik, en de periode in ons leven waar Jim de meeste belangstelling voor had 1957 was, toen ze nog erg klein waren, wilde hij ze toch ondervragen. Hij zei tevens dat hij graag wilde weten of mijn vader nog contact had gehad met andere jonge vrouwelijke familieleden. Het idee alleen al, afschuwelijk. 'Nou, nee. Ik heb geen zussen en al mijn nichtjes zijn veel jonger dan ik,' zei ik. 'Hij molesteerde mijn vriendinnen, niet mijn familie – die zouden veel te klein zijn geweest, en bovendien zou ik het weten als er ooit iets was gebeurd. Iemand zou daar iets over gezegd hebben.'

'Dit soort dingen wordt heel vaak binnenshuis gehouden. Laten we er niet van uitgaan dat hij zich alleen aangetrokken voelde tot jonge meisjes – het maakt veel pedofielen namelijk niets uit.' Toen stelde hij de vraag die door talloze anderen de komende maanden herhaald zou worden.

'Weet je absoluut zeker, Sandra, dat jóú niets is overkomen? Ik moet het vragen. Als dergelijk misbruik aan het licht komt, zie je heel zelden dat alle vergrijpen plaatsvinden búíten de familiekring.'

Hoewel mijn instinct me vertelde dat ik niet een van mijn vaders slachtoffers was geweest, was ik als de dood dat deze herinnering misschien nog op de loer lag in mijn onderbewustzijn.

Ik besloot een vergadering te beleggen met mijn broers. We kwamen samen in het huis van Ian en bespraken onze verschillende herinneringen aan onze vader en herinnerden ons met name hoe hij naar Leeds was gegaan. We leken wel getuigen van een ongeluk, slachtoffers die de hele ontwikkeling gelijktijdig hadden gevolgd, maar die er allemaal een persoonlijk beeld van hadden. Ian was de auto in- en uitgetrokken toen deze geparkeerd stond voor het huis van mijn ouders. Hij was niet alleen getuige geweest van de ruzie tussen onze ouders, maar ook van het moment dat onze moeder terugsloeg met een koekenpan. Ze had als een tijgerin gevochten en ze had gewonnen.

Norman had mijn vaders belangstelling voor auto's gedeeld en ze hadden een hechte band gehad, maar ook hij voelde zich verbitterd over de wijze waarop we in de steek waren gelaten. Hij was de enige van ons drieën die altijd van streek was omdat hij nooit een verjaardagskaart of een kerstkaart kreeg. Hij was de enige van ons drieën die naar mijn vader in Leeds was toe gegaan, in een poging weer wat dichter tot elkaar te komen. Hij ging maar één keer en wilde niet vertellen wat er was gebeurd. Norman herinnerde zich hoe ik geprobeerd had mijzelf en mijn vriendinnen bij mijn vader uit de buurt te houden en dat ik er al op zeer jonge leeftijd op had gestaan een eigen slaapkamer te hebben, met een deur die op slot kon. Allebei mijn broers zwoeren dat hun vader hen nooit had misbruikt. Een pak slaag, absoluut, seksuele avances, absoluut niet.

Maar ik moest nog steeds met mijn nichtjes praten.

Hoofdstuk 17

Voordat we naar de Verenigde Staten vertrokken voor een familie-vakantie met onze vrienden Janet en John McGill en hun kinderen, ging ik een paar keer naar Ashley voor een therapiesessie. Ze dacht dat de vakantie me heel veel goed zou doen, als ik maar zorgde voor een goede balans tussen uitrusten en bezienswaardigheden bezoeken. Ze had gelijk, en iedereen zorgde er die twee weken voor dat de zorgen even verdwenen, en ik ontspande me.

Janet en John waren op de hoogte van de keten van gebeurtenissen in mijn leven die zich aan het ontvouwen was. Janet vertelde me dat ze jaren geleden van een familielid had gehoord dat mijn vader bij de half dozijn bioscoopeigenaren in Coatbridge bekendstond als een enorme lastpost, iemand die naast kinderen of jonge vrouwen ging zitten en ze dan lastigviel. Ze hadden hem meermaals verzocht om weg te gaan. De meeste vrouwen liepen met een boog om hem heen, maar heel veel kinderen zaten er bevroren van schaamte bij en wisten niet hoe ze moesten reageren. Janet vertelde me dit nu pas omdat ze het eerder niet juist had gevonden.

Voordat we vertrokken nam ik onze stamboom door en maakte een lijst van al mijn neven en nichtjes van moederskant en concentreerde me vooral op de meisjes. Ik streepte degenen weg die waren geëmigreerd, waardoor er zes overbleven. Het waren drie paar zusters die allemaal beduidend jonger waren dan ik. De oudste moest een jaar of veertien zijn geweest toen mijn vader Coatbridge verliet, de jongste slechts drie of vier. Ik zal de drie paren A en B, C en D, en E en F noemen.

Voordat ik hen überhaupt benaderde, belde ik eerst een tante die ik kon vertrouwen en vroeg haar om advies. Ik was ervan overtuigd dat haar dochters, beiden lieve en leuk opgegroeide vrouwen die ik aanbad, niets was overkomen. Maar zodra ik het onderwerp aanroerde, viel er een vreemde stilte. Ik herhaalde dat ik haar niet kon vertellen waarom ik het wilde weten, maar dat het mijn gezondheid ten goede zou komen als ik het wist. Eindelijk zei ze dat ik onder vier ogen met C moest praten, de oudste van haar twee dochters. Ze wilde niets meer zeggen en hing op.

Ik was met stomheid geslagen. Ik had op C gepast toen ze een kind was en ik had me altijd zeer met haar verbonden gevoeld. Ik belde mijn nicht en vroeg of ik meteen langs mocht komen. Ze verzocht me naar haar huis toe te komen.

Zij en haar echtgenoot schrokken toen ze zagen in wat voor staat ik was toen ik arriveerde. Na een kopje thee stamelde ik een uitleg, en hoewel C van streek was, was ze opgelucht dat ik niet was gekomen om haar te vertellen dat ik bij mijn echtgenoot wegging – zij en haar partner konden geen andere reden bedenken waarom ik zo van streek was!

Toen ik haar vroeg of mijn vader ooit seksuele avances tegenover haar had gemaakt toen ze klein was, keek ze me recht in de ogen en zei: 'Ja, inderdaad. Toen ik zes was. Heeft mijn moeder je verteld wat er is gebeurd? Ik heb therapie gehad en dat heeft geholpen, zeker de laatste tijd, maar ik heb je nooit iets kunnen vertellen omdat hij je vader was.

Het was een mooie warme dag, ergens in de zomer van 1962. Mijn kleine zusje en ik hadden allebei hetzelfde aan, korte katoenen jurkjes met bijpassende boleroachtige jasjes, dus het moet gloeiend heet zijn geweest. In de middag gingen we naar Granny Frew om in de tuin in Ashgrove een kopje thee te drinken. Er werd een kleed op de grond gelegd, en terwijl de volwassenen in tuinstoelen zaten, hadden wij onze eigen picknick en daarna gingen we spelen. Je moeder was er en de mijne ook, en ze zaten met zijn tweeën gezellig in de zonneschijn te kletsen met kleine Katie. Jij was er niet, en je broers ook niet, maar je vader werkte in zijn garage.'

Er stond een keet in de tuin van grootvader Frew, die het gebied waar de picknick werd gehouden afschermde van de tuin van mijn ouders. Onze tuin liep door tot aan de zijkant van ons huis en vormde een grote driehoek, die in het midden werd gedomineerd door de garage die mijn moeder speciaal voor mijn vader had laten bouwen. Binnen enkele maanden had Alexander deze garage met de voor hem gebruikelijke rommel gevuld.

Ik weet niet meer wat hij riep om mijn aandacht te trekken toen ik in de voortuin zat en met D speelde. Ze was toen pas vier jaar oud, en daarom werd van mij verwacht dat ik haar in de gaten hield en ervoor zorgde dat ze niet zomaar de weg opliep. Maar hij gebruikte een of andere smoes om me zijn garage in te lokken. Misschien snoepjes. Ik weet het niet meer. Ik herinner me dat hij niet bij de deuren, maar ergens achterin zat, nog voorbij zijn zwarte auto waarvan de motorkap openstond. Hij had iets op zijn knie wat hij aan het repareren was. Ik wilde niet echt die donkere garage in, maar wat hij ook zei, het was heel overtuigend. Toen ik langs zijn auto liep en hem naderde, voelde ik dat er iets niet pluis was en ik aarzelde. Ik herinner me dat hij zei: "Kom hier, liefje, er is hier iets wat je even voor me vast moet houden." Nou, ik kon niet goed zien wat hij aan het doen was en we waren gedrild om altijd beleefd te zijn, dus daarom deed ik een stap dichterbij. Ik was toen een heel hulpvaardig klein meisje en het zou niet zo netjes zijn om nee te zeggen, maar ik mocht hem niet. Toen zag ik dat hij een van die oude elektrische kachels op zijn knieën had, een kacheltje met maar één element, en dat het snoer ervan op de grond hing. Hij droeg een marineblauwe overal over zijn eigen kleren heen. Ik snapte niet wat hij op zo'n mooie dag in de garage deed. Hoe dan ook, ik stond nu echt heel dicht bij hem, hij kon me bijna aanraken, toen ik opeens verstarde. Hij keek me op een heel vreemde manier aan, ik vertrouwde het niet. Hij zei: "Kom op, lieverd, je moet dit even voor me vasthouden. Kom, hou het een minuutje vast, dat is alles wat je moet doen. Het is een kabel."

Nou, ik kon zien waar hij naar wees, iets groots en wits dat recht uit die overal omhoogstak. Het had niets te maken met elektriciteit, maar het leek wel alsof er een schok door me heen ging! Ik stond als aan de grond genageld en kon alleen maar ongelovig staren. Ik zou je zijn ondergoed tot in detail kunnen beschrijven. Maar ik wist niet wat ik moest doen en ik had geen idee wat je vader nog meer van plan was, hoewel ik er wel de nodige nachtmerries aan over heb gehouden. Vreemd genoeg was het D die de situatie redde. Ze was nieuwsgierig achter me aan gelopen omdat ze wilde weten wat ik voor oom Alex moest doen, en terwijl ik daar gefixeerd stond te kijken, voelde ik haar opeens bij mijn elleboog. Ze probeerde langs me heen te kijken om te zien wat hij me toonde. Ik raakte in paniek omdat ik wist dat ik haar moest beschermen, hoewel ik op dat moment niet precies wist voor wat. Ik deinsde terug, draaide me met een ruk om en zei: *"Rennen!"* en pakte haar hand en we gingen er als een haas vandoor.'

Niet te geloven dat mijn vader zoiets had gedaan terwijl er slechts enkele meters verderop een theepartijtje werd gegeven. Zijn sluwheid was ook beangstigend, want hij was natuurlijk slim genoeg om de deur van zijn garage wijd open te laten staan. Iedereen die langsliep had even naar binnen kunnen kijken, maar wat ze dan gezien zouden hebben was de motorkap van zijn auto. Het zag er van buiten doodnormaal uit en stel dat een kind hem ergens van zou beschuldigen, dan kon hij altijd beweren dat ze een veel te rijke fantasie had. Niemand zou het in zijn hoofd halen om zich als een exhibitionist te gedragen als hij zo gemakkelijk te zien was.

'Ik nam mijn kleine zusje mee naar mijn moeder en ze zag dat we allebei erg van streek waren. Ik fluisterde haar toe dat oom Alex slechte dingen deed. Ze nam me meteen mee naar binnen en maakte me onomwonden duidelijk dat ik een dergelijke beschuldiging nooit meer mocht herhalen.'

Jim McEwan had het absoluut juist gehad toen hij zei dat dit soort dingen binnen een familie vaak wordt ontkend.

'Ik werd niet geloofd. Ik kreeg te horen dat ik moest stoppen met het vertellen van leugens. Toen gingen we naar huis.'

Ondanks het feit dat mijn tante weigerde te geloven dat er iets sinisters was gebeurd, zorgde ze er wel voor dat het contact tussen haar dochters en mijn vader de eerstkomende jaren tot een minimum werd beperkt.

Maar omdat haar moeder er zo van overtuigd was geweest dat C leugens had verteld over mijn vader, zei ze niets toen ze op acht-jarige leeftijd onfatsoenlijk werd betast door een buurman. Het enige wat ze deed, was proberen haar aanvaller te vermijden. Kort daarna kwam deze zelfde jongen naar haar huis om op de kinderen te passen. Uiteindelijk zagen ze hoe doodsbang ze was voor zijn bezoekjes en ze verzochten hem om niet meer te komen, maar toen was de schade al aangericht.

Mijn nichtje vertelde me dat ze therapie had gehad, en dat had geholpen. Op het moment zamelde ze geld in voor Childline in Schotland. Ze wilde haar boosheid over het gebeurde omzetten in iets positiefs. 'Er zijn veel te veel mensen die zeggen: "Kindermis-bruik? Waar gaat het over?" Of ze zeggen dat de statistieken over-drijven; ze ontkennen dat ze het ooit zijn tegengekomen. Of ze houden zichzelf voor de gek door te denken dat deze vreselijke praktijken alleen in arme gezinnen voorkomen, wat onzin is. Ik ben een klassiek geval van een kind dat haar mond opendeed, maar niet werd geloofd. Ik was geen ondeugend kind dat leugens vertelde, maar het was gemakkelijker voor mijn moeder om alles wat ik die dag had gezegd te ontkennen en haar eigen dochter een leugenaar te noemen, dan om alarm te slaan. Het werd in de doofpot gestopt, wat zo vaak het geval is, en er werd niets mee gedaan. Nou, ik ben niet bereid om nog langer mijn mond te houden.'

Haar moed was aanstekelijk en ik vertelde haar waarom ik vra-gen stelde over mijn vader.

Toen ik thuiskwam, kreeg ik een telefoontje van C's echtge-noot. Ze had hem verteld over de vijandigheid van enkele familie-leden, die niet wilden dat het openbaar werd gemaakt. 'Negeer deze mensen,' zei hij op vlakke toon. 'Als het hun kind was dat was misbruikt, of hun dochter die werd vermist, zou het allemaal heel anders zijn. Waar het op neerkomt, Sandra, is dat jij zult moeten leven met wat je vader met je heeft besproken, en ik ben het met je eens dat je het niet kunt negeren. Je kunt niet zomaar doorgaan met je leven en doen alsof er helemaal niets aan de hand is. Ik heb veel respect voor wat je hebt gedaan en als zij je niet kunnen ondersteunen, dan zijn zij jouw zorgen niet waard. Alleen degenen die achter je staan zijn belangrijk, dus besteed niet meer aandacht aan die twijfelaars dan strikt noodzakelijk is.'

Zijn late en totaal onverwachte telefoontje fleurde me op. Het laatste wat ik wilde, was een wig drijven binnen de totale familie, die erg belangrijk voor me is, maar als lerares hield ik me bezig met cursussen om kinderen te beschermen en mijn integriteit stond me niet toe de woorden van mijn vader te negeren.

Zodra ik weer terug was van vakantie, belde ik mijn tante en wilde weten waarom ze haar kinderen bij mijn vader in de buurt had gelaten, gezien zijn geschiedenis en het feit dat hij, in 1959, net uit de gevangenis was gekomen na het plegen van seksuele misdrijven.

'Ik dacht dat er mogelijk sprake was van een fout met die baby-sitter [Betty] en dat hij misschien zijn lesje had geleerd,' zei ze. 'En hij was hun oom en getrouwd met je moeder. Ze zijn altijd heel erg dol geweest op hun tante Mary en daarom heb ik er geen seconde bij stilgestaan dat hij wel eens iets met mijn twee meisjes zou kunnen proberen.'

'Waarom heb je volkomen genegeerd wat C je probeerde te vertellen?' vroeg ik.

Er ging een aantal seconden voorbij, terwijl zij naar antwoorden zocht. Toen zei ze: 'Ik moest er zo snel mogelijk een eind aan maken. Als mijn echtgenoot een flauw vermoeden zou hebben gekregen van wat je vader had gedaan, zou hij hem hebben vermoord! Dat zou een heleboel ellende hebben gegeven binnen de familie en dat wilde ik niet op mijn geweten hebben.'

Ik verwonderde me over haar logica. Waar kwam die behoefte vandaan om zo'n man te beschermen? Waarom was ze niet eerst loyaal geweest aan haar kinderen?

Toen vertelde mijn tante de echte reden waarom ze niet naar de politie was gegaan toen dit incident speelde. 'Je hebt geen idee hoe het was, Sandra. Ik kon je moeder niet nog een keer door een hel laten gaan. Al dat gepraat en gefluister van iedereen, al die verhalen in de kranten, het was afschuwelijk voor je moeder. Toen kreeg ze het huis naast dat van je oma en ze leek weer overeind te krabbelen. Toen hij vrijkwam, vonden we allemaal dat hij nog een kans verdiende, en je moeder is zo'n goede christen, ze gaf hem die kans. Ik vond dat ik haar moest beschermen. Ze verdiende niet nog meer pijn. Het ligt nu allemaal in het verleden en hoeft niet meer opgerakeld te worden. Sommige dingen kun je beter laten rusten.'

'In dit geval kunnen we dat niet,' zei ik vriendelijk. 'Toen is het misschien niet gerapporteerd, nu gebeurt dat wel.' Ik legde haar zo kalm mogelijk uit dat er op dat moment een onderzoek werd verricht en wie dat onderzoek had geïnitieerd. De stilte aan de andere kant was oorverdovend.

Het was nu aan de volwassen C en D, legde ik uit, of ze een verklaring wilden afleggen tegenover de politie. Haar dochters beschikten over informatie waar Jim McEwan heel nieuwsgierig naar was. Elke aanwijzing die bevestigde dat ik het juist had wat mijn vaders gedragspatroon betrof, zou het onderzoek naar de moord op Moira Anderson kunnen helpen.

'O, mijn god! Je beweert toch niet dat hij daar verantwoordelijk voor is!' krijste ze.

'Ik moet mijn best doen om dat niet te denken,' antwoordde ik grimmig, 'maar toen ik een moment geleden zei dat mijn vader me over Moira vertelde, en ik met de informatie die hij me gaf naar de politie ben gegaan, bedoelde ik niet dat hij slechts een getuige is die men toentertijd over het hoofd heeft gezien. De reden waarom ik deze kwestie rapporteerde na nachten niet geslapen te hebben, is dat ik geloof dat hij getuige is geweest van haar dood. En dat is omdat híj haar in 1957 van het leven heeft beroofd.'

Hoofdstuk 18

Terwijl de bladeren in onze tuin verkleurden, waren er dagen dat ik verlamd was door angst, schaamte en onzekerheid. Angst voor wat me te wachten stond hield me in zijn greep, hoewel ik koortsachtig verderging met mijn werk. Het leek belangrijk om sommige delen van mijn leven nog steeds onder controle te hebben, en daarom studeerde ik nu voor Master in de opvoedkunde, een studie die ik was begonnen vlak voordat mijn wereld instortte. Ik had andere nieuwe studenten ontmoet en bereidde me voor op mijn eerste examen.

Jim had inmiddels andere mensen ondervraagd. Wat ex-collega's van de politie en een aantal van mijn vaders oude maatjes. De meesten, gekscheerde hij, leken te lijden aan de ziekte van de drie wijze aapjes. Ze hadden niets gezien, niets gehoord en ze hadden zich voorgenomen niets te zeggen. Maar hij had het gevoel dat zijn graafwerk toch ergens goed voor was geweest. Ik legde uit wat er met een paar nichtjes was gebeurd. Ik wist dat ik ook met de andere vier zou moeten praten, maar ik was bang voor wat ik zou ontdekken.

Ik dacht na over de muur van stilte die Jim had aangetroffen bij de mensen van wie wij hadden gedacht dat ze ons konden helpen. Sommige voormalige employés van Baxter's waren nu zilverharige grootouders, maar de conductrices die bij mijn vaders handelingen betrokken waren geweest, of die hem hadden geobserveerd, stonden niet te trappelen om hun aandeel in het hele gebeuren toe te geven. Ze waren erg bang voor wat hun familie ervan zou denken. De chauffeurs weigerden om in bijzijn van hun vrouwen commentaar te geven op de grootschalige versierpraktijken die toen dagelijks hadden plaatsgevonden.

Dit selectieve geheugenverlies was kennelijk ook aanwezig bij de gepensioneerde politiemannen. Hoewel ze niet echt onwillig waren, ervoeren Jims agenten toch verrassend veel tegenstand. Een aantal voormalige agenten leek het heel vervelend te vinden dat deze zaak wederom onder de aandacht werd gebracht.

Maar er was een gepensioneerde politieman, Alex Imrie, die een nogal belastende verklaring aflegde. 'Er kwamen voortdurend klachten binnen over Alexander Gartshore. De problemen speelden zich vaak af in de buurt van Dunbeth Park, en dan vooral in de bosjes. Hij werd altijd verraden door zijn lengte. We verdachten hem ervan dat hij in het park en op andere plekken als potloodventer regelmatig zijn slag probeerde te slaan, maar dat hebben we nooit kunnen bewijzen.' Maar hij voegde er nog iets belangrijks aan toe. 'Hij is nooit ondervraagd met betrekking tot Moira Anderson.'

De onverwachte obstructie die Jim ervoer wakkerde mijn verlangen om de waarheid over Moira Anderson te achterhalen alleen maar aan.

Ik besloot een gesprek aan te gaan met mijn nicht B. Haar moeder was ernstig ziek en lag in het ziekenhuis en ik stelde voor dat ik met haar mee zou gaan om te kijken hoe mijn tante het maakte. We zouden een paar minuten alleen zijn in haar auto. Ze stemde in en we gingen op pad. B is een aantrekkelijke vrouw met glanzend zwart haar en een knap gezicht. Ze kletste vijf kwartier in een uur tot ik opeens vroeg: 'Ik weet dat dit je een beetje zal overvallen en ik wil je niet van streek maken, maar mag ik je iets vragen... Heeft mijn vader wel eens seksuele avances in jouw richting gemaakt toen je nog klein was?'

De vraag had een dramatisch effect. B's knokkels werden wit en ze reed bijna door een rood licht bij Monklands Hospital. Ik schrok toen haar gezicht als het ware ineens op slot ging.

'Wat een vraag!' Ze probeerde weer tot zichzelf te komen en reed het parkeerterrein op. Ze keek regelmatig in haar achteruitkijkspiegel en vermeed mij aan te kijken.

'Ik wil jou of A niet van streek maken,' zei ik verontschuldigend, 'niet nu je moeder zo ziek is. Maar ik zou het niet vragen als ik daar niet een goede reden voor had. Het is erg belangrijk. Waarom ik het wil weten zal ik je later uitleggen, maar vertel me alsjeblieft of er iets – wat dan ook – is gebeurd.'

Ze keek me nog steeds niet aan. Eindelijk zei ze met verstikte stem: 'Je vader was... ik bedoel het is al zo lang geleden... hij was te vriendelijk, dat is alles wat ik wil zeggen.' Toen herhaalde ze: 'Gewoonweg té vriendelijk.'

Voordat ik haar nog iets anders kon vragen, zwaaide ze haar benen uit de auto en haastte zich naar de centrale ingang. Ik had moeite om haar bij te houden. Terwijl we door de gangen beenden, smeekte ze me om niets tegen haar zus te zeggen, die ontzettend verdrietig was over hun moeder. Ik beloofde het.

Nu ik nog een van de slachtoffers van mijn vader had gevonden, wist ik dat er meer moesten zijn.

In de tussentijd had ik een telefoontje gekregen van een ander familielid. Ze had een gerucht opgevangen binnen de familie, en wilde weten of het waar was. Was ik de aanstichter geweest van een crimineel onderzoek naar mijn eigen vader waarbij moord in het spel was?

Ja, inderdaad. Ze wilde weten wat er gebeurd was om mijn gang naar de politie te rechtvaardigen. Ik vertelde haar dat. 'Je had hem moeten negeren, hij is je eigen vlees en bloed en het maakt niet uit wat hij heeft gedaan. Hij zal nu wel een oude verwarde man zijn!' riep ze.

Ik legde haar uit dat eenenzeventig nog niet zo oud was en dat hij nog steeds erg scherp was.

'Ik heb hem jaren geleden voor het laatst gezien en dat mag wat mij betreft zo blijven,' zei ze. 'Maar de informatie die jij aan de politie hebt verstrekt – het is gevaarlijk, het werk van de duivel. Je had net moeten doen alsof je zijn woorden nooit had gehoord. Wat heeft het voor zin om dit allemaal weer op te rakelen?' Er volgde een hele tirade, maar waar het op neerkwam was dat ik spijt zou krijgen van wat ik had gedaan, want wat haar betrof had ik daarmee de hele familie verraden.

'Je mammie overleeft dit niet en daar ben jij dan verantwoordelijk voor. Hou ermee op! Hoor je me? Je weet niet waar je aan begint en wat dit je familie zal aandoen! Ze moeten nog steeds met opgeheven hoofd door Coatbridge kunnen lopen. Je kunt hier niet mee doorgaan.'

'Dat heb ik al gedaan.'

'Luister, vuil kreng, hoe zit het dan met je moeder? Reken maar dat ze dit niet overleeft.'

'Ik zou nooit iets doen om mijn moeder te kwetsen!' brulde ik en haalde toen diep adem. 'Kijk, ik hou van mijn moeder, maar als iemand haar heeft gekwetst, is het die schoft in Leeds en ik heb al genoeg aan mijn hoofd zonder dat jij daar nog iets aan toevoegt. Hou één ding in gedachten, de schade is al langgeleden aangericht en niet door mij.'

Ik stopte even om mijn boosheid en taalgebruik weer onder controle te krijgen.

'Er zijn mensen die de politie al jaren geleden op de hoogte hadden kunnen brengen van de dingen die mijn vader heeft gedaan. Jij bent er daar een van. De waarheid moet aan het licht komen, of jullie daar nu problemen mee hebben of niet. Ik heb de rechercheur die de leiding heeft een lijst met namen gegeven en ze komen ook naar jou toe, dus bewaar je kritiek maar voor hen. Als ze hun werk vijfendertig jaar geleden goed hadden gedaan, zou dit allemaal nooit zijn gebeurd.'

Er viel een stilte en toen vertelde ze me dat ze zou weigeren over haar herinneringen aan Alexander te praten. Ze verdomde het gewoon, zei ze, en niemand kon haar dwingen. Ze zou zich schoppend en krijsend mee laten sleuren voordat ze ook maar iets van haar te horen zouden krijgen. (Ze werd op latere datum door de politie ondervraagd en legde een onthullende verklaring af.) Ik trilde nog steeds van woede toen ze het gesprek abrupt beëindigde. 'Let op mijn woorden, als de hele familie je met de rug gaat aankijken, heb je dat toch echt aan jezelf te wijten.'

Ze liet me achter met het vreselijke gevoel dat, bij alles wat ik deed, er steeds iemand erg boos op me zou worden.

Een andere aanval was wat subtieler. De zus van mijn moeder

vroeg me of ik vorderingen maakte met mijn therapeut en ik vertelde haar dat Ashley waarschijnlijk in haar eentje verantwoordelijk was voor het feit dat mijn leven nog steeds heel was. Ronnie en de kinderen waren heel behulpzaam, maar wat er met mij gebeurde, ging hun ervaring ver te boven. 'Ze is geweldig. We komen nu elke week bij elkaar en ik beschouw het als een godsgeschenk. Beetje raar van me, hè, dat ik me in het begin een beetje tegen haar verzette omdat ze een psychiatrische verpleegkundige was. Ik zei: als íémand een psychiater nodig heeft, is het mijn vader wel!'

'Zou het niet mogelijk zijn, Sandra, dat je dit allemaal zelf hebt bedacht?' Tante Margaret koos haar woorden met zorg. 'Als kind had je al een rijke fantasie, weet je. Is het niet mogelijk dat je in de war bent over wat je vader heeft gezegd? Denk je niet dat je misschien een fout hebt gemaakt en dat je daarom nu psychiatrische hulp hebt?'

Ik moest bijna hardop lachen. Wat ze zei klonk zo absurd. Het was voor sommige familieleden veel gemakkelijker om te horen dat ik krankzinnig was dan de waarheid onder ogen te zien. Maar ik weigerde me te laten intimideren en regelde een ontmoeting met mijn nichtjes in het huis van B.

Het was een moeilijke avond. We hadden elkaar voor het laatst gezien op de begrafenis van hun moeder en ze waren allebei nog diep in de rouw.

Alleen F was er niet. Haar zus zei dat ze zich mijn vader amper kon herinneren, omdat ze pas drie of vier was toen hij wegging en daarom vond ik het niet erg dat ze er niet bij was. Ik vertelde uitgebreid over wat me de laatste negen maanden was overkomen, terwijl degenen die daar geen idee van hadden gehad, er bewegingloos bij zaten, zelfs hun drankje niet aanraakten. Toen ik over mijn verleden en de geschiedenis van mijn vader sprak, waren daar opeens verschrikte geluiden en tranen.

Toen ik klaar was depte ik mijn ogen droog en zei: 'Ik ben er vrij zeker van dat hij mij nooit met een vinger heeft aangeraakt, maar ik heb nu al weken van die terugblikken; ik herinner me de dingen die ik hem met mijn vriendinnetjes zag doen, het rokkenjagen, de leugens. Ik weet niet wanneer ze komen, ze zijn er opeens en dan beleef ik weer wat er toen is gebeurd, dan ervaar ik weer dezelfde afschuwelijke gevoelens, kan ik het zelfs ruiken – het is vreselijk. Het is al heel naar om te weten dat je vader een sadistische bruut is die je alleen maar een pak slaag wilde geven met de gesp van zijn riem, maar het is nog erger om je te realiseren dat hij een vreselijke leugenaar is, dat hij een pedofiel is die al die jaren kinderen heeft misbruikt, en dat er minstens één slachtoffer is dat het niet heeft overleefd. Daarom, hoe moeilijk het ook is, moet ik weten wat er met júllie is gebeurd.'

C en D vertelden me wat er zich in de garage in Ashgrove had afgespeeld. Toen zei A: 'We konden eigenlijk geen van allen aan hem ontsnappen.' Ze vertelde ons dat het een hele tijd duurde voordat zij en haar zus van elkaar wisten dat ze allebei slachtoffers waren. Mijn vader had hen jarenlang lastiggevallen.

A is een slanke vrouw met hoge jukbeenderen, opvallende bruine ogen, net als haar zus, en met een aanstekelijke lach. Nu zat ze te rillen terwijl ze ons vertelde dat B haar op de hoogte had gebracht van ons gesprek in de auto en dat ze hadden afgesproken hoe ze me zouden benaderen. 'Wat voor zin heeft het om het na al die tijd nog stil te houden? Net zoals jij je terugblikken hebt, Sandra, bind ik nog steeds de strijd aan met incidenten waar je vader bij betrokken was. Het minste of geringste kan iets op gang brengen. Mijn echtgenoot haalde laatst een grapje met me uit door me in het donker achter te laten, met alleen maar een peertje dat heen en weer zwaaide. Ik schrok me wezenloos en kon niet bedenken waarom, tot ik me opeens herinnerde dat je vader me de kast in duwde waar hij in werkte in jullie huis. Hij heeft me daar meerdere keren misbruikt, want hij was heel erg sluw – hij was er vreselijk goed in om kinderen over te halen. Laten we eerlijk zijn, wij waren erg arm in die tijd en het was zo bijzonder als je iemand kende die een auto had. Alle kinderen werden erdoor aangetrokken en ik weet dat ik me op mijn zevende en achtste heel speciaal voelde als hij me ergens mee naartoe nam. Het leek zo volwassen. En als een idioot ging ik met hem mee en kwam in een situatie terecht waar je op die leeftijd niet mee uit de voeten kunt. Je was in zijn macht. Hij was zo sluw, die man. Hij deed net alsof hij een aardige man was, die kinderen mee uit nam van ouders van wie hij wist dat ze zich geen auto konden veroorloven. Het was net alsof hij hun even wat ruimte gaf, en daarom kwam het niet bij mijn familie op om zich af te vragen wat mijn oom eigenlijk aan het doen was. Hij plande het allemaal heel zorgvuldig en bouwde het langzaam op.

Uiteindelijk leerde ik hem te ontwijken, hoewel dat lastig was, want we werden vaak naar Granny Frew gestuurd. Hij probeerde het met van alles. Extra zakgeld, extra snoepjes. Toen ik tien was, vertelde ik het mijn moeder, maar ik wist dat ze er moeite mee had om dit te geloven en dat ze zoiets schandaligs nooit aan haar echtgenoot zou durven vertellen. Ze vertelde me dat ik het beter kon vergeten, en toen ging hij toch weg.

Hij ontnam me mijn onschuld. Het was slecht, hij raakte me overal aan, dus het was vreselijk, al vond er geen daadwerkelijke penetratie plaats. Ik was zo klein en hij was zo groot, de langste man die we kenden. Misschien is dat de reden waarom hij dat nooit heeft gedaan, ik weet het niet. Maar sindsdien is het op mijn hele leven van invloed geweest. Zelfs het kleinste dingetje kan een herinnering wakker maken. Een van mijn kinderen kreeg een baantje, en toen hij zijn werkkleren meebracht zodat ik ze kon wassen, kreeg ik bijna een hartaanval – ze leken precies op die marineblauwe overalls die je vader altijd droeg, Sandra, die van voren worden dichtgeknoopt.'

A vertelde ons dat dit misbruik in haar jeugd haar de nodige ernstige depressies had opgeleverd en dat het daardoor erg lastig voor haar was geweest om een relatie aan te gaan. Het had haar ontzettend veel moeite gekost om seks te hebben met iemand. Na haar huwelijk, hoewel ze wist dat ze met de juiste man was getrouwd, namen haar depressies alleen maar toe tijdens haar twee zwangerschappen en ze bereikte zelfs het punt dat ze zelfmoord had willen plegen. Ze hadden haar naar een psychiatrische inrichting gebracht en daar kwamen ze erachter dat ze een fobie had. Ze raakte compleet in paniek als iemand haar lichaam aanraakte, maar wat daar de oorzaak van was, werd nooit achterhaald. Ook zij had al haar vreselijke herinneringen bij zich gehouden. Maar A ging verder. 'Het enige goede wat hieruit is voortgekomen, is dat ik nu tenminste weet waaróm ik al die problemen heb gehad. Nu ik erop terugkijk, vallen de puzzelstukjes op hun plaats en het is in ieder geval duidelijk dat ik niet gek ben. Ik ben tot het besef gekomen dat het gezonder is om eerlijk te zijn tegen je familie en je kinderen – er zijn geen geheimen in ons huis. En dat is de reden waarom ik B heb verteld dat het geen zin heeft om wat er met haar is gebeurd te verheimelijken.'

Het was haar zusters beurt om te praten. 'Ik ben mijn hele leven een slachtoffer geweest,' zei ze zacht. 'Eerst was er een nare oude man en toen kwam je vader, Sandra. De eerste was een afschuwelijke buurman die je altijd wilde betasten, maar je vader was heel anders. Ik kon je in het ziekenhuis met geen mogelijkheid vertellen wat hij had gedaan, maar ik denk dat hij me van mijn zevende tot mijn tiende heeft misbruikt. Ik herinner me de eerste keer. Ik had geen idee, ik was nog zo klein, en daarom ging ik erin mee. Maar ik wist dat er iets niet klopte en daarom rende ik naar het achterste droogveld waar Granny Frew haar lakens te drogen hing. Ik zie al die lijnen met flapperende witte doeken nog voor me, terwijl ze boos op me werd. Ik kreeg te horen dat ik moest ophouden met dit soort dingen te verzinnen. Ik probeerde haar nog een keer te vertellen wat er steeds met me gebeurde als ik ging spelen en toen zei ze dat ik stil moest zijn en ze nam me mee naar binnen, alsof ik was gevallen. Ik kreeg een knuffel en een koekje.'

A en B waren het erover eens dat dit meerdere keren was gebeurd. Hoewel we allemaal erg dol waren geweest op onze grootmoeder, hadden we geen idee waarom ze de waarheid verborg toen haar schoonzoon al zijn slachtoffers uit de gelederen van haar eigen kleindochters bleek te halen.

'Meestal verstarde ik helemaal als het gebeurde,' ging B verder. 'Of het nu in zijn auto was of in zijn slaapkamer. Hij molesteerde me zelfs een keer toen je moeder me met een kop thee naar boven stuurde omdat hij ziek in bed lag. Alsof je dat ooit kunt vergeten. Het blijft je altijd bij. Ik kan het kleed beschrijven dat op de grond lag. Ik herinner me hem in zijn gestreepte pyjama, zijn krant die daar lag, zodat hij zijn sporen goed kon verbergen, hoe hij mijn hoofd omlaagduwde. Zelfs nu nog, dertig jaar later, herinner ik me dat vreselijke gevoel van verstikking. Je was als de dood, maar het had geen zin om tegen te stribbelen. Hij wist precies wat hij deed.'

Ik werd ijskoud. Door een jong kind te dwingen, had hij haar bijna kunnen laten stikken. Was dit wat er met Moira was gebeurd? Ik realiseerde me dat ik meerdere gelegenheden had meegemaakt dat jonge strakke lichamen helemaal slap werden. Ik had toen absoluut niet gesnapt waarom ze mijn vader niet van zich af vochten. Maar nu ik het inzicht had van een volwassene, snapte ik waarom een doodsbang kind deze strategie toepaste in een beangstigende situatie. Had ik mezelf niet vaak genoeg in gedachten ergens anders heen getransporteerd, als ik met iets werd geconfronteerd waarmee ik niet uit de voeten kon? Had ik toen niet gewenst dat een van de helden uit mijn favoriete stripboeken me zou komen redden? Ik vond het heel frappant dat het mijn nichtjes was opgevallen dat mijn vader altijd precies leek te weten wat hij moest doen. Ik had mezelf ervan proberen te overtuigen dat dit het resultaat was van behoeften die hij niet onder controle had, maar dat was dus niet het geval geweest. Wat er met hen was gebeurd, was net zo goed gepland als die middag, toen hij mijn moeder, mijn broers en mij naar de film had gestuurd, zodat hij een klein kind ons huis in kon lokken.

Hoofdstuk 19

Toen ik die avond door de donkere winternacht naar huis reed, was mijn hoofd een wirwar van gedachten. De levenslange hobby van mijn vader was verdorvenheid geweest. Hij had het klassieke profiel van een pedofiel, wiens doel het is om altijd in de buurt van zijn prooi te blijven. Voordat de avond ten einde liep, vroegen mijn nichtjes waarom mijn vader mij had gespaard. Ik kon alleen maar herhalen wat ik tegen de politie had gezegd – ik was een zeer welbespraakt kind geweest, en misschien kon hij niet zo goed peilen of ik mijn mond wel zou houden. Misschien stond het hem tegen om zijn eigen dochter aan te raken, en het is een feit dat de statistieken laten zien dat meisjes vaker gemolesteerd worden door stiefvaders dan door hun eigen vader. Ik prees mezelf ongelooflijk gelukkig. Fysieke en emotionele mishandeling, ja. Geestelijke mishandeling, ja. Maar seksuele mishandeling, nee.

Ik beschreef de strategieën die ik als tiener had verzonnen om bij mijn vader uit de buurt te blijven, want ik had gezien wat hij mijn vriendinnen had aangedaan. Ze konden zich allemaal herinneren hoeveel tijd ik altijd doorbracht bij mijn grootmoeder beneden, en dat ik elke dag na school bij haar langsging om thee voor haar te zetten en een praatje te maken. Ik ging niet naar boven als mijn vader alleen was, zelfs niet naar de slaapkamer die ik kon afsluiten. Mijn oma moet geweten hebben waarom ik dit deed. Ze was mijn sterkste bondgenoot geweest, en weerde de kritiek die mijn vader op me afvuurde, vaak af.

A zei: 'Als wij met zijn vieren al gemolesteerd zijn voor zijn vertrek in 1965, dan moeten veel van onze speelkameraadjes in Ashgrove door hem zijn benaderd. Dan zijn we niet de enigen.' Ze noemden namen, onder wie mijn vriendinnen van de middelbare school, Ellen en Barbara, en de dochter van het gezin dat naast ons woonde, die op een bepaald moment met ons allemaal had gespeeld. We werden het erover eens dat ik met iedereen zou gaan praten en dat we alleen maar konden hopen dat ze zouden begrijpen waarom.

Opeens barstte E in tranen uit. Ze zat nog niet eens op school toen mijn vader verdween. Ze wist dat ze was misbruikt, maar ze was toen zo jong geweest dat ze niet goed meer wist wie het had gedaan. Ze had maar één heldere herinnering dat haar ouders haar naar het huis van dokter Simpson droegen, hun huisarts. Ze wist dat ze bij hem was geweest omdat ze pijn had bij het plassen. Ik vond het veelzeggend dat ze de dokter niet hadden gevraagd om naar hen toe te komen. Had ze haar ouders ooit gevraagd waarom ze dat niet hadden gedaan?

Toen ze zich dat moment de eerste keer herinnerde, had E te horen gekregen dat ze een probleem had met haar nieren en dat ze het uitschreeuwde van de pijn toen de infectie weer terugkwam en dat ze daarom zo snel mogelijk hulp wilden zoeken. We vroegen wat ze zich nog meer kon herinneren.

'Ik weet zonder enige twijfel dat het me is overkomen. We trokken in jouw oude huis in Partick Street, Sandra. Ik was als de dood voor de oude man die onder ons woonde en die tropische vissen had. Ik was zo opgelucht toen hij stierf.'

'Zijn naam was McLaren,' zei ik met zekerheid, want ik kon me herinneren dat ik ook een hekel aan hem had gehad.

'Het enige wat ik weet, was dat ik niet eens langs zijn voordeur wilde lopen, zo bang was ik voor hem.'

Ik wist dat hij en mijn vader, toen we daar nog woonden, bevriend met elkaar waren geweest. 'En mijn vader?'

'Wat ik me herinner is dat hij zo lang was, en zijn busuniform,' fluisterde ze, 'en dat hij zo aardig was. Maar ik weet dat ik tropische vissen haat – en die snoepjes die in goudkleurige en paarse papiertjes zijn gewikkeld, ik ben vergeten hoe ze heten...'

'Chocoladetoffees,' zei ik. 'Mijn vaders favoriete snoepjes die hij vaak aan kinderen gaf. Hij en de buurman kenden elkaar omdat ze één pot nat waren.'

Ik was overstuur van de dingen die ik die avond had gehoord. Het was moeilijk te verwerken dat er van de zes vrouwen die aanwezig waren, die tussen de dertig en veertig jaar oud waren, niet één een jeugd had gehad zonder enige vorm van misbruik. Ik was verbijsterd over het feit dat mijn vader van al mijn nichtjes er minstens vier had benaderd, zo niet vijf. Ze stemden ermee in ten behoeve van Moira een verklaring af te leggen tegenover de politie.

Ik was op weg naar huis en naderde Edinburgh en ik wist dat ik mijn moeder niet veel langer in het ongewisse kon laten. Ik moest haar op de hoogte brengen van alles wat ik had gedaan voordat iemand anders dat deed.

E's beschrijving van pijn toen ze moest plassen, liet me niet los. Ik realiseerde me dat ik ook een keer zo'n pijn had gevoeld. Ik moest me heel hard concentreren, en net toen ik op het punt stond om in slaap te vallen, wist ik het weer. Ik ging met een ruk rechtop zitten. Ik was drie of vier jaar oud en ik bevond me in de slaapkamer aan de achterzijde van het huis in Partick Street. Buiten scheen de zon en ik was boos dat ik niet naar buiten mocht om te spelen. Ik was ook woedend omdat ik een oude porseleinen soepterrine met rode rozen erop moest gebruiken om in te plassen, en dat ik dus niet van het buitentoilet gebruik mocht maken. Mijn moeder was onverbiddelijk. Een onafhankelijke geest en een onwilligheid om te plassen op iets wat leek op het potje van een kind leidden uiteindelijk tot een confrontatie. Zij, die me met kracht op dat ding neerduwde, en ik, die mijn longen uit mijn lijf schreeuwde. Deels vanwege de pijn en deels omdat ik niet gedwarsboomd wilde worden. De urine brandde tegen mijn huid, die werkelijk gloeiend heet aanvoelde, en het leek net alsof er een hete pook in mijn buik werd gestoken. Ik werd toen in het grote tweepersoonsbed van mijn ouders gestopt en mijn tranen werden gesust door een van mijn favoriete Rupert Bear-verhaaltjes.

We werden onderbroken door een klop op de deur, aan het andere eind van de gang. 'Daar zul je dokter Goldie hebben.' Mijn moeder stond op en haastte zich naar hem toe.

Maar het was niet dokter Goldie, die elke Frew kende en die veel van mijn neven en nichtjes op de wereld had gezet. Noch was het zijn partner, dokter Simpson. Het was de neef van mijn moeder, Victor Smith, die studeerde voor arts en op wie ze ongelooflijk trots was.

'Kijk eens wie er is!' Ze duwde hem naar binnen. 'Het is je oom Vicky, Sandra.'

Ik keek naar hem. Hij stond daar met zijn belangrijke medische tas.

'Ga je naar mijn pijnlijke kleine gaatje kijken?' vroeg ik. 'Het doet pijn als ik moet plassen.'

Mijn moeder vertelde hem dat het haar was opgevallen dat mijn ontlasting een aparte kleur had. Ik stond perplex.

'Ik vraag me af waar ze dat heeft opgepikt,' zei Victor. 'Misschien een nare kou op de blaas, maar die zal ze eruit moeten plassen.'

Was het echt alleen maar een kou waarvan mijn blaas zo ontstoken was geraakt? Was het feit dat het me nu al een paar dagen moeite kostte om te plassen een resultaat van een infectie, of was de oorzaak kwaadaardiger? Ik sloot mijn ogen en dacht aan de woorden die de politie had gebruikt. 'Als we iemand als je vader tegenkomen, Sandra, hoeven we meestal niet ver buiten de familie te kijken. Het is heel bijzonder dat hij jou nooit heeft misbruikt.'

Ik slikte. Stel dat mijn vader mij wel had misbruikt, ondanks het feit dat ik dat tegen Jim McEwan had ontkend? Ik was nu zoveel mensen tegengekomen die mijn vaders gedrag niet onder ogen wilden zien omdat ze bang waren mijn moeder van streek te maken, dat ik begon te denken dat het heel goed mogelijk was om brute waarheden compleet te negeren om je eigen geestelijke gezondheid niet in gevaar te brengen.

Ik wilde weten hoe mijn moeders herinnering aan dit incident overeenstemde met de mijne. Het was moeilijk om het juiste moment te vinden, maar ik wist dat ik de koe ooit bij de hoorns zou moeten vatten. Het was niet mijn bedoeling geweest om alles er zomaar uit te flappen als ik bij haar was, maar nadat ik haar had gevraagd wat zij zich herinnerde van het bezoek van dokter Vicky, vroeg ze waarom ik in vredesnaam wilde weten wat er toen precies met me aan de hand was geweest. 'Je had een blaasontsteking,' zei ze. 'Waar maak je je in 's hemelsnaam zo druk over? Wat is er aan de hand?'

Ik keek naar haar. Ze zat bij de haard en in haar hele zitkamer hingen kerstkaarten. De sluizen gingen open.

Mijn oom Bobby was bij ons en hij sloeg zijn hand voor zijn mond toen ik mijn moeder vertelde wat mijn vader tegen me had gezegd. Voordat ik klaar was, zei hij: 'Ik wil er niets meer over horen. Alles wat met die man te maken heeft, is van een seksuele aard – hij heeft je moeder niets dan ellende gebracht, Sandra. Hou er onmiddellijk mee op.'

Maar dat kon ik niet. Ik vertelde mijn moeder dat ik naar de politie was gegaan en dat er een onderzoek werd ingesteld naar de verdwijning van Moira Anderson in 1957.

Haar gezicht bevroor. Toen duwde ze haar hoofd tegen de rugleuning van de leunstoel en schudde heftig met haar hoofd, haar ogen dichtgeknepen. 'Daar had hij niéts mee te maken!' gilde ze. 'Hij is verhoord en ze hebben geen reden gezien om hem vast te houden. Vraag het maar aan onze Margaret!'

'Dat heb ik al gedaan en zij verkeerde in dezelfde veronderstelling als jij,' zei ik. 'Maar hij heeft gelogen, mama. Tegen jullie allebei, tegen zijn ouders, en toen in februari, vijfendertig jaar later, ook tegen mij. De politie zegt dat ze hem toen nooit hebben verhoord. Geloof me, hij is verantwoordelijk voor de verdwijning van dat meisje. Er zijn dingen die ik van hem weet die ik je nooit heb kunnen vertellen, maar ik heb het nu wel tegen de politie verteld en zo te zien willen ze eerst met jou praten, voordat ze naar Leeds gaan om hem aan de tand te voelen.' Toen vertelde ik haar over mijn nichtjes.

'Leugens, leugens,' mompelde ze, en haar handen vlogen hulpeloos naar haar oren om het niet te hoeven aanhoren.

Ik maakte me zorgen dat dergelijke berichten de relatie tussen mijn moeder en mij zou vernietigen – we waren altijd erg close geweest. Ze was een aantal dagen erg stil en wilde niet met me praten. Ik wilde het wanhopig graag goedmaken en ik belde haar elke dag. Eindelijk leverde deze strategie wat op en ik was oprecht opgelucht toen ze de week daarop, midden in een gesprek, opeens zei: 'Op dit moment wil ik niet over je vader praten, Sandra, maar ik wil dat je weet dat niets óns uit elkaar zal drijven. Ik weet dat jij dacht dat je er goed aan deed.'

December 1992 bracht de gebruikelijke wervelwind van activiteiten met zich mee, en tijdens die periode hielden Jim en ik contact met elkaar. Hij wilde mijn vader in het nieuwe jaar ondervragen. Vier nichtjes hadden inmiddels een verklaring afgelegd en Jim vertelde me dat mijn vader kon worden aangeklaagd voor de misdaden die hij had gepleegd.

Toen ik in januari 1993 weer terugging naar de universiteit voor het begin van het nieuwe kwartaal, voelde ik me doodmoe en ziek. Er ontstond een vreemde, tintelende pijn in mijn borst, die ik probeerde te negeren. Ik maakte grapjes met collega's over de naalden van onze kerstboom, die ik uit de zitkamer had gesleept. Het gevoel werd erger en Sheena, het hoofd van de administratie, merkte mijn gezichtsuitdrukking op. Ze was getraind in eerste hulp en ze kon de onverklaarbare pijn in mijn borst die toenam als ik autoreed, niet verklaren. Misschien had ik wat spieren verrekt toen ik die boom naar buiten sleurde.

Er verschenen rode blaren op mijn buik, die zich verspreidden naar mijn oksels, en een dokter kwam tot de conclusie dat ik een ernstige aanval had van gordelroos. Was ik in contact geweest met waterpokken? Ik herinnerde me dat ik wat verlate kerstcadeautjes had afgegeven voor de kinderen van E, die iets onder de leden hadden. Maar de onderliggende oorzaak was de stress die veroorzaakt werd door de toestand met mijn vader. Het lichaam laat het ons algauw weten als het genoeg is belast.

Hoofdstuk 20

Ik raakte echt in de put van deze gordelroos en ik heb me nog nooit zo gedeprimeerd gevoeld. Jim vertelde me dat hij van plan was om eind maart naar Australië te gaan om de familie van zijn vrouw op te zoeken en daar haar veertigste verjaardag te vieren. Hij zou nog voor die tijd met mijn vader gaan praten.

De verstandhouding tussen mij en mijn familie was nu erg slecht, en mijn broers hadden twijfels over de beschuldigingen van mijn nichtjes.

Ik had aan mijn kinderen uitgelegd wat hun grootvader had gedaan en dat hij wel eens de gevangenis in kon gaan, maar Norman weigerde het aan zijn kinderen te vertellen. Ik vond dit niet goed, want dan kwamen ze er wel op een andere manier achter, net als ik. Ik vertelde hem dat het vreselijk zou zijn als zij in de kranten zouden lezen waar onze familie bij betrokken was. Lauren en Ross hadden mijn uitleg geaccepteerd en leken daar niets aan overgehouden te hebben. Maar het was duidelijk dat Norman zijn kinderen ertegen wilde beschermen tot de kwestie niet langer vermeden kon worden.

Toen Jim en zijn toenmalige chef, hoofdinspecteur Ricky Gray, mijn vader op 17 en 18 maart 1993 in Leeds ondervroegen, verbleef ik in het Station Hotel in Inverness, waar ik tijdens een conferentie een voordracht zou houden. Ik lag de hele nacht te draaien en te woelen en ik vroeg me af of mijn vader in zijn eigen bed lag, of dat hij in een politiecel sliep.

Wachten tot ik zou horen wat er in Leeds was voorgevallen, viel me zwaar. Op de een of andere manier wist ik die dag op het Inverness College redelijk door te komen. Ik maakte me vreselijke zorgen dat Jim zou terugkomen en dat hij me zou vertellen dat ik een grote fout had gemaakt en dat ik ieders tijd had verspild. Hij had beloofd te bellen als hij terugkwam, dus het enige wat ik kon doen was wachten en dat is iets waar ik niet goed in ben.

Eindelijk belde hij me vanuit zijn huis en we spraken af elkaar op 22 maart op het politiebureau in Airdrie te ontmoeten. Hij zou me dan van alles op de hoogte brengen, zei hij.

Ik bereidde me heel goed voor op dit gesprek, want inmiddels verwachtte ik dat hij me zou gaan vertellen dat de gesprekken met mijn vader op niets waren uitgelopen en dat hij me dus een sluwe leugenaar vond. Ik zou Jim laten zien dat ik geen krimp zou geven.

Jim was opmerkelijk vrolijk. Hij schraapte zijn keel en pakte toen een foto van Moira op. 'Nou, Sandra, ik moet je vertellen dat je het absoluut bij het juiste eind hebt. Je vader is wel degelijk verantwoordelijk voor wat er met dit meisje is gebeurd. Ik ben teruggekomen in de overtuiging dat we onze man hebben gevonden. Hij is de sleutel van het raadsel van Moira's verdwijning.'

Mijn benen verslapten en mijn hart zonk me in de schoenen. Er waren zoveel redenen waarom ik níét gelijk had willen krijgen. Ik vroeg: 'Wat heeft hij gezegd dat je overtuigde?'

Jim gaf me de foto van Moira. 'Niet alleen mijn intuïtie, maar ook je vaders reactie hierop. Als ik net zo lang in het zuiden had gewoond als hij, zou ik het echt niet voor elkaar krijgen om na dertig jaar een schoolfoto van een kind te herkennen met wie ik geen enkele band had. Toen we die foto aan hem lieten zien en hem vroegen of hij wist wie het was, stamelde hij: "Moira!", en begon toen te trillen. Toen zei hij iets heel raars. "Ze ziet er op die foto een stuk ouder uit."'

Ik wilde weten wat mijn vaders eerste woorden waren toen Jim bij zijn flat arriveerde en hoe Jim zijn geestelijke gezondheid inschatte.

Hij grijnsde. 'Laat me je om te beginnen vertellen dat je gelijk hebt dat je vader op zijn hoede zou zijn. Hij vertelde me dat alles wat je over jullie gesprek in het huis van je grootmoeder had ge-

Rechts: Mijn vader in 1943, toen hij eenentwintig was.

Onder: Mijn ouders met onze buren uit Partick Street op de kroningsdag in 1953. Mary, mijn moeder, zit tweede van links, en mijn Granny Katie staat helemaal rechts. Mijn vader staat achteraan in het midden en zijn handwerk prijkt op de voorgrond

Kerstmis 1953 in Ashgrove, het huis van mijn grootouders van moederskant, Kate en Norman Frew, met slechts enkele van hun eenentwintig kleinkinderen. Ik ben bijna vier en begroet nogal brutaal mijn vader die net zijn hoofd om de hoek van de deur steekt. Op dat moment was hij nog steeds mijn held.

Vier generaties van de familie gefotografeerd in februari 1956, toen mijn vaders broer Robbie in het huwelijk trad. Ik zit tussen mijn Granny Jenny en haar moeder, en voor mijn vader Alexander, met in mijn haar de gehate stijve 'vliegtuig'-strik, mijn zenuwen tot het uiterste gespannen.

De zusjes Anderson ten tijde van Moira's elfde verjaardag in 1956. Van links naar rechts: Janet, Marjorie en Moira. Dit is de laatste foto van de drie zusjes bij elkaar. *(Mevrouw Janet Hart)*

Ik, zeven jaar oud, in de herfst
van 1956 op de Gartsherrie
Academy in Coatbridge.

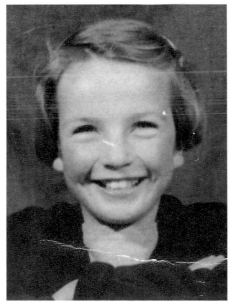

Het laatste portret van Moira,
genomen op Coatdyke Primary,
twee maanden voor haar verdwijning. Deze foto werd op de
televisie getoond in mei 1957 en
is veelvuldig door de media gebruikt. *(Mevrouw Janet Hart)*

Een aantal medewerkers van Baxter Buses tijdens een personeelsfeest. Mijn vader is de langste chauffeur rechts. Zijn vriend, Jim Gallogley, is de vierde van links op de achterste rij; hij draagt een overhemd en een das. Een aantal andere chauffeurs, waaronder Jim, kwam vaak bij ons thuis in Dunbeth Road.

Coatbridge Fountain, het hart van de stad, zoals het was tijdens mijn jeugd. De bioscoop The Regal was Moira's geplande bestemming op de dag dat ze verdween en bestaat nog steeds en doet dienst als bingohal. *(Uit* Old Coatbridge *door Campbell McCutcheon, Richard Stenlake Publishing, Ochiltree)*

Witchwood Pond in het Townhead-deel van Coatbridge. Vanaf deze hoek kun je de uitgestrektheid van het moerasland zien rondom deze grote vijver. De torenflat was in 1957 nog niet gebouwd. *(Airdrie and Coatbridge Advertiser)*

zegd, waar was. Hij trok je accuratesse volstrekt niet in twijfel. Hij was het zelfs met je ééns.'

Ik was verbijsterd. Ik had een heftige ontkenning verwacht.

'We namen je vader mee naar het hoofdbureau van politie in Leeds en hebben hem daar ondervraagd, Sandra. Er zijn heel wat bandjes volgesproken, en die worden nu allemaal uitgetypt,' ging hij verder. 'De andere persoon met wie we wilden praten, was zijn ex-vrouw, Pat. We besloten je vader in dat stadium niet in hechtenis te nemen en brachten hem naar huis. Toen hebben we afgewacht wat hij ging doen. Hij ging linea recta naar haar huis, waar hij een hele tijd bleef en waar hij haar vermoedelijk verslag deed van zijn ondervraging door ons. Hij kwam pas na middernacht weer naar buiten en we hebben haar de volgende ochtend opgehaald. Haar verhaal was heel interessant.'

Ik keek hem vol verwachting aan en bracht mezelf in herinnering dat ik deze vrouw nog nooit had gezien, maar dat ze slechts een paar jaar ouder was dan ik en dat ze nu alweer met een andere man samenwoonde.

'Patricia vertelde ons twee dingen die ik maar moeilijk kon accepteren.' Jim klonk sceptisch. 'Toen we haar vroegen of je vader ooit de naam Moira Anderson had laten vallen, zei ze zonder met haar ogen te knipperen dat we het ongetwijfeld hadden over het meisje dat in de jaren vijftig in haar geboortestad was verdwenen. Ze zei dat ze zich goed kon herinneren dat hij het over Moira had gehad toen dat vriendje van Christine Keeler dacht dat hij haar in 1963 in Londen had gezien. Zomaar. Ze hoefde er niet eens over na te denken. Het antwoord kwam er zomaar uit. Aan het eind van het gesprek vroegen we haar of ze nog contact onderhield met haar ex-man. Zelden, zei ze. Als ze hem tegenkwam, was het toeval. Ze kon hem tegenkomen in het winkelcentrum, bijvoorbeeld. Toen ik haar vroeg wanneer ze hem voor het laatst had gezien, zei ze heel overtuigend dat dat enkele maanden geleden was geweest.'

Weer een van de ex-partners van mijn vader die hem tegen de wet beschermden.

Ik vroeg Jim of ik naar de cassettebandjes mocht luisteren. Nog niet, antwoordde hij, misschien later. Hij wist dat veel dingen waar mijn vader over had gesproken nagevraagd konden worden bij mij. Hoewel hij een getuige normaal gesproken geen toegang gaf tot bewijsmateriaal, vond hij dat het in dit geval het onderzoek zou kunnen helpen. 'Je vader is heel sluw, Sandra, en mijn ervaring met verdachten vertelt me dat hij denkt dat hij een spelletje kat en muis met ons kan spelen. "Dit kunt u navragen bij die en die", en dan twee minuten later, "maar ze zijn helaas overleden". Met dat soort dingen komt hij voor de dag. Hij weet heel goed dat ik van een andere leeftijdscategorie ben en dat ik niet van de Burgh zelf ben en daarom kan hij praten over routes en bussen en bemanningen waar wij geen weet van hebben. We hebben een aantal van zijn ex-collega's ondervraagd en ik hoop dat deze plotselinge publiciteit onze pogingen zal belonen.'

Het verbaasde me niet dat mijn vader een spelletje speelde met de politiemannen. Het was allemaal al zo lang geleden dat hij zichzelf ervan had overtuigd dat hij ermee weg was gekomen. Ik vroeg naar zijn gezondheid.

'Hij beweert prostaatproblemen te hebben,' zei Jim. 'Zijn advocaat had ervoor gezorgd dat we hem elke keer als hij druk op zijn blaas voelde, naar het toilet moesten laten gaan. Zodra het vuur je vader na aan de schenen werd gelegd, maakte hij daar zelf een eind aan omdat hij zo nodig naar de wc moest.'

Ik vroeg of mijn vader juridische bijstand zou krijgen. Ik weet niet zeker waarom ik het belangrijk vond dat hij wat ondersteuning zou krijgen. Jim wachtte even. In plaats van mijn vraag te beantwoorden, zei hij: 'Sandra, je vroeg wat je vaders eerste woorden tegen mij waren. Toen we arriveerden, zei hij: "Iemand heeft uit de school geklapt. Ik wil pas met u praten als ik mijn advocaat heb gesproken." Hij probeert nu te zeggen dat jij de familie hebt opgehitst omdat je hem niet hebt vergeven dat hij je familie en je moeder in de steek heeft gelaten.'

'Nou, dat is waar, dat heb ik hem inderdaad nooit vergeven,' stemde ik in. 'Maar het is een beetje vreemd dat ik bijna dertig jaar heb gewacht om wraak te nemen, en wel op deze manier. Hij wist dat hij die avond te veel tegen me had gezegd en dat is de reden waarom hij en zijn zoon meteen na de begrafenis zijn vertrokken. Dat is tevens de reden waarom ik die brief heb gekregen. Alles wat je vandaag hebt verteld, rechtvaardigt mijn verzoek aan jou, en toch wilde ik dat het niet waar was. Ik haat hém niet, ik haat wat hij heeft gedaan.' Jim begreep precies wat ik bedoelde. Wát mijn vader ook had gedaan, hij was nog steeds mijn vader en zou dat altijd blijven.

In de plaatselijke kranten verscheen het nieuws dat rechercheurs in het noorden van Engeland een zeventig jaar oude man hadden ondervraagd naar aanleiding van informatie die ze hadden gekregen van iemand die vroeger in de omgeving van Coatbridge had gewoond. Ik zag het verhaal voor het eerst op onze deurmat. Het stond onder aan de voorpagina van de *Scotsman*. Maar het was de enorme kop op de voorpagina van de *Airdrie and Coatbridge Advertiser* van 26 maart 1993, die de plaatselijke aandacht trok: 'POLITIE ONDERVRAAGT MAN IN NOORD-ENGELAND: De politie voert een diepgaand onderzoek uit naar het meisje uit Coatbridge dat zesendertig jaar geleden is verdwenen... ze stellen een geheel nieuw onderzoek in.' Twee onthullende verklaringen vielen me op. Eileen McAuley, de verslaggeefster, had ervoor gezorgd dat ze op de voorpagina kwamen te staan. 'De man met wie de politie verleden week heeft gesproken zou niet door de rechercheurs die het oorspronkelijke onderzoek deden zijn ondervraagd', en

In tegenstelling tot de officiële informatie die toen werd vrijgegeven, is Moira niet zonder enig spoor uit het huis van haar grootmoeder in Muiryhall Street verdwenen. Kennelijk heeft men haar nog gezien NADAT ze wegging om een pakje boter te gaan halen bij een winkel slechts driehonderd meter bij haar eigen voordeur in Eglinton Street vandaan. Vier ooggetuigen beweren het jonge meisje nadien te hebben gezien. Ze hebben alle vier in 1957 een verklaring afgelegd, en hoewel drie van hen inmiddels zijn overleden, zijn hun verklaringen nog steeds van grote waarde voor de politie.

Moira's foto stond ook op de voorpagina. Verderop in de krant was er een artikel geplaatst dat maar liefst twee volle pagina's in beslag nam. De volgende kop stond erboven: HET KLEINE MEISJE DAT OP WEG NAAR DE WINKEL VERDWEEN, en er was een oproep aan iedereen die kon helpen om contact op te nemen met het politiebureau in Airdrie. Verder stond erin dat hoewel de rechercheurs van Monkland het gevoel hadden dat ze op het punt stonden een enorme doorbraak te bereiken, ze nog steeds naarstig op zoek waren naar nieuwe informatie.

Iedereen in Coatbridge sprak erover. Rond het middaguur volgden verslagen op de televisie en er werd ook in de vroege en late journaals melding van gemaakt. Een verslaggever die een deel van de korte tocht die Moira had gemaakt vanuit het huis van haar grootmoeder in Muiryhall Street aflegde, werd overal omringd door nieuwsgierige buren. Er werden zelden details genoemd en noch Jim, noch zijn mannen, werden geïnterviewd. Natuurlijk hield hij zich zoveel mogelijk op de vlakte, maar er werd in mijn geboortestad enorm gespeculeerd over de identiteit van de bejaarde die aan de tand was gevoeld.

Hoofdstuk 21

In de tussentijd probeerde ik nog steeds oude vrienden op te sporen die volgens mij en mijn nichtjes ook slachtoffer van mijn vader waren geweest. Sommigen waren niet te traceren. Misschien wilden ze niet gevonden worden. Anderen waren uit Coatbridge weggegaan, maar ik vond mijn vroegere buurvrouw Jan in Airdrie. Ze herinnerde zich dat mijn vader haar opsloot in zijn auto en haar pas had vrijgelaten toen mijn broers hem betrapten. Ze was altijd bang dat haar moeder, die weduwe was, haar naar mijn vader zou sturen om zijn tuingereedschap te lenen.

Jan ging met tegenzin akkoord met een gesprek met de politie, maar als het aan haar had gelegen, zou het verleden het verleden zijn gebleven.

Een ander vriendinnetje, dat ik Marie zal noemen, had in Newlands Street gewoond, vlak bij ons om de hoek. We waren toen we twaalf waren samen naar de middelbare school gegaan, maar onze vriendschap hield toen opeens op. Het is me nooit duidelijk geworden waarom. Ik wist dat ik haar nooit alleen had gelaten met mijn vader, en ik was altijd naar haar huis gegaan in plaats van andersom.

Ik vond haar in Glasgow. Het was zo lang geleden dat we elkaar voor het laatst hadden gezien dat ik haar aanvankelijk nauwelijks herkende. We kletsten een paar minuten over ons leven en hoe dat was veranderd, en toen zei Marie: 'Ik denk dat ik wel weet waarom je na al die tijd weer contact met me opneemt. Mijn moeder stuurt me nog steeds de plaatselijke kranten en ik heb een en een bij elkaar opgeteld. Jij bent degene die naar de politie in

Coatbridge is gegaan om uit te laten zoeken of die oude heer van je iets te maken heeft gehad met Moira Anderson, nietwaar? Heb ik gelijk?'

Ik vertelde haar dat ze de spijker op zijn kop had geslagen en vroeg haar of haar iets was overkomen en zei dat ik me altijd had afgevraagd waarom ze onze vriendschap zo plotseling had beëindigd. Haar ogen liepen vol tranen.

'Er zijn twee vreselijke dingen met me gebeurd, en dat heb ik nooit aan mijn moeder kunnen vertellen. Weet je nog die keer dat je vader ons en een paar anderen op een warme zomerdag meenam naar Bothwell Bridge? Je weet wel, bij Hamilton, naar een plekje dicht bij de rivier?'

Dat herinnerde ik me.

'Ik ben maar één keer met je meegegaan,' zei ze. 'Het was die dag bloedheet. We hadden van die lange stokken bij ons met een net eraan en jij had jampotten meegebracht, dus we gingen op zoek naar voorns en stekelbaarsjes. Ik weet niet waar hij het lef vandaan haalde, op zo'n openbare plek. Hij liet ons een tijdje spelen. Toen, na een spelletje slagbal, nam hij ons mee voor een wandelingetje langs de rivier, naar een plek waar kinderen in kleine poelen konden pootjebaden, of waar ze op de oever konden gaan liggen om te kijken of de anderen iets vingen. Sommigen gingen pootjebaden en jij was met je jampotten het water in gelopen. Voor ik het wist lag je vader naast me en kon ik geen kant meer op omdat er naast me een boomstam lag. We waren allemaal aan het lachen en het schreeuwen en toen, ik weet niet waarom, bekroop me een onbehaaglijk gevoel. Het was zijn hand die hij onder mijn jurk had gestoken. Hij wilde niet stoppen en hij duwde me bijna in de grond, lag met zijn volle gewicht boven op me en ik was bang dat ik zou stikken. Ik lag daar gewoon als bevroren. Kun je geloven dat hij dat zomaar deed, in het volle daglicht?'

Ze was even stil. 'Ik kon niet geloven dat het was gebeurd. Maar ik wist het toen ik hem in de achteruitkijkspiegel naar me zag glimlachen toen we weer naar huis gingen. Het ergste was dat ik niet had geschreeuwd en daarom had ik het gevoel dat het op de een of andere manier mijn verdiende loon was geweest. Ik had hem kunnen tegenhouden, maar dat had ik niet gedaan, en daar ben ik weken van slag over geweest. Ik haatte mezelf. Daarna ontweek ik hem. Ik wilde niet eens in een Baxter's bus stappen, uit angst hem tegen te komen.'

Maar het ergste moest nog komen.

'De dag daarna ging ik je vragen of je met me naar de film wilde, maar je was niet thuis. Maar je vader zei: "Kom maar binnen, Marie, ze blijft niet lang weg." Dus liep ik de trap op naar jullie portaal. Jullie glazen voordeur was helemaal bovenin en hij stond ernaast te wachten. Zodra ik over de drempel was, deed hij de deur dicht en schoof de grendel ervoor. In de eerste slaapkamer duwde hij me over het voeteneind van het bed en ik wist precies wat er zou komen. Hij deed wat hij de dag ervoor ook had gedaan, maar deze keer duwde hij zijn hele lijf tegen me aan. Toen stopte hij een halve kroon in mijn hand en lachte. Hij zei dat ik gerust nog een keer terug mocht komen als er niemand thuis was. Ik kon nog wat zakgeld verdienen door aardig voor hem te zijn. Ik voelde me ziek en rende zo snel mogelijk naar huis. De enige zus aan wie ik het vertelde, wilde me in eerste instantie niet geloven, en toen zei ze dat ik een kleine hoer was omdat ik geld had aangenomen van je vader. Toen zei ze dat ze nooit meer iets tegen me zou zeggen, wat ze tot op de dag van vandaag ook niet heeft gedaan.'

Sinds die dagen had Marie allerlei problemen gehad. Onlangs had ze therapie gekregen en ze begreep nu dat mijn vaders daden verantwoordelijk waren voor haar alcohol- en drugsproblemen, en waarom haar relaties waren mislukt. Nu was ze bezig haar leven weer op orde te brengen. Ze had een nieuwe partner, ze was gelukkig en wilde niet nogmaals te maken krijgen met de politie. Ik begreep waarom ze weigerde een formele verklaring af te leggen.

Hoofdstuk 22

Tijdens de week dat het verhaal door de media bekend werd gemaakt, voelde ik me heel erg kwetsbaar en was ik erg met mezelf bezig. Het zou heel gemakkelijk zijn geweest om nog verder weg te zakken in mijn depressie, maar ik bracht mezelf in herinnering dat ik de deur uit moest om met Gus Paterson te praten, Jims ondergeschikte.

Hij was een vriendelijke beer van een vent, die er lekker op los kletste en me meteen op mijn gemak stelde. Bij een kopje koffie stelde hij de vraag waar ik inmiddels aan gewend was geraakt. Of ik zeker wist dat mij niets was overkomen?

Ik zuchtte en zei dat ik dacht van niet, hoewel ik er niet honderd procent zeker van kon zijn. Ik vertelde hem dat ik had gedacht aan hypnotische regressietherapie bij iemand naar wie mijn huisarts me kon doorverwijzen. Misschien dat dat me zou geruststellen.

Gus vertelde me dat het team een goede respons had gehad op de publiciteit die Jim had gegenereerd en dat er een aantal telefoontjes werd nagetrokken. 'Een van Baxter's ex-medewerkers belde vanuit het zuiden nadat iemand de krant met de bewuste kop naar hem toe had gestuurd. Het eerste wat hij zei, was dat hij naar het noorden wilde komen, dat hij bij zijn zus hier in Airdrie zou logeren en dat hij een verklaring wilde afleggen mits de identiteit van de ondervraagde man juist was. Natuurlijk hebben we de naam van je vader niet genoemd, maar de man zei dat hij al jaren iemand verdacht die de initialen A.G. had en dat we daar alleen maar ja of nee op hoefden te zeggen. We hebben het zo geregeld dat hij meteen hier naartoe komt.'

Eindelijk was een van de mensen van Baxter's bereid om uit de school te klappen.

Mijn moeder en tante Margaret legden hun verklaring af op vrijdag 26 maart 1993. Ze waren beiden de hysterie nabij en als de dood dat de buren de politiewagen bij het hek zouden zien staan. Eindelijk wist ik Mary te kalmeren door haar te herinneren aan het citaat uit de Bijbel over hoe we het slechte tegemoet moeten treden. 'Je hebt gelijk,' stemde ze in. 'Verwerp het kwade.' Hoofdinspecteur Ricky Gray besloot zelf mijn moeder te ondervragen, terwijl tante Margaret met een agente, Audrey, sprak. Voordat hij begon, vertelde Ricky Gray me dat Jim McEwan, toen hij in Australië was, bij toeval had ontdekt dat Janet Anderson Hart, Moira's oudere zus, slechts enkele kilometers verderop woonde. Ze had contact gezocht met de Schotse politie toen een familielid haar vertelde dat de heropening van het dossier veel aandacht kreeg van de media. Op dezelfde dag dat mijn moeder haar verklaring aflegde, zocht Jim haar op in haar huis in Sydney.

'Dus u bent niet de enige met wie we praten over pijnlijke gebeurtenissen uit het verleden, mevrouw Gartshore,' zei Ricky Gray vriendelijk. 'Ik weet dat u nu van hem gescheiden bent, maar u moet ons alles vertellen over Alex – hoe u elkaar hebt ontmoet, wat u aan hem ontdekte, hoe hij als echtgenoot was, hoe hij zijn werk deed – '

'Hij was geheelonthouder en raakte al die jaren dat hij op de bus zat geen druppel alcohol aan,' verkondigde mijn moeder. De hoofdinspecteur merkte wrang op dat drinken absoluut een ondeugd was die zijn team de nodige hoofdpijn had bezorgd, maar dat er ergere vergrijpen waren.

Als ik al dacht dat mijn herinneringen boven water kwamen als een oude tank die helemaal leegliep, eerst in grote golven en daarna nog de nodige druppels, leek het bij mijn moeder op een stortvloed die jaren ingedamd was geweest. Deze vloed verspreidde echter een boodschap aan iedereen in de kamer. Ze beschreef de fatsoenlijke en hardwerkende mensen van wie mijn vader afstamde, zijn indrukwekkende oorlogsverleden en dat ze haar hadden verteld dat hij in Nederland burgers uit een brandend gebouw had gered – er had jarenlang een Delfts blauw bord van het echt-paar aan haar muur gehangen – en dat ze er zeker van was dat Alexander tijdens de oorlog dingen had gezien die hem psychisch hadden beschadigd.

Terwijl ze doorpraatte over zijn stiptheid en hoe goed hij zijn werk had gedaan, zijn capaciteiten als kostwinner, drong lang-zaam tot me door dat ze probeerde haar keus van levenspartner te rechtvaardigen. Mijn moeder had een besluit genomen waar ze later heel veel spijt van had gekregen, maar op dat moment kon ze zich niet uitspreken tegen de man die haar drie kinderen had gegeven die ze aanbad.

Ze legde de omstandigheden uit waaronder ze elkaar hadden ontmoet, en hoe gerustgesteld ze zich had gevoeld dat hij dezelfde christelijke achtergrond had toen Alex haar vertelde dat hij haar dominee kende. 'Ik ben in de pastorie geweest en we hebben samen theegedronken en sandwiches gegeten,' had hij gezegd, wat haar veel plezier had gedaan.

'Ik voelde dat hij een verwante ziel was – ik kwam er pas veel later achter dat hij zijn redenen had gehad om in de pastorie te zijn. Tegen de tijd dat zijn familie mij verwelkomde, had ik zijn moeder goed leren kennen. Ze was aardig en de oorlog liep ten einde en daarom leek het logisch om in oktober 1945 te trouwen. Maar daarna begonnen de problemen... al die andere vrouwen. Ik wijt het aan de bussen.'

'Ah,' zei Ricky Gray, die er eindelijk een woord tussen kon krij-gen. 'Rokkenjagers. Die zijn moeilijk om mee te leven. We zijn er achter gekomen dat Baxter's Buses in de jaren vijftig een broeinest van affaires was. Maar waar ik het graag met u over wil hebben is wat u zich kunt herinneren van zaterdag 23 februari 1957, toen Moira Anderson van de aardbodem verdween. Kunt u zich herin-neren wat u en Alex die hele dag gedaan hebben?'

Nog steeds heel erg haar best doend om mijn vader niet te laten vallen, vertelde mijn moeder wat ze zich van dat winterweekend kon herinneren. Haar tante uit Australië arriveerde en ze was heel boos geweest op haar echtgenoot omdat hij geruild had met een collega die avonddienst had. Ze vertelde dat hij die avond laat was thuisgekomen en toen zijn dienst voor de volgende dag en dat ze boterhammen voor hem had klaargemaakt. Toen haar werd gevraagd hoe het bericht van Moira's verdwijning haar bereikte, was ze er net als ik zeker van dat tante Betty, haar schoonzus, het ons had verteld, op zondagmiddag. Net als ik kon ze zich de omstandigheden van dat weekend goed herinneren – het onderscheidde zich van andere weekenden doordat er zoveel in gebeurde. Toen hij het nog een keer vroeg, was ze er absoluut zeker van dat ze het nieuws niet van mijn vader had gehoord. Ze vertelde tevens dat er een week voorbij was gegaan zonder enig teken van het kind, en dat mijn vader binnen was gekomen en had gezegd dat ze hem hadden gevraagd of hij naar het politiebureau wilde komen om een paar vragen te beantwoorden. Ze gaf de politiemannen in haar zitkamer hetzelfde verslag dat ik aan Jim McEwan had gegeven, het verhaal van de verwisseling van identiteit met het kind dat Moira Liddell heette, ook uit Cliftonville, dat erom bekendstond dat ze alle chauffeurs altijd snoepjes gaf.

'Hij is toen wel dégelijk verhoord,' zei mijn moeder nadrukkelijk, hoewel ik haar had verteld dat dit nergens was vastgelegd. Ze keek ons verbijsterd aan. 'Waarom zou hij beweren van wel als dat niet zo was?'

Er viel een stilte. Ik had al van Jim gehoord dat het verhoor niet had plaatsgevonden. Wat hij me ook had verteld, was dat op de kiezerslijst van 1957 van Cliftonville de nodige Liddells stonden, maar dat ze geen van allen een dochter hadden in de juiste leeftijdsgroep die Moira heette of iets wat daarop leek. Het kind dat mevrouw Chalmers, de echtgenote van de politieman, die dag met de buschauffeur had zien praten, was inderdaad Moira Anderson geweest.

Jim had me verteld dat Betty de babysitter, wier zienswijze ook niet voorkwam in de verslagen van die tijd, hem had verteld dat ze zich, ondanks de vele waarschuwingen van haar ouders, als een magneet voelde aangetrokken door de bus van mijn vader. Ze had zelfs op een bepaald moment van de middag van 23 februari 1957 in zijn bus gezeten en een gesprek met hem gevoerd over zijn plannen voor die avond. Hij had laten doorschemeren dat hij geen dienst had, maar dat hij die avond geen babysitter nodig had. Het weer was zo slecht, ze zouden die avond thuisblijven. Zo, dus hij was van plan geweest om die avond uit te gaan, maar niet met mijn moeder of met haar. Hij had andere plannen gehad.

Mijn vaders versie van hoe hij het nieuws over Moira's verdwijning had gehoord en wat er die zaterdagavond verder was gebeurd, week behoorlijk af van de verklaring van mijn moeder, en van die van Betty. Toen ze hem opzochten in Leeds, had hij volgehouden dat hij het nieuws al had gehoord op de avond van de dag dat Moira was verdwenen. Er waren die avond heel wat mensen in de bus die het erover hadden gehad, had hij gezegd. Dit was niet conform de waarheid, want de vader van het kind had haar verdwijning pas rond middernacht gemeld. Mijn vader beweerde dat hij die avond heel laat klaar was en dat hij op weg naar huis vis en patat had gehaald en dat hij mijn moeder om kwart voor twaalf op de hoogte had gebracht van Moira's verdwijning. Hij beweerde dat Moira's naam genoemd was door zijn passagiers, maar dat hij niet wist wie ze was.

Mijn vaders kijk op zijn relatie met de Andersons veranderde enigszins tijdens de maanden dat hij werd ondervraagd. Aanvankelijk, in maart 1993, bleef hij erbij dat hij Moira alleen maar kende als een kind dat regelmatig in en uit zijn bus stapte, hoewel hij zichtbaar van streek was toen hij geconfronteerd werd met haar foto.

Tijdens de gesprekken die werden vastgelegd, hield hij vol dat ze niet bevriend waren geweest. 'Ik heb nooit veel met haar te maken gehad... Ik heb eigenlijk nooit iets met haar te maken gehad, behalve op de bus.' Hij kon niet met haar of iemand anders gepraat hebben, zei hij, want zijn cabine was afgescheiden van de passagiers.

Hij beweerde ook haar ouders en zusjes niet te kennen, hoewel mijn moeder me later vertelde dat ze zich een gesprek met mijn vader herinnerde nádat hij uit de gevangenis was ontslagen en was teruggekeerd naar Coatbridge en naar zijn oude busroute. Hij had haar verteld hoe erg hij het vond voor 'die aardige mevrouw Anderson, wier dochter ervandoor was gegaan'. Hij had haar gezien vanuit de bus toen ze de stoep voor haar huis aan het vegen was. Ze had even opgekeken en naar hem gezwaaid. Toen mijn moeder me dit vertelde, had ze geprobeerd ons beiden ervan te overtuigen dat mijn vader ook een zorgzame kant had. 'Ik verzeker je dat hij het heel erg vond om die arme vrouw daar te zien, nog steeds niet wetend wat er met haar dochter was gebeurd', had ze met bevende stem gezegd. 'Ik wist niet dat hij haar kende. Als wat jij zegt klopt, hoe kon hij dan terugkomen? Niemand kan zoiets doen en dan weer gewoon terugkomen.'

Ik bracht haar in herinnering dat tegen de tijd dat de politie erachter kwam dat Moira niet was weggelopen, mijn vader in de gevangenis zat. Omdat hij weg was, waren ze vergeten hem te ondervragen. Dus toen hij er weer uitkwam, kon hij rustig teruggaan naar zijn familie en zijn baan.

Maar de waarheid was te veel voor mijn moeder, die uren zat te snikken na haar bezoek aan de politie. Ze hoopte nog steeds dat het een nachtmerrie was waaruit ze spoedig zou ontwaken.

Hoofdstuk 23

De tweede keer dat Jim en zijn team mijn vader verhoorden, veranderde zijn verhaal.

De rechercheurs vertelden hem dat ze met twee personen hadden gesproken die nog steeds in deze streek woonden. Ze wisten de politie niet alleen te vertellen in welke bus hij die dag had gereden, ze hadden zelfs een foto van deze EVA 26. De twee busspotters wisten het nog precies, want deze bus had kenmerken die hem onderscheidden van de rest van Baxter's wagenpark, waaronder een ronde bovenkant. Ze hadden een register aangelegd van alle bussen die het bedrijf door de jaren heen had aangekocht, en wisten dat de bus tussen 1951 en 1958 gebruikt was in de Monklands, en dan vooral op de route van Cliftonville naar Kirkwood, een rit van zo'n vijfentwintig minuten. De bemanning ging dan een halfuur op en weer vijf minuten af en had een langere pauze voor de lunch. De bus was in 1939 gebouwd en ze kenden zelfs het modelnummer, T58, en het kenteken, CWY 219, en het feit dat het een verbouwde bus was, een Maudsley, die ze hadden aangepast met een Massey-carrosserie. De bestuurder zat niet gescheiden van zijn vijfendertig passagiers en het voertuig had een grote bagageruimte, en de sleutel daarvan werd opgehangen in een speciaal kastje in de cabine. Zeer ongewoon was dat je de bagageruimte ook kon bereiken via de bínnenkant van de bus, door de achterste passagiersstoelen op te tillen, waar dan een verborgen hendel onder zat.

Mijn vader herkende hem meteen toen Jim de foto liet zien.

'Het is een Maudsley. Met de carrosserie van een Massey.'

'Was dat de bus die jij reed?'

'Een soortgelijke. Ik weet niet of het dezelfde was.'

'Het was exact dezelfde, Alex, geloof me maar,' zei Jim. 'Ik kan je verzekeren dat dit de bus was die op die dag die route heeft gereden.'

'Zonder de T-sleutel kon je er niet bij,' zei mijn vader, toen Jim hem vroeg hoe je in de bagageruimte moest komen. 'Wij hebben die nooit gekregen.'

'Een betrouwbare bron heeft ons verzekerd dat een buschauffeur pas ging rijden als hij de zogeheten *budgie key* had gekregen, die deel uitmaakte van de totale uitrusting van de bus.'

'Ik heb jaren bij Baxter's gewerkt en ik heb er nooit een gehad – alleen in de luxebussen.'

'Je was je er niet van bewust,' zei Jim op ironische toon, 'dat er een bagagecompartiment was onder de achterste bank van deze bus?'

'Nee.'

Hij probeerde aan te geven dat er weinig contact kon zijn met anderen vanwege de scheiding tussen de cabine en de rest van het voertuig en in de cabine was maar plaats voor één persoon. Toen hij te horen kreeg dat een getuige had verklaard dat hij Betty, de babysitter, in de cabine op zijn knie had zien zitten, had hij geprotesteerd. 'Nee, nooit. Dat was tegen de regels.'

'Maar dit wordt ons door chauffeurs en conductrices verteld.'

'Nee, ik heb nooit een meisje meegenomen in de cabine.'

'Je stond erom bekend dat je bij de eindhalte altijd jonge meisjes in je bus had.'

'Ik?'

'Jij.'

'Nee, daar heb ik nooit de tijd voor gehad. Nee, je zit er helemaal naast.'

De rechercheurs vertelden hem niet dat een voormalige conductrice zich herinnerde dat het personeel altijd met elkaar dolde als ze pauze namen bij de eindhalte en dat ze zich nog heel goed kon herinneren dat Alex Gartshore haar een keer in de bagageruimte van zijn bus had gestopt.

Toen ze hem vertelden dat ze veel van zijn vroegere collega's hadden gesproken, wilde mijn vader hun namen weten. De mannen die ze gesproken hadden waren Cliff Harper, een man die net zo lang was als mijn vader en die een heel klein snorretje had; George McArdle, een oud maatje die eerst bij Allison's de slager werkte, en toen op de bussen ging rijden – hij had gezegd dat Alex Gartshore heel beleefd en geloofwaardig was en dat hij erom bekendstond altijd 'meisjes mee te nemen die net van school kwamen' en dat mijn vader hem had uitgenodigd om mee te gaan naar Glasgow om daar twee vijftien jaar oude meisjes te ontmoeten; Willie Brown, bekend als Tashie vanwege zijn grote snor in de RAF-stijl; en Pat O'Rourke, de man aan wie ik een intense hekel had. Mijn vader was zeer verontwaardigd en ontkende hun beschuldigingen dat hij jonge meisjes geld had gegeven om zijn cabine met een bezoekje te vereren, en ook George McArdle's bewering dat Betty een van de velen was geweest. Jeannette Mitchell Speirs, een van mijn vaders vaste conductrices, had echter beweerd dat dat regelmatig voorkwam.

Mijn vader ontkende tevens wat door zijn drie mannelijke collega's en een conductrice die Nan Laird heette als heel normaal werd gezien – dat chauffeurs een vriend 'dekten'. Dat je op een zondag werd afgelost zodat je ervandoor kon gaan zonder dat je vrouw wist waar je uithing, was kennelijk heel gewoon geweest. George McArdle vertelde dat er vooral werd gerommeld met het geld van de kaartjes, om maar niet te spreken van subtiele herindelingen van diensten en een grootscheepse misleiding van echtgenotes. Hij zei dat hij Alexander altijd met argwaan had bekeken, omdat er tijdens de verdwijning van het kind veel geruchten over hem de ronde deden. Zolang de bussen maar op tijd reden, waren de inspecteurs gelukkig.

Twee chauffeurs die mijn vader in de jaren vijftig en zestig goed hadden gekend, maakten vooral veel onthullende opmerkingen over zijn gedrag. Cliff Harper zei: 'Ik wist wel dat hij altijd achter de vrouwtjes aanzat. Maar hij was ook het type man dat jonge meisjes aanmoedigde naar de bus te komen bij de eindhalte.'

Tashie Brown was het met hem eens. 'Alex voelde zich aangetrokken tot kleine meisjes, schoolmeisjes, niet de oudere. Ze zaten altijd in zijn bus en hij stond erom bekend dat hij zich seksueel aan hen vergreep.' Het was ook heel duidelijk dat ten tijde van Moira's verdwijning, het hele busbedrijf gonsde van de geruchten dat Alex Gartshore Moira had vermoord.

Pat O'Rourke zei: 'Hij vergreep zich aan jongens en meisjes. Hij was niet kieskeurig.'

Wat zijn affaire met Betty de babysitter betrof, weerlegde mijn vader haar verklaring, die veel ontmoetingen tussen hen in Dunbeth Park beschreef en dat er met wederzijds goedvinden regelmatig geslachtsgemeenschap had plaatsgevonden. Na de bewuste eerste keer, nog zo'n twintig of dertig keer. Ze had aangegeven dat de affaire zes maanden had geduurd en dat hij haar zakgeld had gegeven. Volgens haar was dat geld afkomstig van de buskaartjes zodat zijn vrouw niets zou vermoeden.

'Ik ben maar één keer bij haar geweest,' verklaarde hij en ontkende ooit in de buurt van het park te zijn geweest.

Maar Jim vertelde hem dat de politie een verklaring had van een vrouw die ons huis was ingelopen en die hem had betrapt toen hij naakt met Betty op de bank lag en met haar aan het vrijen was.

In feite waren er maar liefst twéé familieleden die hem net als ik betrapt hadden toen hij seksueel bezig was in Dunbeth Road en wel in de winter van 1956 op 1957. We hadden geen van allen geweten wat we met onze ontdekking aan moesten.

Een getuige, een tante die in die winter zwanger was, kwam onverwacht langs om mijn moeder te bezoeken nadat ze naar de kliniek voor aanstaande moeders aan het eind van de straat was geweest. Ze was teleurgesteld toen mijn moeder niet thuis was en wilde net weer weggaan toen de achterdeur opeens openging. Mijn vader verontschuldigde zich en leek erg geagiteerd toen ze langs hem heen schoot. Ze zag een blond meisje dat zich heel snel probeerde aan te kleden. Mijn tante schreeuwde: 'Wat is hier verdomme aan de hand?'

Toen hij haar iets wijs probeerde te maken, geloofde ze hem niet en ze dreigde het aan mijn moeder te vertellen als ze hem en dit meisje nog een keer samen betrapte. Ze was nog steeds van streek toen ze thuiskwam, maar zij en haar echtgenoot waren het erover eens dat mijn moeder dit niet hoefde te weten. Ze had de mannen van Jims team ook verteld dat ze mijn vader een keer achter in zijn auto had zien zitten, weer met een blond meisje van een jaar of twaalf of dertien, toen ze een kortere weg nam over een stuk braakliggend terrein. Ze wist dat hij haar had gezien; ze hadden elkaar even aangekeken voordat ze snel haar blik afwendde. Ze wist niet zeker of het hetzelfde meisje was dat ze in de zitkamer had gezien.

Het nichtje was vaak tijdens de lunchpauze bij mijn moeder langsgekomen. Maar op een dag werd er niet opengedaan en de achterdeur bleek op slot te zitten. Omdat ze meende stemmen te horen, was ze heel verbaasd door het steegje gelopen en had impulsief een sprong gemaakt om door het raam van de slaapkamer van mijn ouders te kijken die zich vlak bij de voordeur bevond.

Ze zag mijn vader en een blond meisje van haar eigen leeftijd, dertien, in wie ze volgens haar Betty herkende, een medescholiere, en ze lagen naakt in bed.

Volgens haar was er ook sprake geweest van een anonieme brief aan mijn moeder die mijn vader met Moira in verband bracht. Een voormalige buurvrouw zou dat misschien kunnen bevestigen, zei ze. Ella Brown Copeland zei dat dit allemaal vlak na Moira's verdwijning was gebeurd. Ze vertelde de politie dat ze na al die tijd niet verbaasd was dat mijn vader werd verhoord.

Toen ik mijn moeder naar die brief vroeg, gaf ze het meteen toe. Ze had inderdaad, meteen na het vonnis van mijn vader, een wrede brief ontvangen met allemaal letters erop geplakt die uit krantenkoppen waren geknipt. 'In de brief stond dat de kleintjes en ik met mijn tante naar Australië moesten gaan en dat we uit de stad moesten verdwijnen.' Ze zuchtte langzaam. 'Er stond tevens in dat het meisje Betty niet de enige was – er was nog een dozijn anderen met wie hij niet was betrapt. Onderaan stond: "Waarom ga je niet weg als je weet wat goed voor je is – je denkt te weten wat hij heeft gedaan, maar je weet de helft nog niet. Het houdt niet op bij dat meisje van de Andersons." Je grootvader stond erop dat ik de brief naar het politiebureau bracht en dat heb ik gedaan.'

'De politie heeft de anonieme brief gezién?'

'Ja,' antwoordde mijn moeder op vlakke toon. 'Ik heb de brief afgegeven bij de balie en ik heb er alleen iets over verteld aan mijn moeder. Ze zei dat ik de brief moest negeren.'

'En de politie is niet naar je toegekomen om de brief met je te bespreken?'

'Nee. Ik ben dagen heel bang geweest, wachtend tot ze zouden komen met hun vragen, maar ik hoorde er niets meer van. Na een tijdje nam ik het advies aan en zette het hele geval van me af.'

Ik was stomverbaasd over het zoveelste staaltje van onbekwaamheid. Wat mijn moeder aan iemand van John F. MacDonalds team had gegeven was een samenvatting van de gedachten van een heleboel mensen, en net als al het andere in relatie tot mijn vader, werd ook deze gedetailleerde brief niet eens als verdacht beschouwd.

Ik kwam tot de conclusie dat mijn vader heel veel geluk had. Maar ieders geluk houdt op een bepaald moment op.

Op woensdag 17 maart 1993 vroeg Jim McEwan aan Alexander Gartshore of hij het vermiste meisje die dag had gezien.

'Ik heb nooit veel met haar te maken gehad.... Ik heb nooit iets met haar te maken gehad, behalve in de bus.'

'Ben jij verantwoordelijk voor de verdwijning van Moira Anderson?'

'Nee, dat ben ik niet. Dat zweer ik. Ik ben er niet aan gewend om te zeggen dat ik het zweer bij God... maar ik steek nu mijn rechterhand omhoog. Ik zweer op het leven van mijn kinderen hier en in het zuiden dat ik er niets mee te maken had. Helemaal niets. Als ik je kon helpen, zou ik dat doen.'

Maar uiteindelijk legde hij ook wat dit betrof een iets afwijkende verklaring af. Hij bekende aan Jim dat hij het gezin had gekend omdat ze vaak in zijn bus waren gestapt. Vooral mevrouw Anderson en haar middelste dochter waren hem bijgebleven. Toen hij eraan werd herinnerd dat zijn cabine toegankelijk was en dat de vrouw van de politieman, mevrouw Chalmers, de verklaring had afgelegd dat zij en Moira een glimlach hadden uitgewisseld en dat het kind voorin had gezeten en met de chauffeur had gepraat, kwam hij weer op zijn woorden terug. Hij ontkende tevens iets van 'Moira Liddell' te weten.

'Gedurende zevenendertig jaar verkeerde de wereld in de veronderstelling dat Moira om tien over vier 's middags verdween, toen ze het huis verliet van haar grootmoeder,' zei Jim. 'Daarna heeft niemand haar nog gezien. Jij komt pas sinds verleden jaar om het hoekje kijken omdat je op de begrafenis iets tegen je dochter hebt gezegd. Je hebt zelfs toegegeven dat ze in je bus zat, en wel ná de laatste officiële waarneming.'

Maar mijn vader hield vol dat hij dat toen allemaal al had verteld en Jim wist dat dat niet waar was. Maar het kruisverhoor begon succes op te leveren, want er vielen nu gaten in zijn verhaal.

'Waar is Moira Anderson ingestapt?'

'De bushalte vlak voor haar huis.'

Dit was dus de plek waar Moira was gezien door een oude dame, die de storm had zien toenemen.

'Ik heb haar binnen zien komen,' stemde mijn vader in. 'Via de voorste deur.'

'Wie stapten er nog meer in?'

'Weet ik niet. Ik denk haar zus. Daar ben ik niet zeker van, maar er was nog iemand bij haar… Ik kan me niet herinneren of er nog anderen waren, volwassenen of zo.'

'Heb je iets tegen haar gezegd?'

'Dat kon niet omdat het raam dicht was.'

'Maar je vrouw vertelde ons dat je "Hallo, Moira" zei en dat de politie dat met je wilde bespreken.'

'Niet waar.'

'Een paar dagen later ging je weg om de politie er alles over te vertellen. Dat beweerde je althans.'

'Ik heb nooit zoiets gezegd.'

'Je hebt je vrouw verteld dat je naar het politiebureau moest.'

'Ik weet niet meer of ik ben gegaan, want volgens mij kwamen ze naar de garage – volgens mij was dat de volgende dag al.'

'Nou, waarom heb je je vrouw verteld dat ze het eten voor je warm moest houden, omdat de politie met je wilde praten en je naar het bureau toe moest?'

'Heb ik dat gezegd?'

'Ja. Dat zegt je vrouw althans.'

'Nee.'

Toen kwam de doorbraak die ze nodig hadden. Hij deed zijn best om vol te houden dat hij en Moira niet met elkaar hadden gepraat, maar uiteindelijk zakte ook dit deel van zijn verhaal als een kaartenhuis in elkaar. Na al die jaren hoorden ze van hem waarom Moira, die de Co-op dicht had aangetroffen, besloot in haar eentje de bus naar de stad te nemen, en de afspraak om met haar nichtjes naar de bioscoop te gaan te negeren. Ze had een geheim plan gehad dat ze aan niemand had onthuld, behalve aan mijn vader.

Hij was de laatste persoon geweest in Moira's gezelschap. Tijdens hun gesprek had ze hem verteld dat ze naar Woolworths ging bij de Fountain, om daar een speciale verjaardagskaart voor haar moeder te kopen. Niemand anders was van haar belangrijke taak op de hoogte, zelfs niet haar zusjes of nichtjes.

Jim en zijn mannen stonden versteld van dit brokje informatie en controleerden het. Jim ontdekte dat Maisie Andersons grafsteen bewees dat ze zondag 24 februari 1957, haar veertigste verjaardag, door had gebracht met het zoeken naar haar dochter. Dit bewees niet alleen dat mijn vader de laatste was die met het kleine meisje had gesproken en wist wat haar intenties waren, maar dat hij haar ook goed had gekend. Het lag niet voor de hand dat ze haar geheim tijdens een terloopse ontmoeting met een vreemde zou delen.

Mijn vader deed zijn uiterste best om zich van die verjaardagskaart te distantiëren. Hij zei dat hij dat pas later in zijn dienst had gehoord.

'Ik hoorde dat van andere mensen op de bus.'

'Van wie?'

'Een jonge vrouw en een meisje.'

'Namen?'

'Nee, ik weet niet hoe ze heetten, maar ze zeiden dat het vreselijk was... deze kwestie met Moira Anderson.'

'Wanneer?'

'De volgende maandag.'

'Maar je zei dat je de politie op zondag, toen ze naar de remise kwamen, over deze kaart hebt verteld.'

'Zaterdagavond stapten er wat mensen in,' zei mijn vader uiteindelijk. 'Een vrouw met een klein kindje en ze vertelde me die avond om ongeveer half acht dat... "Is het niet vreselijk? En ze ging alleen maar een verjaardagskaart halen."'

'Niemand in het oorspronkelijke onderzoek wist dat Moira daar naartoe ging. Er is helemaal niets over terug te vinden,' zei Jim. 'Ze werd pas na elven als vermist opgegeven. We hebben echt heel diep moeten graven om erachter te komen dat Moira's moeder de volgende dag jarig was.' Hij vertelde mijn vader niets over de bekentenis van John F. MacDonald dat hij zich van de verjaardag van de moeder niet bewust was geweest.

Mijn vader negeerde hem en hield vast aan zijn verhaal dat hij mijn moeder op 23 februari tussen elf en twaalf uur 's avonds had verteld dat het kind werd vermist. 'In de bus zaten een heleboel mensen die het erover hadden. Om negen uur, toen om tien uur. Het waren er zat.'

Hij was compleet vergeten dat alle bussen vanwege het slechte weer van de weg waren gehaald.

Jim en zijn mannen waren zeker van het exacte tijdstip waarop een totaal verwarde Andrew Anderson op het politiebureau was gearriveerd om daar aangifte te doen van de verdwijning van zijn kind. Moira's ouders waren al dood, maar de moeder van Moira's nichtjes, Janice Anderson Mathewson, herinnerde zich dat ze met de anderen naar het ziekenhuis was gegaan om haar grootvader te bezoeken en dat ze na vijven weer terugkeerden naar Coatbridge. Andrew was om half elf naar haar huis gekomen, in Laird Street 37c, recht tegenover de Co-op. Ze zeiden dat ze overal hadden gezocht tot Andrew vlak voor middernacht besloot de politie te informeren. Het nieuws lekte pas de volgende dag uit. Alleen de directe familie en een handvol buren hadden geweten dat Moira op zaterdagavond iets was overkomen. Een klein groepje mensen en haar moordenaar.

Mijn vader zei dat Moira bij Woolworths in Main Street uit zijn bus was gestapt, wat overigens geen officiële halte was, en dat ze hem gedag had gezwaaid. Ondanks de slechte weersomstandigheden had hij tot kwart voor twaalf doorgewerkt. Op weg naar huis had hij vis en patat gekocht en toen hij even voor twaalven binnenkwam, had hij mijn moeder het schokkende nieuws verteld dat er een kind zoek was.

De auto van mijn vader zou die nacht óf in de Baxter's busgarage in Gartlea, Airdrie, hebben gestaan, óf hij zou hem in de tuin bij de achterdeur hebben geparkeerd. Een voormalige buschauffeur, George McNeil, had zijn bus die dag aan mijn vader doorgegeven. Hij zei dat de bemanning om twee uur 's middags in Jackson Street was gewisseld. Uit zijn verklaring bleek dat mijn vader, vermoedelijk vanwege de sneeuwstorm, zijn auto thuis had gelaten en dat hij de paar honderd meter vanaf ons huis in Dunbeth Road had gelopen om zijn dienst te beginnen. Ook dit was kennelijk heel normaal, want het bespaarde de bemanningen de moeite om helemaal naar de remise te gaan. Minstens een van de conductrices vertelde de rechercheurs dat ze als ze een late dienst draaide met mijn vader, zelden uitklokte in de remise, wat eigenlijk de regel was, maar dat ze hem alleen liet in de bus met de laatste paar passagiers. Hij zou dan de roosters en de ingenomen busgelden inleveren, zodat zij met de laatste bus naar huis kon gaan.

Ik was heel benieuwd naar het commentaar van George McNeil over het feit dat mijn vader die hele dag had gewerkt. Wat hem was bijgebleven, was een grote man in een heel kleine auto. Als hij het juist had en mijn moeders herinnering dat ze 'luisterde tot Alex' auto terugkwam' tevens klopte, dan was hij volgens mij op een bepaald moment teruggekomen naar Dunbeth Road om zijn auto op te halen.

Sommigen trekken het idee van een man die een intelligent meisje als Moira weet mee te lokken, in twijfel, maar ik snap wel dat ze deze man in uniform vertrouwde, vooral als hij het geld had gegeven dat ze had verloren – waar de oude vrouw haar in de sneeuw naar had zien zoeken – zodat ze haar verjaardagskaart kon kopen. Mijn vader was er tevens toe in staat om haar over te halen bij hem in de bus te blijven, of haar met een of andere smoes mee te lokken naar zijn auto.

Als dat eenmaal was gebeurd, of dat nu in een groot voertuig was dat naar een verlaten eindhalte werd gereden, of in zijn zwarte Baby Austin die op verraderlijke wegen een betere wegligging had, was het slachtoffer volledig aan zijn genade overgeleverd.

Hoofdstuk 24

Het was Pasen 1993 en ik herinnerde me eindelijk waarom ik er zo zeker van was dat mijn vader en Moira elkaar hadden gekend. Het was een warme zomerdag in 1956 en ik was in Dunbeth Park. Ik was daar naartoe gegaan vanuit het huis van tante Margaret in Red Bridge, en duwde Albert, haar oudste, in zijn wandelwagen voor me uit. Toen we het park bereikten troffen we daar Marilyn Twycross met een nichtje dat Marion heette, en nog een of twee anderen, Marjorie Orr, die in een van de grote huizen woonde, en Marjorie Anderson. We waren allemaal van dezelfde leeftijd.

We renden allemaal naar de schommels toe. Sommigen gingen er met zijn tweeën op, de een staand, de ander zittend, omdat het nogal druk was op de speelplaats.

Er waren nog vier andere meisjes die wat ouder waren dan wij. Mijn partner hijgde terwijl ze ons steeds hoger duwde, en vertelde me dat ze er twee van kende: Marjories oudere zus, Moira, en haar vriendin, Beth. We vroegen ons af of we mee zouden mogen doen met het touwtjespringen. Toen werd mijn aandacht getrokken door de draaimolen en we sprongen er allemaal op en lieten het ding steeds sneller rondgaan terwijl we er vrolijk bij schreeuwden en steeds misselijker werden. Tot mijn spijt zag ik dat de oudere meisjes weg waren gegaan en dat ze hun springtouw hadden meegenomen.

Opeens gebeurde er een ongeluk bij de schommels. Een of ander kind was eronderdoor gelopen en had zijn hoofd bezeerd. Ik ging rennend hulp halen – het huis van de parkopzichter was vlak bij de ingang en ik beukte op zijn deur en schreeuwde: 'Kom snel, meneer, er is een ongeluk gebeurd bij de schommels!'

Gedurende een paar seconden kwam er geen reactie en ik keek achter me om te zien of hij soms ergens rondliep. Maar in plaats van hem zag ik door het hek heen de kleine zwarte Baby Austin van mijn vader staan. Wat deed hij hier? Hij leek vanuit zijn raam te zwaaien naar voorbijgangers. Ik probeerde er nog steeds een verklaring voor te vinden, toen de parkopzichter de deur opendeed en ik hem vertelde wat er was gebeurd. Ik wees naar het kleine groepje dat om de gewonde heen stond en draaide me toen weer om naar het hek terwijl hij zich bekommerde om het noodgeval.

Toen ik naar onze auto toeliep, zag ik dat mijn vader druk in gesprek was met het oudere meisje Anderson en haar vriendin. Ik vroeg me af wat hij in vredesnaam van hen wilde. Hij leek hun iets te laten zien, want hun hoofden waren dicht bij elkaar toen ze de auto in keken. Misschien kwam hij voor mij, dacht ik. Er gingen talloze mogelijkheden door mijn hoofd. Mijn vader kletste met beide meisjes, die vreselijk moesten giechelen. Net toen ik de auto bereikte, renden Moira, die een blauwe jurk met korte mouwen aanhad, en haar vriendin die een broek droeg, weg in de richting van Dunbeth Avenue.

Ik keek naar mijn vader. Hoewel hij aanvankelijk erg boos was toen hij me zag, zat hij nu te gniffelen en rommelde in de zakken van zijn buschauffeursuniform. Hij haalde er wat snoepjes uit en toen ik hem vroeg wat hij daar deed met die meisjes, wilde hij me geen antwoord geven. Hij vroeg of ik een lift wilde, maar ik vertelde hem dat ik die middag een taak had en toen griste ik de snoepjes uit zijn hand en rende terug naar het pad.

Ik was ervan overtuigd dat hij de meisjes zou hebben overgehaald om met hem mee te gaan als ik niet plotseling was verschenen. Ik had toen geen idee wat mijn vader aan die meisjes had laten zien dat ze er zo hysterisch van werden. Ik wist alleen dat er iets niet deugde.

Ik schreef een samenvatting van het incident en legde het bij de andere vellen papier die ik voor de politie had volgeschreven. Het enige wat me niet lukte, was opschrijven wat er daarna gebeurde.

Toen ik een poging had ondernomen om mijn moeder te vertellen wat er was gebeurd, had ze zich tegen me gekeerd en dat was niets voor haar. Ze had me zelfs een heel harde klap gegeven en me laten beloven dit aan niemand te vertellen. Ik had bijna veertig jaar mijn mond gehouden.

Ik hoopte dat mijn slapeloze nachten zouden afnemen na deze laatste terugblik, maar in plaats daarvan namen ze toe, tot op het punt dat ik belde om een afspraak te maken met Brian Venters. Hij vroeg me wat me dwarszat. Ik legde hem uit dat ik de afgelopen drie nachten steeds dezelfde droom had en dat ik zo van streek raakte dat ik op moest staan om thee te zetten, want verderslapen lukte gewoonweg niet. Elke keer werd ik gewekt door een verblindend licht, iets wat op een bliksemschicht leek. In de droom stond een kind aan het voeteneind van mijn bed. Het kind was niet Lauren, maar iemand van haar leeftijd, en toen ze dichterbij kwam, zag ik dat het Moira was. Ik ging verbijsterd rechtop zitten en leunde naar voren toen ze me wenkte dichterbij te komen omdat ze me iets wilde vertellen. Terwijl de ruimte tussen ons in steeds kleiner werd, werd haar glimlach steeds breder en ze knikte me bemoedigend toe. Het was alsof ze me wilde laten weten dat ik het vol moest houden, dat ik er vertrouwen in moest hebben. Er werd geen woord gezegd, maar op de een of andere manier wist ik wat de boodschap was.

Toen vervaagde het beeld en veranderden de lichtblauwe ogen in de donkerbruine van Lauren. Het haar was niet meer kort, maar lang en krullend, en de ondeugende grijns werd een verwarde blik op het gezicht van mijn eigen kind. Toen vervaagde en verschrompelde het beeld. Toen ik uit mijn bed sprong, dacht ik dat ik tussen de botten van een klein skelet stond, de botten versplinterden onder mijn blote voeten en het krakende geluid klonk in mijn besef maar al te echt.

Ik keek Brian Venters bezorgd aan. Hij stelde me gerust door me te vertellen dat dit de manier was waarop mijn gedachten zich aanpasten aan de enormiteit van mijn vaders misdaden. Ik was heel blij met zijn vriendelijke benadering die tevens heel recht door zee was.

Rond Pasen verschenen er artikelen in de *Airdrie and Coatbridge Advertiser* die nogal wat beroering veroorzaakten.

Op de voorpagina van de Monklands stond op 2 april: POLITIE VINDT NIEUW STUKJE IN MOIRA-PUZZEL, en het artikel onthulde dat er 'belangrijke nieuwe informatie was dat ze misschien een verjaardagskaart was gaan kopen voor iemand in haar familie'. Het oude personeel van Woolworths werd opgespoord en een van de theorieën die nu werden aangehangen was 'dat Moira's moordenaar haar had overgehaald in de bus te blijven en met hem mee terug te rijden vanwege de sneeuwstorm'. Hoofdinspecteur Ricky Gray had met Moira's zusters gesproken, Janet, die nu vijftig was, en Marjorie, drieënveertig, in Australië en Engeland. 'Ze zeiden allebei dat ze het mysterie heel graag opgelost wilden zien. Afgelopen juli was hun vijfentachtig jaar oude vader Andrew met een gebroken hart gestorven, en hij heeft nooit geweten wat er met de middelste van zijn drie dochters was gebeurd.'

Moira's signalement werd weer gegeven en hoofdinspecteur Gray benadrukte dat hij iemand wilde spreken die aanwezig was geweest bij de afgelaste voetbalwedstrijd tussen Airdrie en Ayr United van die dag, en iedereen die dacht een klein meisje van dit signalement in of bij de bus te hebben gezien, 'mogelijk in het gezelschap van een man van achter in de dertig'.

De kop die er de week daarna boven stond was: GROTE TEGENSLAG BIJ ONDERZOEK MOIRA ANDERSON. Het bericht behelsde het frustrerende nieuws dat de politie dacht dat de busconductrice die die dag dienst had gehad, zes jaar geleden was gestorven. Gus Paterson zei het volgende: 'Niemand anders heeft zich gemeld. Het is een teleurstelling die typerend is voor de kinken in de kabel die we voortdurend tegenkomen. Negen personen met wie we hadden willen praten, die belangrijke getuigen hadden kunnen zijn, zijn overleden.'

Hoofdstuk 25

Jim was terug van zijn reis. Tot mijn verbazing begon hij niet te lachen toen ik hem vertelde dat mijn nichtjes en ik hadden besloten een medium te bezoeken. D was bij een bijeenkomst geweest in Glasgow en het medium op het toneel had haar naam genoemd omdat hij een 'boodschap' voor haar had. Toen ze hem nadien ontmoette, was ze verbijsterd toen hij haar vertelde haar arts te negeren die een diagnose had gesteld van ME en dat ze door moest gaan met de behandeling van haar homeopaat. Ze had het zo geregeld dat hij en de andere vijf naar haar huis zouden komen. We besloten van tevoren om niets te vertellen over de situatie met de politie om te kijken of hij onze familieband en onze intense betrokkenheid bij het onderzoek oppikte. Hij heette William en was jonger dan wij allemaal, wat betekende dat hij weinig belangstelling zou hebben voor wat er in 1957 was gebeurd – als hij al wist wat zich toen had afgespeeld. Tot dusverre had alle media-aandacht zich toegespitst op de Monklands en hij kwam uit Glasgow. We wilden alles wat hij zei opnemen.

D had ons allemaal gevraagd om zeven uur aanwezig te zijn, als haar echtgenoot William ophaalde van het station. Hij zou zes individuele consulten doen in haar logeerkamer. Ik was laat en arriveerde pas na negenen.

Ik weet niet zeker wat ik van Williams uiterlijk verwachtte, maar hij leek heel onschuldig en was gekleed in een spijkerbroek, een wit T-shirt en een sportjasje. Hij leek een jaar of dertig. Toen D het bandje verwisselde, zei ze: 'Dit is de laatste, William. Dit is Sandra uit Edinburgh.' Hij keek me taxerend aan. Ik ging bij hem op een stoel zitten en voelde me dwaas omdat ik, voordat hij begon, al een beetje in paniek was geraakt.

'Ontspan je nou maar, want het enige wat ik ga doen is met je praten, dus ik wil dat je kalmeert,' zei William. 'Oké? Je hoeft alleen maar ja of nee te zeggen. Je hebt een eindje gereden om hier vanavond te kunnen zijn.'

'Edinburgh.'

'Ik voel dat het vandaag een beetje lastig voor je was om hier te komen.'

'Dat was het zeker.'

Daar had hij helemaal gelijk in – vanwege een reeks van rampen was ik bijna helemaal niet gekomen. William keek me onderzoekend aan.

'En je hebt de laatste weken heel wat aan je hoofd gehad.'

'Maanden.'

'Je bent er nog niet uit. En dat is meer op een persoonlijk niveau. Er was de laatste tijd heel wat beroering binnen je familie. Gaat het wel goed met je?'

Ik knikte. Ik voelde me inmiddels een stuk beter.

'Wat je me vertelt,' zei William langzaam en voorzichtig, 'is dat je een heleboel te verduren hebt gehad en dat niemand ook maar een idee heeft hoeveel. Maar je grootmoeder is naar je toegekomen en ze heeft je geholpen en ondersteund.'

Het verbijsterde me dat William zo ontvankelijk was voor mijn gevoelens. Hij kon echt niet weten dat het hele gebeuren in gang was gezet toen Granny Jenny een jaar geleden overleed.

'Wat ze me vertelt is dat het je sterke karakter is dat je gaande houdt. Ze vertelt me dat je moet proberen je niet zoveel zorgen te maken, want zij gaat je helpen dit uit te zoeken. Begrijp je dat? En er is iemand in je buurt die heel koppig is – te koppig eigenlijk – het is net alsof je tegen een stenen muur slaat en er niet doorheen komt. Het is alsof het gesprek aan dovemansoren is gericht... Verspil niet nog meer energie.' William keek me scherp aan. 'Laat het allemaal maar gebeuren, want je emoties zijn gesloopt en dat mag je niet meer laten gebeuren. Je hebt eerst aan alle anderen gedacht en het wordt tijd dat je nu eerst aan jezelf denkt. Je hebt niet veel ondersteuning... je bent tevens vervreemd van je familie. Wat ze zeggen is – wat de vrouw in de geestenwereld me probeert te zeggen is dat je je niet zoveel zorgen moet maken. Hou ermee op jezelf van alles te verwijten, want jij bent niet verantwoordelijk.'

'Ik ben niet verantwoordelijk.' Ik herhaalde Williams woorden als een mantra.

'Begrijp je dat? Je neemt niét de schuld op je, hoewel er iemand is die je dat wel probeert aan te praten. Ze zouden eerst naar binnen moeten kijken,' William wees naar zijn hart, 'voordat ze naar buiten kijken. Want de kritiek rolt maar al te gemakkelijk uit hun mond, en daar is een simpele reden voor: het is gemakkelijker om anderen de schuld te geven dan die zelf op je te nemen. Ik moet eerlijk tegenover je zijn, ze lijken niet het gevoel te hebben dat ze fout zitten. De dame zegt dat jij hier op dit moment het belangrijkste bent, oké? Waar speelt hier een kind een rol?'

Ik vroeg me af of William telepathie gebruikte. Ik had aan Moira gedacht en hij noemde een kind. Zonder iets te zeggen haalde ik een naamloze foto van Moira uit mijn tas.

Ik schoof de foto naar hem toe.

'Dit is het kind,' zei ik.

'Ik weet het.' William keek vluchtig naar de foto. 'Het enige wat ik krijg is – ik krijg geen aansluiting aan de andere kant... Het enige wat ze me vertellen is dat er een dáme in de geestenwereld is die probeert te helpen.'

'Ik heb al een eeuwigheid nachtmerries over dit kind,' viel ik hem in de rede. Er viel een stilte en William keek me vol mededogen aan. Hij concentreerde zich intens, alsof hij naar een gesprek luisterde dat ik niet kon horen.

'Wat ze me vertellen is... dat er iemand verbonden is met dat kind – familie? – en dat die haar heeft meegenomen.'

'Ja.'

'Ze hebben haar een vals gevoel van veiligheid gegeven – en haar toen meegenomen, kilometers bij haar huis vandaan. En ook is het nog niet helemaal uitgezocht.'

'Dat klopt.'

'Juist. Het kind is nu volwassen en weet niet wat er toen is gebeurd.'

'Ik was een kind toen dit gebeurde, en ik weet het niet, maar is dít kind,' ik wees naar Moira's foto, 'aan gene zijde? Kun je me dat vertellen?'

'Ja, als ik eerlijk ben. Het spijt me, maar dat voel ik.'

'Ja, ik denk het ook,' was ik het verdrietig met hem eens.

'Ze is daar, ja. Ze is daar.'

'Ze is geen lid van mijn familie, maar ik heb het gevoel – ' op dit moment stokte ik. 'Het kind is er niet meer en ik heb het gevoel dat mijn vader daar verantwoordelijk voor is.'

William staarde langs me heen, naar de hoek van de kamer, maar ik zag niets.

'Ik voel nu dat dit kind eind dertig of begin veertig is, misschien drieënveertig? Kort na haar verdwijning ging ze over.' Hij knipte snel met zijn vingers en ik maakte een luchtsprong. 'Maar ze is in je gewone leven een paar keer naar je toegekomen.'

Mijn ogen sperden zich wijdopen. Er was maar één ding waar hij het over kon hebben.

'Ze – ik heb nachtmerries gehad over dit kleine meisje,' zei ik met krakende stem.

'Omdat ze je drie keer in de vorm van een droom heeft opgezocht.'

'Ja.' Het woord was slechts een gefluister. Je kunt het op de bandopname nauwelijks horen.

'Dat is om je te laten – '

'Ze heeft me de waarheid verteld.'

'Daarom heb je het nu zo moeilijk. Het enige wat ik blijf zien is dat ze hem heeft vergeven.'

Er viel een stilte.

'Maar ik kan hem niet vergeven,' zei ik.

'Dat bedoel ik dus. Wat ze zeggen is dat ik jou moet vertellen dat je moet oppassen als alles in de openbaarheid komt. Oké? Want jíj zult de pijn voelen.'

'Die voel ik nu al,' zei ik, en dat was waar.

'Ik heb het gevoel dat je niet weet tot wie je je moet wenden, en het enige wat ze zegt is dat ze – rustig maar, rustig maar.' William probeerde me te troosten. Toen ging hij weer rechtop zitten en leek in een totaal ander persoon te veranderen. 'Ze was een echte vrolijke kletskous, en heel erg, je weet wel, als kind...' William bewoog zijn hoofd zoals een jong meisje dat zou doen en zijn stem veranderde in die van een kind. '"Ja, laten we hier naartoe gaan." Ze klinkt een beetje deftig. En ze laat me een speelplaats zien... waar ik bij in de buurt ben... een speelplaats.'

Waar ik bij in de buurt ben. Dat kon alleen maar Dunbeth Park zijn, dicht bij haar huis.

'Een park met glijbanen?' vroeg ik zachtjes aan William. Je kon zien dat hij nog steeds haar was.

'Ja. Ik zie zelfs iemand die aan het touwtjespringen is. Er zijn wat bomen en achter me ligt een hoofdweg – zegt dat je iets? – en ik lijk een blauwe jurk aan te hebben, iets blauws. Ik moet ervoor zorgen dat ik deze informatie aan de goede persoon geef – mijn gids vertelt me dat het heel veel kracht heeft gekost om haar hier te brengen. Maar ze ís aan gene zijde, ze is niet hier. Oké?'

'Ik begrijp het,' zei ik. 'Ik denk dat ik dat al een jaar weet.'

'Ze is overleden.' Williams eigen stem was weer terug, en dat luchtte me op, want het was de laatste paar minuten heel eng geweest en de haren in mijn nek waren recht overeind gaan staan. Via deze jongeman was het Moira gelukt om die ene herinnering die ik van haar had en die ik recentelijk had opgeschreven, te bevestigen. 'En het was volgens mij geen natuurlijke dood. Als ik eerlijk mag zijn, ik heb het gevoel dat het kind te veel heeft gezien. Ze laat het me niet echt zien – maar ja, soms zijn er dingen die ik niet mág zien – maar ik voel dat jíj er ook iets van hebt gezien.'

William keek me indringend aan.

'Ik heb er zeker iets van gezien.'

'Ik voel dat je het niet kon geloven toen je het zag. En het heeft niets te maken met je fantasie. Want,' ging William verder, terwijl hij nog een keer met zijn vingers knipte, 'je leven ging gewoon die kant op, van de ene op de andere dag. Ik voel dat ze me willen vertellen dat je de zaken nu op hun beloop moet laten. Wat ik doorkrijg is dat het kind – ze vertrouwde de persoon die haar heeft meegenomen. *Ze vertrouwde de persoon.* Alles wat ik doorkrijg is dat ze naar je toe is gekomen – jullie hadden op een bepaald moment een hechte band? – en het lukte haar pas recentelijk om contact te zoeken…'

'Heel recentelijk, pas de laatste paar weken.'

'Want de simpele reden is dat ze je gewone leven niet eerder in de war wilde schoppen, want het zou heel veel schade hebben aangericht,' legde William uit. 'We mogen ons vanuit de geestenwereld pas met iemand bemoeien als er een tijd aanbreekt waarin er echt iets gedaan moet worden. Daarom hebben de gidsen haar niet toegestaan om je eerder te benaderen, maar nu kan ze naar je toekomen. Je moest eerst verdergaan met je eigen leven en toen je net je kinderen kreeg was je te beschermend en dan zou je alles hebben willen uitpluizen en dan zou je helemaal gek zijn geworden. Maar ze zijn nu volwassen en onafhankelijk.'

'Dat klopt.' Ik stond versteld hoeveel hij leek te weten over een vrouw die hij nog nooit had ontmoet, en van wie hij alleen de voornaam kende. Aan de diamanten ring en de trouwring aan mijn linkerhand kon je natuurlijk zien dat ik getrouwd was, maar er waren geen aanwijzingen over mijn kinderen of hun leeftijd.

'Ze zijn onafhankelijk,' herhaalde hij, 'en ze vinden hun eigen weg en ze trekken de wereld in. Daarom zijn ze nu in staat om het contact door te laten komen.'

'Contact door te laten komen?'

'Vergeet niet dat ze geen kind meer is. We kijken nu naar een volwassen vrouw en in die gedaante zie je haar waarschijnlijk ook.'

'Nee, ik heb haar gezien zoals ze hierop is,' zei ik, en tikte op de foto. 'Maar in mijn dromen veranderde ze in mijn eigen kleine meisje.'

'Is dat zo? Dat komt waarschijnlijk vanwege de onschuld ervan. Begrijp je wat ik bedoel? Misschien probeerde ze je ook te waarschuwen.'

'Waarschuwen?'

'Zoals, let op wat je doet. Wees voorzichtig met je emoties. Weet je wat ik bedoel? Dat soort dingen. Verder heeft ze vermoedelijk meegelopen met jouw eigen kleine meisje – ze was daar om haar te beschermen en ervoor te zorgen dat niemand haar kwaad zou doen. Maar je hebt haar niet in een volwassen vorm gezien als ze naar je toekomt, hoewel je je op een gegeven moment wel van haar volwassenheid bewust was. De dromen zijn inmiddels gestopt – nietwaar? – om je weer een beetje tot rust te laten komen. Want je móét op dit moment tot rust zien te komen, anders word je gek. En ik moet dit zeggen, ze maakt zich op dit moment meer zorgen over jóú dan over iets anders en je moet proberen te accepteren dat ze echt weg is.'

Nu vielen me de zweetdruppels op Williams voorhoofd op. Hij zag er uitgeput uit. Maar ik moest nog één ding aan hem vragen voordat de sessie voorbij was.

'Maar ik moet proberen erachter te komen waar hij dit kleine meisje heeft gelaten. Haar familie heeft nooit geweten wat er met haar is gebeurd.'

'Het lijkt in de buurt te zijn van een groeve, of een plek waar een heleboel land is.' William was gespannen en spitste zijn oren. 'Maar mijn gids vertelt me dat het bijna onmogelijk zal zijn om het stoffelijk overschot van dat kind te vinden. De plek waar haar lichaam is.' Toen voegde hij eraan toe: 'Ze zullen waarschijnlijk iets aan jóú onthullen. Maar het zal moeilijk zijn om het te vinden, want er zijn in dat gebied heel veel dingen veranderd. Het spijt me dat ik je niet meer kan geven, maar dit is wat je leven domineert. Je zou je nooit tegen een man hebben gekeerd die je respecteert en liefhebt als je niet het gevoel had dat het belangrijk was. Maar ik denk niet dat je familie dit zal accepteren.'

'Mijn moeder accepteert het niet.'

'Ze denkt vermoedelijk dat je gek aan het worden bent en ze zal het echt nooit accepteren – maar ze weet dingen over je vader die niemand weet. Ze zal hem vermoedelijk tot het bittere eind – '

'Blijven verdedigen!' zeiden we eensluidend.

William verzekerde me nogmaals dat Moira's geest het goed maakte en voegde eraan toe dat haar beide ouders nu bij haar waren. Ik vroeg of hij dacht dat het lichaam in het water was gegooid.

'Het enige wat ik doorkrijg is een groeve, dus het zou water kunnen zijn, ik weet het niet. Als je dat soort plekken ziet, is er meestal water in de buurt. Maar ik zie niet dat ze in zee is gegooid.'

'Weet je nog dat je zei dat ze meegenomen was? Ik weet het zeker,' peinsde ik, 'maar het kan niet vér zijn geweest.'

'Het is niet ver, maar het is absoluut in de buurt van een groeve,' zei William, die opstond en naar de deur liep. 'Ze heeft me niet verteld wat er is gebeurd. Ik zal kijken wat ik voor je kan doen. Blijf hier, dan haal ik een glas water voor je.' Hij was zichtbaar aangedaan.

Toen C hem naar het station bracht, zei hij haar de auto te laten staan en morgen op een andere manier naar het noorden te reizen. Toen zei hij: 'Hoe dicht sta jij bij de laatste vrouw die ik heb gesproken?'

'Eigenlijk zijn we allemaal familie van elkaar,' antwoordde C. 'Ik ben haar nicht. Hoezo?'

'Ik kon haar niet vertellen wat ik doorkreeg... Het was een moord. Vertel haar maar dat ik de politie met alle plezier van dienst zal zijn. Goedenacht. Ga niet met deze auto op pad, oké?'

C staarde naar hem toen hij uitstapte en het station inliep.

De dag daarop bracht ze haar auto naar de garage voor een onderhoudsbeurt. Er kwamen meerdere mankementen aan het licht.

Hoofdstuk 26

Ik weet zeker dat er mensen zijn die heel cynisch zullen reageren op wat zich op de avond van 23 april 1993 in Coatbridge afspeelde, en vooral dat gesprek tussen een jongeman uit Glasgow en een vrouw uit Edinburgh, die hij nog nooit had gezien. Ze zullen zich niet alleen de oprechtheid afvragen, maar ook de echtheid. Het enige wat ik kan zeggen is dat Jim McEwan daar niet bij hoort.

D's zwager kopieerde de bandjes van onze gesprekken en Ronnie luisterde er heel aandachtig naar. Hij zei: 'Geef ze aan de politie en vertel hun dat hij graag wil helpen, en laat het dan maar aan hen over om te bepalen of deze man een fraudeur is of te vertrouwen.'

Terwijl de tape naar het politiebureau van Airdrie ging, gaf D me Williams volledige naam en adres en ik belde hem op om hem te laten weten dat de politie misschien contact met hem zou opnemen. Hij klonk niet verbaasd. 'Ik zal alles doen om te helpen,' zei hij simpel. 'Het is wel eens vaker gebeurd.'

Hij vertelde me iets over zijn achtergrond en ik realiseerde me dat hij zijn gave heel serieus nam.

'Dus je vindt het goed als ik je naam doorgeef aan de politie?' vroeg ik.

'Absoluut,' zei William. 'Wees je er overigens van bewust dat je oma me vertelde dat ze niet in vrede kan rusten omdat ze je vader al die jaren heeft beschermd. Nu ze aan gene zijde is, weet ze dat hij verantwoordelijk is. Dat is de reden waarom er nu iets wordt gedaan om de justitiële weegschaal weer in balans te brengen.'

Ik zweeg. Ik dacht aan Granny Jenny en de cryptische opmerkingen die ze had gemaakt, waarna ze ze altijd weer terugtrok of het gespreksonderwerp veranderde.

'Ze kwam bij me terug,' zei William, alsof hij iemand beschreef tegen wie hij op straat was aan gebotst.

'Dus ze maakt zich nog steeds zorgen om mij?' vroeg ik belangstellend.

Zijn antwoord was heel openhartig. 'O, nee, dat denk ik niet. Ze is alleen erg van streek omdat hij dezelfde naam heeft als zijn vader, die volgens haar een heel respectabele ambulancebroeder was.'

'Heeft ze je verteld wat zijn naam was?' Ik hield mijn adem in.

'Ja, dat heeft ze gedaan,' zei hij vrolijk. 'En ik kan zien dat jij ook naar hem bent vernoemd – het is Sandy, of Sanny of zoiets, een afkorting van – '

'Alexander.'

'Dat klopt. Zij maakte zich ook zorgen over de achternaam, omdat die zo ongebruikelijk was.'

Jim McEwan en Gus Paterson spraken de week daarop met William. Ze verzekerden me dat het allesbehalve belachelijk was om hem erbij te betrekken. Jim sprak van een recent moordonderzoek waarbij ze de moordenaar van een vrouwelijke taxichauffeur uit Rutherglen met de hulp van een helderziende te pakken hadden gekregen. Moira's verhaal was heel gecompliceerd en dateerde van lang geleden en daarom was Jim meer dan bereid om William te ontmoeten en zelf een mening te vormen. De twee politiemannen haalden William op, brachten hem naar Coatbridge en reden hem rond om te zien of hij ergens iets oppikte.

Ik sprak de dag daarna met Gus. Hij zei dat hij bijna net zo ondersteboven was geweest van William als ik. 'Het was heel griezelig,' zei hij. 'Jim en ik wilden die vent zo min mogelijk aanwijzingen geven en daarom reden we hem rond om te kijken wat hij zou zeggen en doen. We reden door Cliftonville en het was net alsof hij tot leven kwam. Hij herkende haar straat en mompelde iets over "niet goed uitzien". Het huis van de Andersons is jaren geleden gesloopt. Hij zei: "Het is hier niet meer", hoewel de rest

van de huizen nog precies hetzelfde is. Hij sprak over het nabijgelegen park en vertelde ons hoe we daar moesten komen. Toen, bij
de poort, vroeg hij op de man af of we misschien een ex-politie-
man aan het ondervragen waren. Hij leek verward en hield toen
vol dat de man met wie we moesten praten een uniform draagt.
Hij bleef maar herhalen: "Ze zegt dat ze hem vertrouwde vanwege zijn uniform, dus dan moet het volgens mij een politieman
zijn." Toen zei hij even later: "Wat voor rol speelt een bus in dit
verhaal? Ik krijg heel duidelijk door dat ze in de bus stapte." Op
de weg terug van Townhead liet hij ons een zijweg inrijden. We
reden naar Gartgill Road, een nogal verlaten plek. De weg voert
naar verlaten putten en groeven, maar hij liet ons stoppen bij een
grote vijver daar, vlak bij het oude seinhuisje. Hij leek op zoek te
zijn naar drie grote stenen schoorstenen vlak bij het spoor. Er
wáren daar jaren geleden oude stenen fabrieken, maar die zijn in
de jaren zestig met de grond gelijkgemaakt.'
   'Ik heb mijn hele jeugd in Coatbridge gewoond,' zei ik, 'en ik
heb me nooit afgevraagd waar dat smalle weggetje naartoe leidde.'
   'Het is daar van God verlaten, hoewel het slechts anderhalve
kilometer bij het centrum van de stad vandaan ligt,' stemde Gus
in. 'Het weggetje valt maar weinig mensen op. Die vijver ligt niet
zo ver van de eindhalte in Townhead. Alle chauffeurs weten
waarschijnlijk dat er in het bos waar ze altijd keerden een vijver
was. Nu kun je hem niet meer zien vanwege de hoge flatgebou-
wen. William stapte uit de auto en vertelde ons dat hij Moira
overal om zich heen voelde. Het is daar moerassig en je zakt tot
je knieën in het veen, maar hoewel hij de exacte plek niet kon
aanwijzen, zei hij dat hij er zeker van was dat hij in de juiste richting werd geleid. Toen verbleekte hij en begon over te geven. Hij
stikte er bijna in. Hij vertelde ons dat hij daar onmiddellijk weg
wilde.'
   Ik herinnerde me Williams bleke gelaatskleur van de vorige
keer en besloot dat het heel moeilijk was om over te geven, tenzij
je je echt beroerd voelde.
   'Hij vertelde over mannen die verbrand en verdronken werden
en zei dat het een tragische plek was. Hij was hevig overstuur en

daarom brachten we hem naar het politiebureau in Airdrie waar we hem de gelegenheid gaven zich even op te frissen.

We controleerden de kaart van de hele stad hier op de muur,' ging Gus verder. 'Ik probeerde me de plaatselijke naam voor de vijver te herinneren, tot een of andere vent zei dat hij in dat deel van Townhead had gewoond. Hij vertelde ons dat de torenflat Witchwood Court heet en dat de vijver al een eeuwigheid dezelfde naam draagt.'

'Witchwood Pond,' herhaalde ik.

'Ja,' beaamde Gus. 'Je zou dat even kunnen navragen bij onze plaatselijke historicus.'

Ik had wat moeite om de weg te vinden in de bekende holletjes van de Carnegie Library, waar John White, een expert wat de folklore van de Monklands betreft, een gigantisch archief heeft opgebouwd. Ik ontdekte dat, hoewel er maar heel weinig historisch bewijs bestond van de heksenjacht die enkele honderden jaren geleden in dat deel van Coatbridge had plaatsgevonden, niemand ooit had kunnen verklaren waarom dat bos en die vijver die bewuste naam dragen. Ik nam me voor zo snel mogelijk naar die plek toe te gaan.

Op mijn eerste vrije middag trok ik eropuit om een gebied te verkennen uit mijn jeugd, waar wij als kinderen nooit naartoe waren gegaan. Ik parkeerde mijn auto bij het seinhuisje, klom over een paar draden en liep toen in de richting van Witchwood Pond, die omringd werd door felgekleurde goudsbloemen.

Ik had me zorgen gemaakt dat ik die vreselijke gevoelens van deze weelderige groene plek te midden van een industriegebied ook zou oppikken, maar dat gebeurde niet. Ik was niet nerveus, hoewel ik daar in mijn eentje een halfuur heb rondgelopen, zonder iemand te zien. Misschien waren hier echt vreselijke dingen gebeurd, maar ik kon de kwaadaardigheid die William van streek had gemaakt, niet vinden. Ik had een bos roze anjers meegebracht en legde ze neer op het zachte mos voordat ik opstond en daar wegging.

Hoofdstuk 27

Tijdens zijn bezoek aan Leeds op 18 mei had Jim mijn vader gearresteerd op verdenking van de moord op Moira Anderson. Toen moest hij hem tot 11 augustus op borgtocht vrijlaten. Hij wilde in augustus de vijver bij Witchwood doorzoeken, als de ondergroei gesnoeid kon worden, en daarbij duikers inzetten, maar het begon er steeds meer op te lijken dat het hele gebeuren tijdens de zomer nationale aandacht zou krijgen.

Al zijn maanden aan werk, opgeborgen in zeven grote archiefdozen, bevonden zich bij de substituut-officier van justitie, ene meneer Griffiths, die volgens Jim wel met A en B zou willen spreken. Voor de volgende stap zouden we op zijn besluit moeten wachten. Zijn aanbevelingen zouden dan op het ministerie van Justitie in Edinburgh worden bekeken.

De dagen gleden voorbij, maar mijn nichtjes hoorden niets van het kantoor in Airdrie en ik ging naar het zuiden naar de universiteit van Nottingham voor een zomercursus. Toen ik terugkeerde zei Ronnie dat ik Jim moest bellen.

De volgende ochtend, op 29 juli, ging ik naar het politiebureau en Jim liet me de brief zien die hij van het ministerie van Justitie had gekregen. Bovenaan stonden de naam van mijn vader en zijn volledige adres, met eronder de woorden 'Onderzoek naar de verdwijning van Mary McCall Anderson (bekend als Moira) in Coatbridge, Lanarkshire, 23 februari 1957'. Toen: 'Het Schotse ministerie van Justitie heeft met belangstelling kennisgenomen van het onderzoek zoals dat tot op heden is verlopen en brengt het advies uit dat deze kwestie tot op de bodem moet worden uitgezocht. Ook verder bewijsmateriaal dient getoetst te worden. Tot nader bericht instrueren wij u hiermee verder te gaan.' Hieronder stonden de namen van mijn vier nichtjes. Mijn vader werd ook genoemd in verband met de vijf beschuldigingen van veelvuldig obsceen en wellustig gedrag jegens hen. Ik las de afsluitende zin en kon mijn ogen niet geloven. 'Wat genoemde zaken betreft, wordt geadviseerd geen verdere stappen te ondernemen.'

Ik wist dat mijn vader de aanranding van A had toegegeven en hij had nog een bezwarende verklaring afgelegd die op de band stond, en daar viel uit op te maken dat de beschuldigingen van B ook terecht waren. Wat hadden ze nog meer nodig? vroeg ik me boos af.

'Ik heb met de officier van justitie gesproken en hij wil zijn redenen niet noemen,' legde Jim uit. 'Het mag een beetje vreemd klinken, maar ze hoeven jou of mij niet te vertellen waarom. Ik heb David Griffiths verteld dat jij dit besluit met geen mogelijkheid zult kunnen begrijpen, Sandra. Ik wist zeker dat je antwoorden van hem wilde en daarom heb ik ervoor gezorgd dat je zo meteen naar zijn kantoor wordt gebracht.'

Jim en ik liepen naar de plek waar een chauffeur stond te wachten. Jim ging naast me zitten op de achterbank en zei dat hij ons aan elkaar zou voorstellen. Even later arriveerden we bij het grote en ruime kantoor van de officier van justitie en Jim begeleidde me naar boven, naar een stoel waar ik kon wachten. Toen meneer Griffiths binnenkwam, stelde Jim ons keurig aan elkaar voor en ging toen weg. Hij moest zo neutraal mogelijk zien te blijven, maar ik voelde me niet op mijn gemak toen ik nogal koeltjes naar een kantoor werd gebracht.

De man ging achter een enorm bureau zitten en ik vroeg hem naar de verwarrende beslissing over mijn vader en mijn nichtjes. Alsof hij een lezing gaf, vertelde hij me dat het al eeuwenlang een traditie was dat het ministerie van Justitie nooit redenen opgeeft. 'De documentatie die ik naar Edinburgh heb verzonden is daar op een heel hoog niveau behandeld, mevrouw Brown,' antwoordde hij stijf. 'Kennelijk zijn ze unaniem tot de conclusie gekomen dat het het algemeen belang niet ten goede komt als die kwestie met

uw nichtjes verder wordt uitgewerkt. Met andere woorden, volgens hen is het niet de moeite waard met deze zaak verder te gaan.'
Niet de moeite waard! Ik voerde aan dat aanranders niet stoppen en dat mijn vader door de jaren heen het aantal slachtoffers had uitgebreid. Hoe konden ze tot dit krankzinnige besluit zijn gekomen om niets te doen aan mijn nichtjes en het trauma wat ze hadden ervaren? Als ze hem in staat van beschuldiging zouden stellen, en hem naar het noorden haalden, was de kans namelijk heel groot dat hij ook een moord zou bekennen.
'Laat me u in herinnering brengen dat er geen moord is zonder een lichaam,' zei Griffiths. 'De zaak-Moira Anderson is in principe nog steeds een onderzoek naar een vermiste persoon, en meer niet.' Hij ging verder en vertelde me dat er natuurlijk een of twee voorbeelden waren geweest in de Britse rechtszalen van een moordproces zonder een lichaam, maar dat kwam echt maar heel zelden voor. Meestal was er in die gevallen meer bewijs geweest. Alles wat hij in de papieren van Jim had gelezen, zei hij, was bijna allemaal van indirecte aard en er was geen bewijs dat Moira Anderson door mijn vader was vermoord. 'Ik weet dat uw vader wat bezwarende en verdachte dingen heeft gezegd, maar die hebben het niet helderder voor ons gemaakt. Zoals ik het zie, is de politie niet veel verder dan in 1957.'
Dit was onzin en dat wisten we allebei.
'Mijn vader heeft niet alleen tegen mij gelogen, maar ook tegen andere mensen. Dat hij Moira zogenaamd niet kende, dat hij toentertijd ondervraagd werd terwijl dat nooit is gebeurd, en de bandopnames die met zijn medewerking in Leeds zijn gemaakt, zitten vol tegenstrijdigheden.'
'Dat mag zo zijn, maar dat iemand ergens over liegt, wil nog niet zeggen dat het tegendeel waar is,' zei Griffiths. 'Tegenstrijdigheden zijn niet genoeg om op verder te gaan. Uw vader heeft een aantal heel verdachte dingen gezegd, maar wij nemen het standpunt in dat iets zeggen niet hetzelfde is als een bekentenis.'
Hij ging verder. 'Ik heb nooit begrepen – wat hoopt u met dit alles te bereiken? Waarom zouden deze vrouwen in de getuigenbank willen plaatsnemen om getuigenis af te leggen over smerige

daden die uw vader lang geleden heeft begaan? Wat zou de voldoening zijn voor uw nichtjes om hier in Airdrie in een getuigenbank te zitten, tegenover de plaatselijke hufters, en te beschrijven wat uw vader al die jaren geleden met ze heeft uitgespookt?'

'Gerechtigheid, misschien.' Mijn wangen werden rood van woede. 'Gerechtigheid voor wat er met hen is gebeurd en al zijn andere slachtoffers, inclusief de slachtoffers die niet meer voor zichzelf kunnen spreken. Zoals Moira, die vermoord is.'

'U mag dit geen moordonderzoek noemen, het gaat om een vermiste persoon,' zei Griffiths opnieuw. 'Mag ik u eraan herinneren dat uw vader zijn straf heeft uitgezeten.'

Ik keek hem vol ongeloof aan. 'Meneer Griffiths, deze vergrijpen tegen mijn nichtjes vonden plaats nádat mijn vader zijn straf had uitgezeten in de gevangenis van Saughton. Ik was me niet bewust van wat hij hun had aangedaan tot dit onderzoek het aan het licht bracht. Wat moet ik ze nu vertellen?'

'Er zijn met ons allemaal smerige dingen gebeurd,' antwoordde hij. Hij beschreef wat dingen die hij op dit moment tegenkwam in zaken van kindermishandeling, en zei dat wat er met mijn familie was gebeurd ver in het verleden lag en relatief gesproken niet zo ernstig was.

Trillend van woede maakte ik een fout die me later zou achtervolgen. 'Als u de tijd had genomen om met mijn familieleden te praten, zou u weten dat ze allemaal emotioneel beschadigd zijn en u bent absoluut niet in de positie om de effecten ervan te beoordelen tenzij u zelf ooit een slachtoffer van seksueel misbruik bent geweest. Hij vormt wat mij betreft nog steeds een gevaar voor kinderen. Wat vindt u van zijn recente gevangenisstraf?'

'Daar weet ik niets van,' antwoordde Griffiths.

Ik ging door en benadrukte dat ik me vanwege mijn eigen expertise, het lesgeven in de ontwikkeling en bescherming van kinderen, gekwalificeerd voelde om te beoordelen of mijn familie nog steeds leed. Hij stond op. Mijn vasthoudendheid ergerde hem. Ik kon zien dat hij aan het eind van zijn geduld was en dat hij opgelucht was toen ik opstond. Ik vertelde hem dat ik naar het ministerie van Justitie zou schrijven om een klacht in te dienen.

Hij gaf me een briefje met hun adres. 'Er is niemand die u of uw familieleden niet gelooft,' herhaalde hij meerdere keren, 'maar ik verzeker u dat het gewoon niet in het algemeen belang is om met deze zaken door te gaan.'

Voordat ik naar huis ging, sprak ik even kort met Jim en ik vertelde hem over mijn gesprek met Griffiths. Ik liet hem achter met de opmerking dat ik het hier niet bij zou laten. 'Dat had ik ook niet verwacht,' antwoordde hij met een grijns.

De volgende dag verstuurde ik een klachtenbrief naar het ministerie van Justitie en slechts enkele dagen later ontving ik een kort en formeel antwoord, dat me beleefd met een kluitje in het riet stuurde. Er stond in dat het een eeuwenoude traditie was van het Schotse ministerie van Justitie om haar redenen om tot een besluit te komen, niet te onthullen. Ze hoefden me niets te vertellen.

Ik werd op een beleefde manier afgescheept en dat meldde ik vol ongeloof aan Jim.

'Misschien is het een idee om een goede advocaat te zoeken,' zei hij.

'Een advocaat! Maar ik heb niets gedaan!' protesteerde ik. 'Waarom zou ik in godsnaam een advocaat nodig hebben?'

'Het was maar een idee,' antwoordde hij. 'Ik denk dat jullie goed en onafhankelijk advies nodig hebben van het beste wat jij en je nichtjes je kunnen veroorloven. Als je op dit moment niet wilt opgeven, zou je dat echt moeten doen. Je hebt een geduchte tegenstander, Sandra.'

'Ik geef het niet op. Ik heb het met mijn nichtjes besproken en we geven het geen van allen op,' antwoordde ik. 'Als het ons helpt, zal ik me door een deskundige laten adviseren.'

'Doe het. Je zult het nodig hebben.' Jims stem klonk berustend. 'Jij zult dit moeten overwinnen. Veel geluk.'

Later kwam ik erachter dat het maar zelden voorkomt dat iemand de beslissingen van het ministerie van Justitie in twijfel trekt, en zeker niet iemand uit het gewone publiek. Er waren maar twee alternatieven. Óf deze krankzinnige beslissing publiceren, óf een civiele procedure beginnen.

Hoofdstuk 28

Er is in heel Schotland geen onafhankelijk lichaam dat door een neutrale persoon wordt voorgezeten en dat een onderzoek kan instellen naar een klacht tegen het rechtssysteem, dat zich kan verbergen achter de smoes dat het niet aansprakelijk is voor enig besluit en dat het niet hoeft te onthullen waar dit besluit op is gebaseerd. Tegenwoordig is er ondersteuning voor de dader, maar niet voor het slachtoffer. Ik vertelde Jim dat ik door justitie werd genegeerd en hij stemde in met mijn volgende verzoek. Ik wilde een ontmoeting met Eileen McAuley, de plaatselijke verslaggever die de heropening van het dossier enorm veel media-aandacht had gegeven. Jim kende haar goed en respecteerde haar.

In augustus was de belangstelling van de media voor Moira en mijn vader nog niet voorbij. De kranten kopten allerlei speculaties, maar zelfs nu kon er geen link worden gelegd tussen de man die in Leeds regelmatig was ondervraagd over de verdwijning van Moira Anderson in 1957 en de man die door een groep vrouwen in Coatbridge werd beschuldigd van seksueel wangedrag. De mensen ten zuiden van de grens waren zich niet van deze connectie bewust. Dat werd me althans verteld door Ann Inglis, hulppredikant van mijn kerk. Ze was op vakantie geweest bij haar familie in Yorkshire en was totaal verbijsterd om details die ik haar in vertrouwen had verteld, terug te zien in het nieuwsbericht van de plaatselijke televisiezender.

'Ik was stomverbaasd,' vertelde ze me later. 'Ze zeiden dat een plaatselijke bejaarde man drie keer in Leeds door de Schotse politie is ondervraagd in verband met de verdwijning van Moira, en ze lieten een foto zien van het kleine meisje dat afkomstig was uit zijn geboortestad in Lanarkshire. Ze zeiden dat hij op dit moment op borgtocht vrij was terwijl het Schotse ministerie van Justitie zich beraadt of ze hem wel of niet in staat van beschuldiging zullen stellen. De hele kwestie was daar voorpaginanieuws.'

Zoveel publiciteit en dat op mijn vaders eigen terrein gaf me de kriebels. Ondanks haar geruststellingen dat ik een zeer geloofwaardige getuige zou zijn, en dat baseerde ze op haar ervaring als advocaat, was ik nog steeds bang voor een grote rechtszaak met alle publiciteit die daarbij hoorde. Ik wilde niet 'beroemd' worden als de vrouw die haar eigen vader had beschuldigd van een moord die had plaatsgevonden toen ze zelf acht jaar oud was.

Eileen McAuley en ik troffen elkaar in een klein café, dicht bij het kantoor van de *Airdrie and Coatbridge Advertiser*. We spraken over Williams onverwachte betrokkenheid en hoe van streek mijn nichtjes en ik waren over de laatste gebeurtenissen, en de mogelijkheid een advocaat in te huren die het op wilde nemen tegen de gevestigde orde. Ik vertelde haar dat ik had overwogen John Smith te benaderen, het plaatselijke parlementslid. Twee van mijn nichtjes woonden in zijn kiesdistrict.

Ellen fronste haar voorhoofd. 'Hij zou kunnen helpen. Door zijn eed is hij verplicht alles te doen wat hen kan helpen, en misschien zelfs jou. De ontwikkelingen in deze zaak kunnen hem niet zijn ontgaan.'

We spraken een uur lang, maar ik was voorzichtig en noemde niet de volledige naam van mijn vader of mijn nichtjes. We schudden elkaar de hand en kwamen overeen contact te houden. Ik stond niet te trappelen om met een andere journalist te praten en op de een of andere manier had haar band met Jim geholpen. Ik had een positief gevoel over Eileen en wist dat ze mijn vertrouwen niet zou beschamen. Ik schreef een brief naar John Smith.

Op 11 september, terwijl ik languit in bed lag met de zaterdagochtendkrant en een dienblad met mijn ontbijt erop, belde hij me op. De stem aan het andere eind van de lijn was kordaat, maar vriendelijk. 'Uit uw samenvatting heb ik begrepen dat twee van de slachtoffers in mijn kiesdistrict wonen?'

'Ja, en ze zouden u graag willen ontmoeten. Ze hebben recht om hun verhaal te doen in de rechtszaal en er zijn mensen die naar hen luisteren en die hen geloven. Niet zoals vroeger, nu jaren geleden, toen niemand het wilde weten.'

'Nou, die houding is aan het veranderen, maar ik geef toe dat er nog steeds mensen zijn die liever de andere kant op kijken,' vertelde hij. 'Er is gedurende de laatste vijf jaar een overvloed van dit soort zaken in Schotland geweest en ze dateren allemaal van dertig jaar terug of meer. Het is inderdaad steeds het geval dat de slachtoffers zich toen niet durfden te melden en je kunt alleen maar hopen dat ze vandaag wat beter worden behandeld dan in het verleden.'

We bespraken mijn gesprek met meneer Griffiths en hoe mijn vader zichzelf met Moira in verband had gebracht. 'Maar het moet vreselijk moeilijk zijn geweest voor uw familie,' zei Smith na een korte pauze. Hij vertelde dat hij zich het oorspronkelijke verhaal nog goed kon herinneren, zoveel impact had het toen op hem gehad. 'Hoewel uw broers in 1957 nog heel klein waren, delen ze wel zijn naam. Coatbridge is niet zo groot en als eenmaal aan het licht komt wie de verantwoordelijke is, zal iedereen het weten. Ze moeten zich hier ernstige zorgen over maken en dat begrijp ik wel. Ik weet dat u denkt dat uw principes de juiste zijn, maar er zijn momenten dat je moet kiezen tussen je familie en je eigen integriteit. Je loopt namelijk het risico familiebetrekkingen te beschadigen.'

Ik mompelde mijn instemming, maar merkte op dat een andere familie in zijn kiesdistrict nóóit de waarheid zou weten over hun kind. Ik ging verder. 'Iedereen heeft het recht om over haar jeugd te praten, hoe ze is grootgebracht, haar leven. Zwijgen over pijnlijke herinneringen komt alleen maar de aanrander ten goede. Stilte helpt niemand en kleine meisjes lopen nog steeds een risico.'

Smith zei dat hij zijn best zou doen om te helpen. Hij zou een persoonlijke brief aan Lord Rodger schrijven, de procureur-generaal, en een gesprek aanvragen. Hij wenste me het beste en zei dat hij spoedig van zich zou laten horen.

Ik dacht na over wat hij had gezegd over familiebetrekkingen.

Ik wilde niet dat de kloof tussen mij en mijn broers dieper zou worden, maar ik kon nu niet meer terug. Ik dacht aan de laatste keer dat we bij elkaar waren, toen Norman erop had gestaan dat ik alles liet vallen en dat ik stopte met het ondersteunen van mijn nichtjes. 'Als dat meisje boven water komt en dit allemaal voorbij is, weet ik niet hoe je je zult voelen, Sandra,' had hij boos gezegd.

'Welk meisje?'

'Moira Anderson. Als ze gezond en wel boven water komt, hoe zul jij je dan voelen?'

Ik was met stomheid geslagen. Hij had zich nog steeds niet neergelegd bij de waarheid over onze vader.

Twee of drie weken na onze ontmoeting publiceerde Eileen een artikel in haar krant over de laatste ontwikkelingen van onze zaak, maar waakte ervoor geen link te leggen met het onderzoek naar Moira Anderson. De kop van 3 september was: VROUW WIL CIVIELE PROCEDURE.

Een vrouw is vastbesloten een civiele procedure te starten tegen haar vader vanwege beschuldigingen van kindermisbruik die van dertig jaar terug dateren. De vrouw die vroeger in Coatbridge woonde en wier naam we om justitiële redenen niet mogen noemen, is woedend omdat de autoriteiten hebben besloten geen vervolging in te stellen. Mevrouw X beweert dat haar drieënzeventig jaar oude vader – die niet meer in deze omgeving woont – vier vrouwelijke familieleden gedurende het begin van de jaren zestig seksueel heeft misbruikt.

Rechercheurs uit de Monklands, die de beweringen hebben onderzocht, leverden bij de officier van justitie in Airdrie een rapport in met diverse beschuldigingen van obsceniteiten en ontucht. Maar dit kantoor, dat handelt volgens het advies van het ministerie van Justitie, bepaalde dat het niet in 'het algemeen belang' was om met deze zaak verder te gaan. De heer A. Taylor Wilson, de officier van justitie, weigerde deze week om de zaak te bespreken, en verklaarde dat hij 'geen commentaar' had.

Mevrouw X houdt vol dat het rechtssysteem haar familie tekort heeft gedaan en benadrukt dat er geen verjaringswet is aangaande seksuele vergrijpen. 'Ik ben zeer van streek over het besluit van de officier van justitie, gesteund door het ministerie van Justitie, om mijn vader niet in staat van beschuldiging te stellen,' zei ze. 'Vanwege deze situatie zijn we nu gedwongen hem privé te vervolgen. De opmerking van de officier dat het niet in het algemeen belang is, is onacceptabel.'

Mevrouw X beweerde tevens dat het kantoor de vermeende vergrijpen tegen haar vier nichtjes heeft gebagatelliseerd. Ze zei: 'Ik merkte ook dat de effecten op lange termijn nog steeds evident zijn. Een slachtoffer heeft regelmatig psychiatrische hulp nodig gehad vanwege de gebeurtenissen in haar jeugd en een ander heeft vanwege het misbruik grote problemen gehad met het onderhouden van relaties. De houding die het ministerie inneemt, stuurt een volkomen verkeerd signaal de wereld in over misbruik van kinderen. Gedurende de jaren zestig werd er gewoon niet over gesproken, het was een taboe en dat vooral binnen de familie. Nu leden van mijn familie eindelijk de moed hebben opgebracht een officiële klacht in te dienen, worden ze door het rechtssysteem in het gezicht geslagen. Ik had gedacht dat men vandaag de dag rationeler zou zijn dan wat het justitiële kantoor in Airdrie mij heeft laten zien.'

Het artikel eindigde met de opmerking dat de politie het niet gepast vond om hier commentaar op te leveren. Maar privé waren Jim McEwan en Billy McCloy zeer ondersteunend.

Jim belde. Hij had luchtfoto's uit de jaren vijftig bestudeerd waarop de vijver in Townhead goed te zien was. Experts van de Glasgow University hadden hem verteld dat de topografie van het land daar door de jaren heen drastisch was veranderd, vooral na de hete zomer van 1959. Hij vertelde me dat alles wat duikers zouden kunnen vinden, van groot belang kon zijn om een link te leggen tussen Moira en haar moordenaar... een zwaar stuk gereedschap van een bus, of een wiel dat als gewicht had gediend. Ik herinnerde hem eraan dat de leren tas en het Co-op-boekje met de wasdoeken omslag die ze bij zich had gehad ook niet biologisch afbreekbaar waren.

'Je had politieagent moeten worden,' lachte Jim.

Mijn nichtjes A en B hadden zich zorgen gemaakt dat als het op een rechtszaak aan zou komen, het hun woord tegen dat van mijn vader zou zijn, gezien het feit dat er geen andere getuigen waren van de aanrandingen. Billy belde en verzekerde me dat in de Schotse wet de zogeheten Moorov Doctrine om de hoek komt kijken wanneer er aantijgingen van een bepaald gedragspatroon opduiken. Genoemd naar een zaak in Glasgow van jaren geleden, toen een winkeleigenaar zijn medewerksters molesteerde op avonden waarop hij ze gevraagd had over te werken, behelst deze regel dat als een groep van onafhankelijke getuigen komt met gelijkluidende klachten over een aanrander, hun verklaringen als een bevestiging worden gezien.

Hoofdstuk 29

Op 13 september 1993 ontving ik een formeel antwoord van John Smith, met daarop het groene valheklogo van het Lagerhuis.

Geachte mevrouw Brown,
Ik refereer aan ons telefoongesprek en de brief die u me stuur-de, waarin u uw zorgen zo volledig mogelijk onder woorden hebt gebracht. Zoals ik al voorstelde, kan ik dit het beste opnemen met de procureur-generaal, wat ik inmiddels heb gedaan. Ik zal u over zijn antwoord informeren.
Ik had het met u over de complicatie dat u in het kiesdistrict woont van Lord James Douglas-Hamilton. Ik heb hem geschre-ven waarom ik deze kwestie heb opgenomen met de procureur-generaal, maar het zou gepast zijn als u hem ook benaderde.
Met vriendelijke groet.

Ik had nou niet bepaald zin om aan mijn eigen parlementslid te schrijven en de zaken uiteen te zetten – het is zo lastig om alles in enkele zinnen samen te vatten – maar omdat John Smith zich zor-gen maakte over het parlementaire protocol, deed ik het maar.

Mijn brief was maar liefst vier pagina's lang, en ik had er bijna net zo lang voor nodig als voor de samenstelling van mijn laatste verhandeling voor de Open Universiteit. Ik keek het laatste deel nog even vluchtig door, want daar had ik wat onderzoek voor moeten doen in een van de bibliotheken van Edinburgh aangaan-de de Seksuele Vergrijpen (Schotland) Wet van 1976. Dit was de wet die mijn vader had overtreden en ik wilde dat heel graag uitzoeken en daarom had ik het deel dat de misdaad beschreef die hij tegen mijn nichtjes had gepleegd, met een stift gemarkeerd.

Seksuele Vergrijpen (Schotland) Sectie V:
Obscene (d.w.z. wellustige), onfatsoenlijke of libidineuze (wellustig verlangen naar overmatige seks) praktijken of gedrag jegens een meisje dat jonger is dan twaalf jaar.

Ik had de voetnoten over de Presentatie van Misbruik gelezen en had het stempel van mijn vader duidelijk teruggevonden in een tweetal paragrafen.

De seksuele ontmoeting tussen het kind en de volwassene kan een eenmalige ervaring zijn die zeer gewelddadig en traumatisch kan zijn, vooral als de volwassene in kwestie een toevallige kennis is of een vreemde. Het zou het motief kunnen zijn voor de moord op een kind. Het komt heel vaak voor dat er meerdere contacten en ontmoetingen zijn waarbij de avances jegens het kind aanvankelijk vrij onschuldig zijn, maar terwijl dagen, maanden en jaren voorbijgaan, bereiken de avances vaak het stadium waarin er geslachtsgemeenschap of een homoseksuele overweldiging plaatsvindt met het kind. Een crescendoachtige geschiedenis is typisch voor deze klachten.

Als de seksuele ontmoeting gewelddadig is geweest, zal het kind vaak meerdere verwondingen hebben aan het lichaam of de geslachtsdelen, in sommige gevallen kan deze ontmoeting ook resulteren in de dood van het kind. Het slachtoffer kan tijdens het misbruik vastgehouden, gewurgd of gesmoord zijn, of er is een scherp of stomp trauma veroorzaakt om ervoor te zorgen dat het kind zwicht voor de seksuele eisen die aan haar/hem worden gesteld, of als deel van de sadistische aard van de aanranding. De daad van penetratie van een kind door een volwassene kan resulteren in de dood van het kind als gevolg van een hartstilstand door *nervus vagus*-prikkeling. Het lichaam van een jong kind zal vaak geen ander bewijs van gewelddadigheid laten zien dan tekenen van seksuele penetratie.

Een kind dat misbruikt is brengt dat heel vaak niet meteen naar buiten, het kan worden uitgesteld en wórdt dikwijls uitgesteld, tot de volwassen leeftijd, en gebeurt dan tegenover psychologen, psychiaters en relatiebemiddelaars – in feite hoort het veelal nalaten van aangifte bij het probleem van kindermisbruik.

Ik had deze informatie gekopieerd en las het diverse keren door in een grimmige poging te begrijpen wat er zich op die avond in februari, zo lang geleden, had afgespeeld. Ik kwam tot verschillende theorieën en slaagde erin mijn wens om via regressietherapie terug te gaan naar mijn moeizame jeugd, weer nieuw leven in te blazen, teneinde elk greintje achterdocht aangaande mijn vaders relatie met mij, te elimineren. Ik besloot naar een expert in regressiehypnose te gaan, aanbevolen door mijn huisarts, Brian Venters, en met medeweten van Ashley, bij wie ik nog steeds onder behandeling was.

Hypnotherapie is een krachtig gereedschap en kan, mits in de juiste handen, de sleutel zijn tot diepgewortelde emotionele problemen. Het maakt gebruik van het onderbewustzijn, waar de ervaringen op vroege leeftijd en hoe we daarmee omgaan, voor de rest van ons leven ons gedrag bepalen. Ik was nog nooit gehypnotiseerd, was nog nooit getuige geweest van een of andere show en had alleen maar artikelen gelezen over het onderwerp. Alles wat we leren of zien, wordt opgeslagen in de hersenen. Als je door middel van hypnotherapie datgene kunt bereiken wat diep ligt begraven, kun je alles wat er in het verleden is gebeurd met volwassen ogen revalueren en dan kun je door de verwarring van het kind heen breken. Vaak onthult het onderbewustzijn gebeurtenissen die door de bewuste geest worden onderdrukt omdat ze in die tijd te verwarrend waren voor het kind om ermee om te gaan.

Het is belangrijk dat de hypnotherapeut in staat is heel professioneel om te gaan met het begeleiden van de cliënt op zijn weg naar het onderbewuste, maar ook met een naar boven gekomen trauma. Ik had alle vertrouwen in de vrouw met wie Brian Venters me in contact bracht, een huisarts in Glasgow die Hetty McKinnon heette. Ik zocht haar op een vrijdagavond thuis op.

Hetty nam me mee naar een gezellige studeerkamer, vol met antiek, en binnen de kortste keren zat ik in een comfortabele leunstoel met een klein voetenbankje voor me. Ze installeerde de taperecorder die ik had meegenomen en testte het volume. Als de opnamen van nut waren, kon ik ze aan Jim geven.

'Wel, je hoeft je helemaal nergens zorgen om te maken.' Ze glimlachte stralend. 'Als we beginnen met de regressie zal ik je laten zien wat je kunt doen als je iets tegenkomt wat je zorgen baart, zodat ik weet dat je ergens over inzit.' Ze liet me zien hoe ik mijn vinger moest bewegen om haar hierop attent te maken.

Gerustgesteld voelde ik de spanning uit mijn lichaam glijden. Ik concentreerde me op haar ingelijste aquarellen, sloot toen mijn ogen en liet me volgens haar suggestie drijven terwijl haar zachte stem over me heen spoelde. Ze maakte me duidelijk dat ik elk moment kon stoppen door simpelweg mijn ogen open te doen. Het was net alsof ik zachtjes in slaap doezelde.

Hetty beschreef mijn arm, die ik recht voor me uit moest houden. Hij zou net zo zwaar zijn als een van de grote, ijzeren spijlen die vele jaren geleden in de metaalgieterijen van Coatbridge werden gemaakt. Maar binnen een fractie van een seconde kon ik hem niet meer bewegen toen ze me dat vroeg, zelfs mijn vingers zaten muurvast. Het was een heel apart gevoel.

'Laten we beginnen met eerst aan de fijne dingen te denken, Sandra, en dan aan de andere. Ga terug naar het moment dat je nog een klein meisje was. Stel je voor dat er een boek voor je ligt en dat op elke pagina een jaar staat, zodat we de nodige pagina's moeten omslaan, en steeds meer, tot we het jaar 1962 hebben bereikt, toen jij dertien was. Daarna 1961, toen je twaalf was. Als er iets op de pagina staat wat je zorgen baart, geef me dan het signaal dat ik je net heb laten zien.'

Hoofdstuk 30

We dreven vanaf 1993 langzaam terug. Beelden flitsten door mijn hoofd, sommige fijn, sommige verontrustend, maar niets wat me het gevoel gaf even te willen stoppen om erover te praten. De fragmenten vlogen langs me heen alsof ik me in een lange tunnel bevond, het leek wel een caleidoscoop van beelden.

Ik fronste mijn voorhoofd. Er kwam een helder beeld van Ashgrove, niet lang nadat we daar naartoe waren verhuisd. Ik was twaalf. Ik droeg mijn mooiste jurk, een felgele jurk, afgezet met kant en met een kleine bijpassende bolero. We hadden de jurk toen gekocht voor het huwelijk van mijn oom Bobby.

Ik bekeek de herinnering wat zorgvuldiger.

Ik ben erg trots op mijn jurk, maar nu doet hij pijn onder mijn armen en je kunt de lijn zien waar de zoom ooit is uitgehaald, dus hij is niet alleen meer voor de zondag, en ik speel nu buiten op straat. Dan ga ik met tegenzin naar de bestelauto van Allison's die voor het hek van mijn oma is gestopt. Mijn moeder schreeuwt dat ik wat dingen bij de slager moet halen voor haar en Katie, maar ik kijk altijd heel behoedzaam in de ruimte achterin, die bezaaid ligt met zaagsel. Dode karkassen zwaaien heen en weer, zwaaien nog na van het rijden, en dat geldt ook voor donkerbruin plakkerig vliegenpapier. In de witte bakken zitten restjes gehakt, die grote aasvliegen aantrekken waar ik misselijk van word. Ik houd mijn waren met het haastig eromheen gewikkelde bruine papier stevig vast en ren het pad op naar Katies deur. Maar dan blijf ik als bevroren staan omdat ik het bloed door het katoenen materiaal van mijn jurk voel sijpelen. Ik schreeuw als er een smerige ossentong langs mijn jurk omlaagrolt en dankzij de vlekken kan ik die jurk nooit meer aan. De rode spatten zijn overal, lopen als een riviertje langs mijn been en in mijn sok als een vreselijke herinnering uit het verleden. Ik sta inmiddels te krijsen als een jammerende geest en nu liggen de aan elkaar gebonden worstjes om me heen op Katies kardinaalrode stoep. Mijn vader, die de garage uit rent om te kijken wat er is gebeurd, vervloekt me voor de nodeloze drukte over een paar bloedspatjes en geeft me een klap omdat ik zo stom ben geweest om zijn avondeten op het pad te laten vallen. Van mijn Granny Katie krijg ik ook een klap om het gillen te stoppen, waar ik nog minstens een minuut lang mee doorga, vooral als ik haar die enorme, druipende tong op zie pakken. 'Wat een drukte om een jurk!' roept ze uit, terwijl ze me naar binnen duwt. 'Allemachtig, kind, hou toch op zoveel aandacht te trekken!'

Ik laat de herinnering wegdrijven. Ik had me toen vreselijk geschaamd. Aandacht trekken was een van de ergste dingen die je kon doen en het druiste volledig in tegen Granny Katies regels. Toen was ik niet in staat geweest om er goed mee om te gaan. Als volwassene, snap ik volkomen waarom de aanblik van al het gemorste bloed zo'n vreselijk effect op me had. Zonder enige waarschuwing bracht het me meteen weer terug in de Dunbeth Road, toen een onbekende me daar drie jaar daarvoor probeerde aan te randen.

Ik gaf Hetty geen signaal en liet haar de volgende pagina omslaan, en toen nog een.

Het begin van de jaren zestig... Davy Crockett-hoedjes... Een sliert schoolkinderen die twee aan twee vrolijk naar het zwembad huppelen, met kleine boodschappennetjes vol oude handdoeken en die afschuwelijke elastische badpakken met ruches.

1960, 1959... prachtige herinneringen hier. In en uit plastic zwembadjes springen in de achtertuin. Volwassenen die van een prachtige hete zomer genieten, richten waterstralen op groepjes kinderen die daar vrolijk doorheen rennen. Felgekleurde plastic hoelahoepels.

1958, 1957... Het gaat allemaal prima tot 1957.

'Is er iets op die pagina wat je zorgen baart?'

Hetty heeft mijn trillende vinger gezien. Tot dusverre heb ik nog niets op de band ingesproken. Als ik dat wel doe, is het een kinderlijke stem die spreekt en dat verbaast me. Ik betrap mezelf erop dat ik luister naar wat dit kleine meisje zegt. Ik sta heel ver van haar af en toch ben ík het.

'Het is heel heet. Ik heb de griep. Een heleboel mensen hebben het – mijn twee kleine broertjes liggen meestal in mijn bed, maar nu ben ik alleen. Misschien krijgen zij het ook, in het bed in de muurnis, waar ik lig met de griep... maar het is oké, mama is hier...'

Hetty probeerde uit te vinden wanneer dit had plaatsgevonden en stelde wat vragen over de winter en nam me mee terug naar net voor de kerst in dezelfde periode.

'Mijn papa is er niet. Hij is er niet en we moeten op eerste kerstdag naar mijn tante Bessie. Ik heb om het jaarboek gevraagd van *Girl's Crystal* – maar hij zal er niet zijn. We mogen hem niet opzoeken.'

Hetty vroeg me of ik mijn vader miste en of ik wel van de kerst had genoten.

'Ik denk dat hij de mandarijntjes in mijn kous heeft gestopt, met de gouden munten. Hij moet aan me hebben gedacht, want hij weet dat ik dol ben op gouden chocolademuntjes. Kinderen zijn niet toegestaan in het grote ziekenhuis waar hij ligt... De gouden munten, ik weet dat ze van hém zijn. De andere kinderen op school, ze zeiden: "Je papa is weggestuurd naar een nare plek", en ik zei: "Nee, dat is niet waar! Hij ligt in het ziekenhuis, hij heeft pijn aan zijn rug", en zij zeiden: "Hij is je helemaal vergeten." Maar hij is ons niet vergeten... Ik wou dat er een echte kerstman was.'

Wat vreemd, denk ik bij mezelf. Dit kind is helemaal van streek omdat hij niet bij haar is.

We gingen verder terug en ik gaf een onvrijwillig signaal aan Hetty.

'Is er iets op deze pagina wat je zorgen baart, kleine Sandra, van zeven jaar oud?'

Je kunt luid gesnik horen op het bandje.

'Hij wil dat ik mijn vriendinnetjes ga halen... Joy, de twee Elizabeths en de anderen en hij wil met ons meespelen. Het is vreselijk.'

'Wat is er zo vreselijk aan?'

'Omdat wij gewoon onze eigen spelletjes willen spelen, maar hij – hij blijft van die dingen doen...'

'Raakt hij je aan als hij deze spelletjes speelt?'

'Hij raakt mijn vriendinnetjes aan en hij wil niet stoppen.'

'Wat doet hij met ze?'

'Hij steekt zijn handen onder hun kleren en hij kietelt ze, maakt ze aan het lachen – maar ik denk niet dat het erg grappig is.'

'Jij lacht niet. Doet hij het ook met jou?'

'Nee, maar hij wil niet dat ik het verklap.'

'Praat hij erover?'

'Hij geeft me geld en ijsjes, hij kan zo aardig zijn. Hij zegt dat er sommige dingen zijn die je niet moet zeggen...'

'Sommige dingen zouden geheim moeten blijven?'

'Hm-mm. Maar ik ging naar Elizabeth om te spelen en ze kwam naar de deur en zei: "Ik mag niet meer met je spelen, je pa doet rare dingen", en ze gaat het de mensen op school vertellen.'

'En jij begint te huilen?'

'Ja, hij geeft me snoepjes en hij geef ze ook aan mijn vriendin-netjes, en ook geld. Ik heb geprobéérd het aan mijn mammie te vertellen – ik zag hem. Ik zag hem in het park toen hij pro-beerde twee meisjes in zijn auto te krijgen. Mijn moeder wilde me niet geloven.'

'Je hebt geprobeerd het aan haar te vertellen, maar ze gelooft je niet?'

'Ze zegt dat hij naar de winkel van Molly Gardiner ging om sigaretten te kopen voor zijn conductrice, omdat hij naar zijn werk ging. Zij zegt: hoe kan hij met mensen in het park heb-ben gepraat als hij onderweg was naar zijn werk? Hij zou er de tijd niet voor hebben gehad. Toen vroeg ik waarom hij dan in het park was. Hij praatte met ze en ik denk dat hij wilde dat ze met hem meegingen. Het was niet de bedoeling dat ik hem zag, het was toeval dat ik hem zag, met hen.'

'Heeft hij iets tegen jou gezegd, Sandra?'

'"Hou voortaan je mond dicht." Toen duwde hij een gloei-end hete lepel tegen me aan. Nadat ik het eerst aan mijn moe-der probeerde te vertellen, doopte hij de lepel in zijn thee, er zat geen melk in, en toen duwde hij die lepel in mijn gezicht.'

'En het doet pijn.'

'Ja, het doet pijn.'

We gingen die dag niet verder terug dan 1953, toen ik pas vier jaar oud was. In mijn normale leven herinnerde ik me dit niet. Ik beschreef de paniek van mijn broertje Norman toen hij een toeval kreeg, en de verschrikking van kilometers lange gangen in Yorkhill, het ziekenhuis voor zieke kinderen in Glasgow, dat ik vrij gedetailleerd beschreef. Toen:

'Mijn moeder is zo ongelooflijk boos op me. Het komt omdat ik zo... ze blijft maar zeggen: "Je bent zo chagrijnig. Waarom ben je zo chagrijnig?" En dan komt de dokter, en de dokter zegt – de dokter is zwart – en hij zegt. "Kun je niet zien dat dit kind de waterpokken heeft? Geen wonder dat ze van streek is", en dan verschijnen er allemaal rode vlekjes die jeuken. Ik moet ook in het ziekenhuis blijven.'

Hetty legde me naderhand uit dat een aantal dingen van deze herinnering haar aandacht had getrokken. Mijn beschrijving van het ziekenhuis was precies zoals zij het zich herinnerde toen ze daar drie jaar geleden had gewerkt, en de reactie van een kind op een etnisch gezicht had haar niet verbaasd. Zoveel immigrantendokters waren er niet in het begin van de jaren vijftig. (Mijn moeder vertelde me dat het incident echt had plaatsgevonden, hoewel ook zij het helemaal was vergeten. Ze bevestigde dat Norman toen hij achttien maanden was een stuip had gehad, en dat hij korte tijd in het ziekenhuis had gelegen. En ja, ook ik kwam daar terecht met een nare uitslag.)

Hetty herinnerde zich dat de A-griep Schotland in zijn greep hield dat weekend dat Moira verdween. Toen zei ze dat ik nog een sessie met haar nodig had. We maakten een afspraak voor een avond in oktober, vlak voor mijn Open-Universiteitsexamens.

Na mijn sessie met Hetty ontving ik op mijn werk een bericht. Ik werd uitgenodigd voor een gesprek met Lord James Douglas-

Hamilton in zijn plaatselijke praktijk in Davidson's Mains, een andere voorstad van Edinburgh, op vrijdag 24 september, om vijf uur 's middags. Het enige wat hij kon doen, zei hij, was zijn stem toevoegen aan die van John Smith en de procureur-generaal vragen waarom niemand mij of mijn familie wilde ontmoeten om ons wat helderheid van zaken te geven. Hij vond de hele toestand nogal smakeloos.

Mijn nichtjes vroegen naar de hypnotherapie. Was ik ook een slachtoffer geweest?

'We zijn nog niet klaar, maar ik dénk van niet,' zei ik langzaam. 'Veel van wat er is bovengekomen zijn dezelfde herinneringen die ik ook in mijn getuigenverklaring heb gezet, maar de details zijn net een klein beetje scherper. We gingen behoorlijk ver terug, maar niet zo ver als de herinnering met dokter Vicky. Het moet zelfs nog eerder zijn geweest, dus met die nachtmerrie heb ik nog geen korte metten gemaakt.'

Nog niet.

Hoofdstuk 31

Ik trof Irene, mijn oudste vriendin, en haar nichtje Sheila, die mij ook al jaren kende, voor een etentje in het Sheraton Hotel. Sheila's echtgenoot, Bill, was opgegroeid met A en B en kende mijn vader. Hij had me verteld dat hij geen seconde twijfelde aan wat mijn nichtjes hadden gezegd. Mijn vaders voorkeur voor jonge meisjes was 'algemeen bekend'. Bill had een collega, Richard Kinsey, die me volgens Sheila goed zou kunnen adviseren en die een topadvocaat kon aanbevelen die onze zaak misschien kon helpen.

Ik belde Richard op. Hij was een bekende expert in de criminologie op een Schotse universiteit. Hij was niet alleen heel royaal met zijn advies, maar ook met zijn tijd, ons gesprek duurde twee uur.

Hij vertelde me goed na te denken voordat ik een civiele procedure begon en waarschuwde me voor de problemen die daarmee samenhingen. Hij wilde heel graag weten wat mijn motieven waren. Realiseerde ik me wel dat ik in het middelpunt van de belangstelling zou komen te staan? Hij waarschuwde me voor de persoonlijke kritiek die ik van de media zou krijgen. Een civiele procedure zou de voorpagina halen, de journalisten zouden zich kostelijk amuseren met de dochter die haar vader voor de rechter wilde slepen. Mijn echtgenoot en ik zouden zelfs financieel geruïneerd kunnen worden, als ik of mijn nichtjes niet in aanmerking kwamen voor juridische bijstand. 'Jij en je gezin lopen het risico jullie huis te verliezen,' merkte hij op, 'en zelfs als het niet zover komt, hoe zul je je voelen als je kinderen misschien worden nagewezen op school – anderen zouden zeker roddelen over hun moeder en wat er in alle kranten staat – of stel dat de journalisten zich voor je voordeur posteren? Heb je hier wel over nagedacht? Want sommigen zullen jouw verlangen om je vader achter de tralies te krijgen als een wraakactie zien. Een moment geleden noemde je hem een schoft. Hoe zal dat soort lasterpraat overkomen in de omgeving van een hooggerechtshof? Als je in de getuigenbank zit, zul je het ontzettend moeilijk vinden om je emotionele relatie met deze man van je af te zetten.' Volgens hem was de enige persoon die me kon helpen, als ik inderdaad vastbesloten was mijn vader voor de rechter te brengen, de Schotse topadvocaat Alistair Duff.

Ik had tevens contact gezocht met Robert Reap, uit Falkirk, de man die een speciale praatgroep had opgericht voor mensen die misbruik hadden overleefd. C had me een artikel in de *Daily Record* laten zien over zijn werk en dacht dat hij misschien advies kon geven over het beginnen van een civiele procedure. Hij adviseerde me met Maggie Barry te praten, die dit artikel over hem had geschreven. Ik had nog nooit van haar gehoord, maar schreef haar naam op voor later. Als zij ook maar enigszins op Eileen McAuley leek, was er geen probleem, dacht ik.

Gedurende de volgende paar dagen gebeurden er dingen die mijn zelfvertrouwen ondermijnden. Ik had Jim gebeld omdat ik met hem wilde praten over mijn tweede ontmoeting met Lord James Douglas-Hamilton, maar hij was niet op kantoor en kon niet bereikt worden. In plaats daarvan belde ik snel met Eileen en werd meteen met haar doorverbonden. Ze vroeg of ik nog iets van John Smith had gehoord. Ik had een briefje van hem gekregen, vertelde ik haar, en liet toen tussen neus en lippen weten dat ik Jim niet te pakken kon krijgen. Er viel een korte stilte. 'Heeft hij je al verteld dat hij uit Airdrie wordt overgeplaatst? Naar Clydebank aan de andere kant van Glasgow. Het is zomaar uit de lucht komen vallen.'

Dit was een klap, maar ik was eraan gewend geraakt om een stap vooruit te zetten, en drie terug. Hoe dan ook, ik had Eileens verhaal gelezen over de vriendin van Moira, Elizabeth Taylor Nimmo, dat in de lente was verschenen en ik voelde me verplicht haar te bellen. Ik had de politie in mijn oorspronkelijke verklaring iets verteld over een meisje dat ik met Moira en mijn vader bij zijn auto in het park had zien staan en ik wilde Elizabeth Taylor vragen of zij dat misschien was geweest. Ik vroeg Eileen hoe ik met haar in contact kon komen. Eileen controleerde haar notities om er zeker van te zijn dat mevrouw Nimmo er geen bezwaar tegen zou hebben dat ze haar adres aan iemand doorgaf, en gaf het toen aan mij. 'Ze was heel behulpzaam,' zei ze. 'Ze wil net als jij gerechtigheid zien – hoewel ik betwijfel of ze verband heeft gelegd tussen de man die drie keer in Leeds is verhoord omdat hij de hoofdverdachte is in de zaak van Moira, en de bejaarde man uit de Monklands wiens nichtjes beweren dat hij hen heeft aangerand.'

'Ik snap niet waarom het publiek niet van die link op de hoogte mag worden gebracht,' zei ik.

'We kunnen dat echt niet publiceren. Als we dat zouden doen, krijgen we meteen de procureur-generaal op ons dak. Het zou onze zaak beslist geen goed doen.'

Op de laatste zaterdag in september kwamen Jim, Billy en hun echtgenotes bij ons thuis eten. We hadden een gezellige avond, onze vrienden Janet en John maakten ook deel uit van het gezelschap. Hoewel Jim volhield dat hij technisch nog steeds de leiding had over het onderzoek, vreesde ik dat hij het bijna onmogelijk zou vinden om vanuit een ander politiebureau de vinger aan de pols te houden. Verder werd alles verplaatst van Airdrie terug naar Coatbridge. De cirkel was rond.

Hoofdstuk 32

De klap van Jim McEwans plotselinge overplaatsing naar Clyde-bank werd al spoedig gevolgd door een tweede gebeurtenis, die zo mogelijk nog verwarrender was.

Op een frisse morgen in oktober ging ik de post ophalen en mijn hart klopte in mijn keel. Er lag een doodgewone bruine envelop op de grond, met daarop een onbekend en zeer in het oog springend assertief donkerblauw handschrift. Mijn knieën sloegen dubbel en ik viel bijna om. Iemand met een linkshellend handschrift had er met grote letters een naam opgeschreven, met daaronder ons adres.

Ik legde de envelop op de eettafel en ging zitten. Ik kon mezelf er niet toe brengen om de envelop open te maken.

Ronnie vroeg me wat er aan de hand was.

Ik wees naar de envelop. 'Ik denk dat het een scheldbrief is.'

Vol afschuw pakte hij de envelop en staarde verward naar de naam.

De brief was geadresseerd aan Moira Anderson, per adres ons huis.

De brief bestond uit een pagina met ongeveer vijftien regels van hetzelfde kordate handschrift.

Lieve Moira,

Ik heb begrepen dat je misschien een civiele procedure tegen je vader wilt beginnen en daar wil ik graag met je over praten. Ik sluit een krantenartikel bij dat ik recentelijk heb geschreven en dat een heleboel reacties heeft opgeleverd en op dit moment ben ik bezig een tweede samen te stellen.

Ik zou het op prijs stellen als je contact met mij zou willen zoeken, hetzij op kantoor, hetzij thuis. Bob Reap gaf me je adres want ik hou me al een tijdje bezig met kinderen die seksueel misbruikt zijn en daarom vroeg ik me af of jij en ik even met elkaar konden praten. Ik kijk ernaar uit om iets van je te horen.

De brief was ondertekend door Maggie Barry met als datum 29 september 1993. Bovenaan stond het logo van de *Evening Times* en de *Glasgow Herald*.

Er borrelde boosheid in me op. Waarom had deze vrouw haar huiswerk niet gedaan? De telefoon ging. Ik griste de hoorn van de haak en de stem aan de andere kant zei: 'Met Maggie Barry. Kan ik Moira spreken?'

Ik hapte naar lucht. 'Dit is Sandra Brown. Ik heb uw brief net ontvangen en gelezen.' Ik koos mijn woorden met zorg. 'Misschien is het maar goed dat u belt, want ik ben zo boos. Ik zat eraan te denken om u te bellen en een klacht in te dienen.'

'Een klacht?' Ze klonk verbijsterd. 'Is Moira Anderson daar niet?'

'Nee. Ze is er al bijna veertig jaar niet meer,' siste ik tussen op elkaar geklemde tanden door, 'en als u zich afvraagt wie ik ben, ik ben de vrouw die haar vader ervan heeft beschuldigd Moira in 1957 uit Coatbridge ontvoerd te hebben. Uw informatie deugt niet. Ik denk niet dat een redacteur erg te spreken zal zijn over de wijze waarop u mij van streek heeft gemaakt door te proberen in contact te komen met een kind dat volgens mij door mijn vader is vermoord. Ik ben me doodgeschrokken.'

Er viel een korte stilte. Ze bood aan langs te komen en zich te verontschuldigen en we spraken af elkaar een paar avonden later te ontmoeten.

Twee dagen later werd ik gebeld door de secretaris van Lord James Douglas-Hamilton. Hij had een antwoord gekregen van het ministerie van Justitie en had een kopie daarvan naar me toegestuurd. Lord Rodger had hem geschreven en hem verzekerd dat beide onderzoeken die door de officier van justitie in Airdrie waren gerapporteerd in 'zorgvuldige overweging' waren genomen.

De procureur-generaal schreef verder nog:

Ik heb de gelegenheid gehad deze papieren te bestuderen en ben van mening dat het besluit aangaande de beschuldigingen van seksueel wangedrag tegen de vader van mevrouw Brown een goede toepassing is van de oordeelkundigheid van het ministerie van Justitie. Zoals u weet, worden de redenen van justitie voor haar beslissingen nooit bekendgemaakt.

Binnen enkele uren werd deze brief echter gevolgd door een kopie van het antwoord dat John Smith had ontvangen van de procureur-generaal. Hoewel beide documenten dezelfde datum hadden, 5 oktober 1993, had John Smith veel meer informatie gekregen, al was het van de negatieve soort.
Een alinea in het midden sprong in het oog.

Met betrekking tot de verdwijning van Moira Anderson is er door de politie van Strathclyde een grootscheeps onderzoek ingesteld, ondanks de hoeveelheid tijd die er sinds de verdwijning is verstreken, wat natuurlijk de nodige problemen heeft opgeleverd. Justitie heeft het voordeel gehad van een volledige rapportage van de uitkomst van diverse politieonderzoeken, waarvan zij sommige zelf heeft uitgevoerd. Terwijl de recente onderzoeken de verdwijning van Moira Anderson nog steeds niet hebben verklaard, zijn de resultaten duidelijk en daarom hebben wij de officier van justitie opdracht gegeven alle toekomstige bewijzen of informatie die aan het licht komen, te rapporteren. Ik wil daar alleen nog aan toevoegen dat, hoewel mevrouw Brown enige kennis lijkt te hebben van deze onderzoeken, een deel van de informatie die zij aan u beschikbaar blijkt te hebben gesteld niet accuraat is en in sommige gevallen zelfs onjuist.

Ik herlas verbijsterd de laatste zin.

De politie heeft tevens de beschuldigingen tegen de vader van mevrouw Brown onderzocht met betrekking tot de vijf aanklachten van obsceen en libidineus gedrag waar vier meisjes bij betrokken zijn geweest. De resultaten van dit onderzoek zijn ook gezien door justitie en na zorgvuldig beraad heeft ze besloten dat er met betrekking tot deze zaken, geen strafrechtelijke stappen tegen hem ondernomen dienen te worden. Zoals u weet hoeft justitie de redenen van haar beslissingen niet vrij te geven en blijven deze dan ook vertrouwelijk.

Hoe dan ook, ik heb de gelegenheid gehad deze papieren te bestuderen en ben van mening dat het besluit wederom een goede toepassing is van de oordeelkundigheid van het ministerie van Justitie. Wederom plaats ik de opmerking dat bepaalde informatie die mevrouw Brown schijnt te hebben geleverd, niet correct is.

Het baarde mij zorgen te lezen dat ze u haar commentaar heeft gegeven op de benadering en houding van David Griffiths, de hoofdofficier van justitie in Airdrie. Hij is vanaf het begin bij deze onderzoeken betrokken geweest en was de auteur van een aantal rapporten aan het ministerie van Justitie. Ik heb zijn rapporten gelezen en ze zijn informatief, volledig, bruikbaar en professioneel samengesteld, zoals ik ook van een hooggeplaatste medewerker mag verwachten.

In navolging van het besluit van het ministerie van Justitie met betrekking tot de beschuldigingen tegen haar vader, heeft dr. Griffiths ermee ingestemd mevrouw Brown te ontmoeten als woordvoerder van haar familie. Ik heb begrepen dat hij meer dan twee uur met haar heeft doorgebracht waarin hij probeerde deze kwestie rationeel maar ook behoedzaam met haar te bespreken. Onder deze omstandigheden vind ik het te betreuren dat mevrouw Brown het gepast achtte dr. Griffiths op een dergelijke manier te bekritiseren.

Hoogachtend,
Alan (Rodger of Earlsferry)

Welke informatie die ik had gegeven, was onjuist? Ik haalde mijn oorspronkelijke brief aan hen erbij, en de brief die ik aan John Smith had geschreven, en ging op zoek naar dubbelzinnigheden of iets wat verkeerd kon worden uitgelegd, maar dat leverde niets op. Uit hun antwoord aan John Smith kon ik niet opmaken over welke stukjes informatie ze het precies hadden.

Ik was des duivels. De gevolgtrekking van de voorman van de Labourpartij was dat ik geen geloofwaardige getuige was en dat ik hem valse informatie had verstrekt. Dat hij dit punt herhaalde, plaatste vraagtekens bij mijn integriteit. Ik zag ook hoe subtiel ik werd ondermijnd in de trap na aan het eind, met de nadruk op de 'rationele en behoedzame' poging om deze kwestie met mij te bespreken. De ijzigheid van onze ontmoeting kwam weer terug, er waren geen hysterische stemmen geweest, maar ik had een kardinale regel overtreden. Ik had gezegd dat ik een klacht in zou dienen en dat had ik ook gedaan; ik had het gedurfd om mijn kritiek op hem als individu en op hen als organisatie onder woorden te brengen. Het enige wat de procureur-generaal deed was de gelederen sluiten. Lord Rodger had een klacht over een van zijn personeelsleden en over het gebrek aan informatie aangaande een besluit omgezet in een vraag over mijn betrouwbaarheid en een klacht over míjn houding.

Ik was nog steeds van streek toen Ronnie thuiskwam voor het avondeten. Ik liet hem de brief zien. 'Als je tussen de regels door leest, zeggen ze eigenlijk dat ik geschift ben. Ik weet niet wat er volgens hen niet klopte. Ik zal het aan Jim moeten laten zien en hem om advies vragen.'

Hij las het en schudde toen verbijsterd zijn hoofd. 'Verdomd ja.'

In de weken daarna werden er drie ontmoetingen ingepland. Ik ging terug naar het huis van Hetty McKinnon voor onze tweede sessie, en twee avonden later, op 12 oktober, zocht Maggie Barry mij op. Verder had ik ook een afspraak gemaakt met Jim op het hoofdbureau van politie van Strathclyde in Pitt Street, Glasgow.

'Vergeet niet, Sandra,' mijn echtgenoot wees vrolijk naar de kalender op de muur met vier kolommen waar onze familie-uitjes op stonden, 'dat ik theaterkaartjes heb gekocht voor het Lyceum voor onze trouwdag op de zestiende.' We probeerden in deze hectische tijd nog steeds een zo normaal mogelijk leven te leiden.

Ik was blij om Hetty weer te zien en vrij snel daarna ging ik weer op onderzoek in die caleidoscopische tunnel vol terugblikken.

Een rij van gezichten ging aan me voorbij: juffrouw Mack, mijn indrukwekkende lerares van niveau 7, met haar rode mantelpakje in de Jacky Kennedy-stijl. Ze was bezig mijn opstel te beoordelen over het gedicht van Matthew Arnold 'The Forsaken Merman', en besprak met mij de opmerking die ik had gemaakt, dat het leven zoveel gemakkelijker was voor mannen en dat ik heel graag een jongen wilde zijn. Het geschrokken gezicht had haar gepenseelde wenkbrauwen meteen omhooggejaagd, richting inktzwart en kortgeknipt haar. Ze maakte een sarcastische opmerking tegen een lerares in opleiding over dergelijke onvrouwelijke standpunten, maar de jonge vrouw sprak me later zachtjes aan en toen ze me vroeg waarom ik dat had opgeschreven, aarzelde ik niet om haar de waarheid te vertellen. 'Als je een man bent, juffrouw, kun je alles doen wat je wilt.'

Hetty nam me nog een keer mee naar 1957. Het bandje liep, maar alleen Hetty's rustige stem werd opgenomen. Toen was daar de bekende echo van mijn stem met het sterke Schotse accent. De stem uit mijn jeugd toen we in Dunbeth Road woonden.

'Er is een dame op bezoek bij mijn moeder en ik help met de sandwiches. Ik druk met een vork de bananen plat en ze vraagt naar mijn vader. Ik luister in de keuken omdat hij weg is. Mijn moeder fluistert. Ik mag het niet horen. En de andere sandwiches, met het bruine brood, het spul op het vlees ziet eruit als glas. Ik heb het eraf gehaald, want die gelei ziet er vreselijk uit. Ik denk niet dat mama me hiervoor op mijn kop zal geven. Ze noemen het achterham. De dame zegt waarom ga je niet buitenspelen? Ze wil met mijn mammie praten. Ze willen mij er niet bij hebben...'

'En dat maakt je van streek. Weet je wie deze dame is?'

'Ze is iemand met een baby in haar buik, denk ik – maar ik kreeg op mijn kop toen ik dat vroeg. En mijn vader is er niet en ze willen me niet vertellen waar hij is, ik moet buiten gaan spelen... Mijn mama is boos omdat ik heb gevraagd wat "zwanger" betekent. Ze zegt dat ik pas acht ben en nog veel te klein om dat te weten.'

'Ga je buiten spelen?'

'Hm, maar de dame heeft geen kinderen bij zich. Er is niemand buiten behalve ik. Ze heeft een dikke buik. Ik weet dat zoiets kan gebeuren, maar mama is boos op me omdat ik het heb gevraagd. Ik denk dat ik maar naar binnen ga en mijn Enid Blyton-dagboek ga pakken om daarin alles op te schrijven...'

'Wat gebeurt er dan?' Er volgt stilte en dan:

'Ik ging de kast in. Ik was op zoek naar de kerstcadeautjes en ik vroeg me af of de Kerstman echt bestond. En ik vind daar boeken van mijn vader. *Exchange 'n' Mart* heten ze. Er liggen daar ook vreselijke tijdschriften en stripboeken en andere dingen die van mijn vader zijn. Die dingen die ze met die dames doen zijn vreselijk en daarom leg ik ze maar snel terug en leg er iets op, en het is beter daar maar niets over te zeggen...'

'Je bent bang. En je gaat ze allemaal weer opbergen, zodat je ze niet meer kunt zien?'

'Ik weet dat hij van die foto's heeft die hij aan mijn vriendinnetje heeft laten zien.'

Dit kind was een van mijn vriendinnetjes uit Dunbeth Road. Ik sprak hier over een incident dat me dus niet was bijgebleven.

'Hij dwong haar hem te kussen en hij gaf ons allemaal snoepjes.'

'Wanneer liet hij ze aan Elizabeth zien?'

'Hij deed dingen – achter in de auto. Haar mama zegt dat ze niet meer in die auto mag stappen omdat Elizabeth olie op haar goede jurk had. Dus ze mogen niet meer in die auto. Het komt doordat hun mama erg boos is over de vlekken op hun kleren en hij – je weet wel – hij blijft maar snoepjes uitdelen aan mijn vriendinnetjes en mij. En ik heb mijn moeder verteld over de andere meisjes in het park aan wie hij snoepjes geeft. Maar ze wilde me niet geloven. En ik denk... ik denk dat hij die meisjes in Dunbeth Park ook wilde meenemen in zijn auto.'

'Wie waren die andere meisjes?'

'Het waren grote meisjes, twee grote meisjes. Ze zijn niet bevriend met mij, maar ze wilden bij hem in de auto stappen toen ik naar ze toeliep om met ze te praten. Het was Marjories grote zus en haar vriendin Beth. En ze wilden instappen... en dat heb ik ook aan mijn mammie verteld.'

'En hoe heette de grote zus van Marjorie?'

'Marjories zus Moira en haar vriendin Beth. En ik was met Marilyn Twycross en we waren in het park aan het spelen. Ik denk dat hij... dat hij ze wilde meenemen om... dingen mee te doen. Mijn moeder – ze wilde me niet geloven. Maar hij gaf ze echt snoepjes. Hij zat in zijn auto.'

'En wat zei je toen je naar hem toeging?'

'Ik zag hem door het hek van het park. Ik dacht dat hij me kwam ophalen. Hij had zijn busuniform aan en zijn pet en zijn speldje. Er staat MM 9507 op en hij vertelde me dat dat zijn busnummer is, en in zijn binnenzak zit een horloge aan een ketting. Toen ik naar hem toeging, zei hij: "Wat doe jij hier?" Ik dacht: hij zag me toch aankomen? Toen ging hij gewoon weg...'

'En hoe voelde je je toen hij dat tegen je zei?'

'Hij wilde niet dat ik meeging. Hij wilde me uit de weg hebben. Maar ik maak me echt grote zorgen om hen, want ik denk dat hij ze mee wilde nemen. En daar mocht ik niet bij zijn.'

'Wat denk je dat er gebeurd zou zijn als hij ze had meegenomen?'

'Hij zou slechte dingen doen – weer. En dan was ik er niet om hem tegen te houden.'

'Heb je hem vaker tegengehouden?'

'Ik bonsde op het glas, met de ijsjes, en ik zei tegen hem: "Ik ga het mijn mammie vertellen." Maar hij had gelijk, want ze wilde me niet geloven – '

'En wat zag je hem door het glas heen doen? Wat was hij aan het doen, Sandra?'

'Hij raakte mijn vriendinnetjes aan. Onder hun broekjes. Ik denk niet dat hij op de voorbank van de auto zat toen ik terugkwam. Hij zat achterin, bij hen. En ik kan het niet goed zien, maar ik kijk in de auto ... het glas is beslagen en ik bons op het raam om hem...'

'Tegen te houden. Wat doet hij dan?'

'Hij draait het raampje omlaag en pakt de ijsjes en zegt dat ik het geld dat ik overheb mag houden. Hij is boos op me, hij is boos. Hij schreeuwt naar me. Noemt me een leugenaar...'

Hetty ging nog verder terug. Ik zag mezelf met Jim, mijn eerste vriendje toen ik zes was, naar school wandelen, pratend over 'conkers', een spelletje met kastanjes aan touwtjes. Toen kwamen mijn herinneringen van de tocht naar Callander met het personeel van Baxter's en die enorm grote ijscoupe. Zelfs verder terug, toen ik van muren en washuizen af sprong, dolgelukkig met de basketbalschoenen die mijn moeder na heel veel zeuren voor me had gekocht. En nu was ik heel erg jong, lang voordat ik naar school zou gaan.

Hetty vroeg me of mijn lichaam ergens pijn deed en daar was het. Het bezoek van dokter Vicky, de huisarts in opleiding. Ik herinnerde me de pijn als ik plaste, de krampen heel diep in mijn darmen, en de opluchting als ik een hete waterkruik tegen mijn buik hield. Ik hield mijn adem in en de herinnering vervaagde. Ik had geen besef van aanraking door volwasssenen op plaatsen die zeer deden.

Hoofdstuk 33

Het gevoel van opluchting was onbeschrijflijk toen ik Hetty's zandstenen villa verliet. We hadden haar verzamelde notities van twee sessies besproken en ze verkondigde heel kordaat dat ze niet dacht dat ik in mijn jeugd een slachtoffer van incest was geweest, ondanks het pedofiele gedrag van mijn vader waar ik getuige van was geweest.

Terwijl ik terugreed naar Edinburgh, leek er met elke kilometer een enorm gewicht van mijn schouders te vallen.

Op dinsdagavond stond Maggie Barry op de stoep en ze zag er heel schrander uit. Ze bood nogmaals haar oprechte verontschuldigingen aan voor de vergissing in identiteit en stelde me toen, op een nogal beheerste wijze, de vraag die ik inmiddels verwachtte. Ik vertelde zacht dat ik geen slachtoffer was geweest van mijn vaders seksuele praktijken. Ze keek me aan. 'Dus er is tot nu toe geen verband gelegd tussen de man die in de afgelopen maanden in het zuiden is verhoord, de verdwijning van Moira Anderson in 1957, en de bejaarde man wiens familie in de Monklands hem beschuldigt van misbruik in de jaren zestig?'

'Nee, het grote publiek is zich niet bewust van dat verband en je mag ze ook niet met elkaar in verband brengen.' Ik vertelde haar wat Eileen me had verteld, dat advocaten zouden zeggen dat hij daardoor geen eerlijk en onpartijdig proces zou krijgen en dan zou de deur meteen voor ons worden dichtgeslagen.

'We zullen zien.' Maggie Barry haalde haar schouders op. Toen ze weg was, had ik een knagend gevoel van onzekerheid.

Ik trof Jim op het hoofdkantoor in Pitt Street en we praatten elkaar bij. Hij genoot van zijn nieuwe positie, maar hij had voor een machine gezorgd, die de sliblagen in Witchwood Pond kon filteren. Dit zou enige weken in beslag nemen, zei hij, en uiteindelijk zou een team duikers in staat zijn de bodem te verkennen zonder in hun zicht belemmerd te worden.

Hij fronste zijn wenkbrauwen toen ik hem de brief gaf die Maggie Barry had gestuurd. Toen liet ik hem de brieven van Lord James Douglas-Hamilton en John Smith zien. Jim las ze en las ze nog een keer.

'Onnauwkeurigheden? Over wat?'

'Precies. Ik heb geen idee wat ze onnauwkeurig vinden,' zei ik verontwaardigd. 'Maar hier is mijn oorspronkelijke brief. Plus alle correspondentie die ik voor beide politici op papier heb gezet. Ik ben er met een stofkam doorheen gegaan. Kijk eens of jij iets kunt vinden wat niet klopt.'

Jim begon te lezen en kreunde toen. 'Ik heb het al en het is een echte giller.' Hij keek me aan. 'Je zegt hier dat Griffiths niet volledig op de hoogte was van alle feiten over je vader – waaronder het gegeven dat hij niet wist dat je vader in het zuiden, halverwege de jaren tachtig, in de gevangenis had gezeten.'

'Maar mijn vader zát toen in de bak.' Ik keek Jim stomverbaasd aan. 'In je kantoor in Airdrie had je zijn foto op de muur hangen, met een identiteitsnummer eronder. De eerste keer dat ik daar kwam, vroeg je me of ik hem wilde identificeren.'

'Dat ontken ik niet,' zei Jim, 'en ik herinner me zelfs dat ik je vertelde dat je vader *problemen had gehad met de wet*, maar ik heb het nare gevoel dat je dat stukje informatie verkeerd hebt uitgelegd. Ik kan me geen vonnis herinneren, dus misschien heeft hij een taakstraf opgelegd gekregen of een boete of iets in Leeds. Maar geen gevangenisstraf.'

'Maar die foto en dat nummer?' Ik wist niet hoe ik het had. 'Was die dan niet in de gevangenis genomen?'

Jim schudde zijn hoofd. 'Die foto moet gemaakt zijn in de jaren tachtig, toen hij in de problemen zat omdat hij onder valse voorwendselen een hypotheek probeerde te krijgen. Maar dat doen ze met iedereen die voor een verhoor wordt opgepakt – van iedereen wordt door een politiefotograaf een foto gemaakt en ze krijgen allemaal een nummer.'

Ik legde mijn hoofd in mijn handen. Ik had in eigen doel geschopt. Ik realiseerde me heel boos dat ik het ministerie van Justitie de perfecte kans had geboden om te beweren dat ik valse informatie had verstrekt.

'Welnu, het is gebeurd en er is geen weg terug.' Jim gaf de brieven weer terug. 'Ik snap nu hoe je tot die conclusie bent gekomen. Je ging af op wat ik zei. Maar het verandert niets aan het feit dat Griffiths zegt dat je vader zijn straf heeft uitgezeten, zonder te erkennen dat deze misdaden tegen je nichtjes zich pas daarna hebben afgespeeld.'

'Je hebt gelijk, Jim,' zei ik. 'Wat hen betreft, heeft hij zijn straf uitgezeten. Maar niet voor Moira en niet voor mijn nichtjes.'

'Dit is echt een misverstand en ik adviseer je het van je af te zetten,' zei hij. 'Wat er ook gebeurt, je bent veerkrachtig genoeg en dat is precies wat je nu moet zijn. Vergeet het moordonderzoek en concentreer je op je nichtjes. Dit gaat om gerechtigheid voor hen – voor Moira kun je niets meer doen. Dus erken dat, vecht voor compensatie voor hen en doe het goed deze keer. Ga hiermee door voor hen.'

Maar ik wist dat ik Moira nooit kon opgeven. Het was Moira met wie alles was begonnen en zij was de reden dat ik überhaupt naar Billy toe was gegaan, lang voordat het verhaal van mijn nichtjes me bekend was. Ik zei: 'Ik zal alles op alles zetten voor een onderhoud met Lord Rodger. Zelfs al doet hij het alleen maar vanwege de publiciteit, dan nog ben ik daar blij mee. Maar reken er maar op dat we het niet opgeven.'

Ik voelde me sterk ondanks de stomme fout die ik had gemaakt en waar ik een hoge prijs voor had betaald, maar ik had het gevoel dat ik enorm veel energie nodig zou hebben voor wat er voor ons lag.

'Veel succes met je examen!' riep Jim toen ik wegreed.

Dat naderde dreigend, over een paar dagen al, en ik had rust nodig om alles nog eens te herhalen. Maar Maggie Barry had daar andere ideeën over. Ze belde me zomaar op. 'Hoi. Ik wilde je alleen maar laten weten dat mijn verhaal morgenavond in de krant staat. Advocaten onderzoeken de mogelijkheden om hem te noemen, maar we zullen zeker aangeven dat je vader inderdaad de hoofdrolspeler is in beide verhalen die onlangs gepubliceerd zijn.'

'Maar stel dat dit onaangename gevolgen heeft?' vroeg ik. 'Hoe zit het met de voorspelling van Eileen dat we hiermee het risico lopen dat het proces nooit van de grond komt? Heb je geen toestemming van iemand nodig om dat te doen?' Ik kon niet eens meer rechtlijnig denken.

Maar Maggie Barry was erg duidelijk. 'We hebben geen toestemming nodig. Mijn baas wil dat het morgen in de krant staat.'

Toen ze ophing, was mijn hoofd nog steeds een wirwar van gedachten. Ik had vrijuit met haar gesproken, in mijn eigen huis, en nu ging ze gebruiken wat ik haar had gegeven. Ze had geen toestemming nodig.

Ik belde de volgende dag met Eileen. 'Niet te geloven!' Ze hapte naar lucht. 'Ze kunnen hem niet identificeren en de twee zaken met elkaar in verband brengen zonder smaad te riskeren. Als ze hiermee doorgaan, gaat de hele kwestie in een hogere versnelling en dan wordt het een gekkenhuis. Luister, als de bom tot ontploffing komt, zou je dan willen overwegen met een landelijke verslaggever te praten, op mijn aanbeveling? Iemand die hiermee om zal gaan zoals ermee omgegaan zou moeten worden, om de maximale publiciteit te geven aan de rechterlijke dwaling die hier plaatsvindt?'

'Ik weet het niet. Ik heb een examen op donderdag. Wie heb je in gedachten?' Ik was op mijn hoede.

'Melanie Reid. Je kunt haar vertrouwen, geloof me,' zei Eileen. 'Ze is columniste bij de *Daily Mail* en een werkelijk geweldige verslaggeefster. Denk erover na. Ik bel je hier later over terug.'

Op mijn werk probeerde ik haar woorden uit mijn gedachten te bannen. Toen ik de universiteit verliet, ging ik naar het winkelcentrum in het nabijgelegen Livingston en kocht een exemplaar van de *Evening Times*. POLITIE GRAAFT DIEP NAAR MISBRUIK IN MOORDMYSTERIE was Maggie Barry's kop. Het viel me op dat mijn vader in haar halve pagina vullende artikel niet werd genoemd, maar dat ze wel onthulde dat de 'politie heeft gesproken met een man over de onopgeloste verdwijning van een meisje uit Coatbridge, Moira Anderson, in 1957 én het seksuele misbruik van vier jonge meisjes uit hetzelfde gebied, die nu volwassen vrouwen zijn'.

Ik vertelde Ronnie dat de bom elk moment kon barsten. 'Misschien zouden we na het examen morgen een weekendje weg kunnen gaan, weg uit Schotland. Het zou allemaal heel vervelend kunnen gaan worden.' Ik belde Eileen en vertelde haar dat ik met Melanie Reid wilde praten, en sprak toen met onze vrienden Peter en Gillian, die in Wolverhampton wonen. Ze waren verrast, maar vonden het leuk iets van ons te horen en bevestigden dat ze voor het komende weekend geen plannen hadden.

Ik was opgelucht dat ik donderdag vrij had genomen. Mijn examen stond gepland in de middag, maar in plaats van de ochtend door te brengen met mezelf te kalmeren en in de juiste stemming te komen, kreeg ik een bezoekje van een fotograaf van de *Sunday Mail*, die zichzelf voorstelde als Henry. Hij zou wat foto's nemen, zei hij, en Melanie kwam wat later in de avond langs. Hij zou een portret van me maken, maar dan van de achterkant, zodat niemand me zou herkennen. 'Alleen de mensen die u heel goed kennen.' Hij glimlachte en was zich niet bewust van de ironie van zijn woorden toen hij op zoek ging naar een locatie. Zijn ogen lichtten op toen hij een klein beeldje zag in mijn slaapkamer, van een jong meisje, gebogen over haar knieën, het gezicht verborgen, maar wier houding puur verdriet uitstraalde. Enigszins verdwaasd, maar bereid toe te geven aan zijn enthousiasme, ging ik netjes op ons bed zitten en staarde door het raam naar buiten, zodat het beeldje en ik samen op de foto stonden.

Nadat Henry weer was vertrokken, ging ik naar het centrum van de stad. Mijn hart zonk me in de schoenen toen ik de zee van houten tafels in de examenhal zag, maar het uur van de afrekening was aangebroken. Als ik het lesmateriaal nu nog niet kende, kreeg ik het nooit onder de knie.

De drie uur gingen als een flits aan me voorbij, en toen ging ik naar huis, waar een lange, blonde journaliste in onze zitkamer met mijn man in gesprek was. Ze glimlachte geruststellend toen ik mijn schoenen uitschopte en iets voor ons te drinken inschonk. We spraken over ons beroep. Ik had sommige van haar columns gelezen en wat een aantal onderwerpen betrof, waren we het aardig met elkaar eens. Toen vroeg ze me heel voorzichtig naar kindermisbruik. Ik vertelde haar over mijn jeugd, mijn vader, Moira en mijn nichtjes. Ze viel me maar een enkele keer in de rede en dan was het altijd met een vraag. Ze vroeg naar William en ik vertelde haar dat Eileen hen met elkaar in contact kon brengen. Toen ze naar de locatie vroeg van de vijver waar William de politie mee naartoe had genomen, wilde ik haar alleen maar vertellen dat die zich aan de rand van Coatbridge bevond.

Er gingen meer dan twee uur voorbij. Ik trok mijn voeten onder me en duwde met mijn knokkels tegen mijn oogleden, dodelijk vermoeid van de lange dag. Melanie keek me onderzoekend aan. 'Je bent uitgeput,' zei ze en stopte haar notities in haar tas. 'Bedankt dat je zo'n verbluffend verhaal met me hebt willen delen. Je hebt gelijk dat het grote publiek moet weten wat er met Moira en met jouw familie is gebeurd. Het komt zondag in de krant. Hoe zal je moeder hiermee omgaan?'

'Het zal vernietigend zijn voor haar en mijn broers,' zei ik zacht. 'We gaan dit weekend met de kinderen naar vrienden in de Engelse Midlands.'

Hoofdstuk 34

Weer onderweg naar huis, na ons uitstapje, stopten we bij een benzinestation op de M6 en ik twijfelde er niet aan dat ik op een verschrikkelijke manier uit de school had geklapt. Ik sperde mijn ogen wijd open toen ik daar een hele rij zondagskranten zag, met op de voorpagina van de *Sunday Mail* een prominent geplaatste foto van Moira en daarnaast de kop: MIJN VADER HEEFT DIT MEISJE VERMOORD.

Terwijl ik in de rij stond, omringd door allerlei Halloween-spullen, hoorde ik de mensen er verwonderd over praten. 'Vind je het niet raar,' zei een dame, 'dat zoiets pas nu aan het licht komt?'

'Tegenwoordig verbaast niets me meer, maar ik vind het moeilijk te geloven dat het zijn eigen dochter is die van die nare dingen over hem zegt. Ze doet het vast voor het geld.'

Ik wilde het echtpaar uit Lancashire vertellen dat er in dit geval geen sprake was van chequeboekjournalistiek, maar dat deed ik niet. Toen ik terugkeerde naar de auto, gaf ik de krant aan Ronnie. Hij keek vluchtig naar de kop, naar de foto van Moira, en het twee pagina's vullende artikel binnenin. Behalve het artikel van Melanie, stond er ook een foto bij van een ouderwetse Baxter's bus uit de juiste tijd, een niet zo bekend en enigszins vervaagd kiekje van Moira in een katoenen zomerjurk, een foto van de vijver in Witchwood, met in de verte hoge flats, en, natuurlijk, Henry's foto van mij bij ons raam, starend naar de kleine portretfoto van Moira die hij me had gegeven.

De hele weg naar huis deed ik er het zwijgen toe.

We kwamen thuis bij een antwoordapparaat vol berichten,

sommige woedend, sommige verbijsterd, andere meelevend. Mijn moeder kwam er eindelijk doorheen en vertelde me dat mijn broers door het lint waren gegaan. Waar was ik in vredesnaam geweest? Het was al erg genoeg om dit sensationele nieuws in alle zondagskranten te laten plaatsen, maar om dan ook nog eens te verdwijnen? 'Ik hoop dat je weet wat de mensen van je zeggen,' zei ze. 'Toen ik vanochtend in de kerk was, hoorde ik het gefluister.' Ze herhaalde wat het echtpaar in het benzinestation ook had gezegd.

'Geloof je nou werkelijk dat ik zoiets alleen voor het geld zou doen?' Ik vond het vreselijk dat ze zo van streek was, maar ik begreep wel waarom ze me aanviel. Ze leefde tegenwoordig met een gigantisch schuldcomplex, eindelijk erkennend dat er jaren geleden inderdáád tekenen waren geweest dat het niet zo goed ging in onze familie, tekenen die ze in die tijd niet onder ogen had willen zien.

'Nou, nee, natuurlijk denk ik niet dat je duizenden ponden van een krant hebt aangenomen. Ik vertel je alleen dat de roddelaars hiervan smullen en dat sommigen zullen denken dat dat je motief was, Sandra. Om heel veel geld te krijgen voor een familieramp.'

Ik wachtte tot haar gesnik een beetje was afgenomen. 'Het belangrijkste is dat jij en ik de waarheid weten, mama,' zei ik. 'Ik hoor al mijn hele leven hoeveel ik op je lijk. En dat klopt. Jij weet waarom ik dit allemaal aan het licht heb gebracht en ik ook, en het kan me geen donder schelen wat de roddelaars daarvan denken. Negeer ze en laat ze maar denken wat ze willen. Alleen de waarheid is belangrijk en meer niet.'

Een paar dagen later werd ik opgebeld door een verslaggever die Marion Scott heette, een collega van Melanie Reid. Ik stond perplex toen ze me vertelde dat ze mijn vader ging opzoeken om hem de kans te geven op mijn beschuldigingen te reageren. 'Dat was me nogal een verhaal dat Melanie heeft geschreven, de telefoon heeft niet stilgestaan,' verkondigde ze vrolijk. 'Er belden zelfs ex-politiemannen op die het met je eens zijn dat het oorspronkelijke onderzoek dat jaar een puinhoop was. Het heeft een echte rel veroorzaakt. Maar dat was toch je bedoeling, hè?'

'Ja,' stemde ik ellendig in. 'Dat was het idee. Je zei dat je naar het zuiden gaat?'

'We moeten de boel in balans houden,' antwoordde ze. 'Omdat er zoveel ex-Schotten in Leeds wonen en onze krant daar goed wordt verkocht, heeft hij het artikel ongetwijfeld gezien. Hij hoort de kans te krijgen ook zijn visie te publiceren. Daarom ga ik erheen om te kijken of ik met hem kan praten, voor het vervolg van het verhaal. Melanie heeft griep.'

Het was duidelijk dat Marion in de zevende hemel was met deze opdracht.

'Je gaat in je eentje naar hem toe om hem met deze aanklachten te confronteren?' Mijn stem begaf het. Ik vond Marions vertrouwen hierin verbijsterend.

'Geen probleem. Het is slechts een kwestie van hem verrassen en te kijken of hij deze uitdaging wil aannemen.'

Ik uitte mijn zorg over haar veiligheid. Hij zou haar kunnen aanvallen. Wist ze wel dat hij nog steeds een grote man was? Ze kon niet in haar eentje naar hem toegaan.

'Nee, ik denk niet dat ik gevaar loop, maar omdat ik niet zo groot ben, staan ze erop dat ik een zwaargewicht meeneem.' Ze lachte. Toen werd haar stem opeens serieus. 'Heb je er wel eens aan gedacht om naar hem toe te gaan en hem te confronteren met dat vreselijke gesprek toen je grootmoeder was gestorven?'

Ik was even stil. Toen zei ik: 'Dat klopt, dat heb ik inderdaad. Ik heb geprobeerd mijn echtgenoot over te halen om me naar hem toe te laten gaan onder politiebegeleiding, maar hij was er finaal tegen en Jim McEwan wilde er al helemaal niets van horen.'

'Nou, zo zie je maar.' Marion liet doorschemeren dat ik nu de perfecte gelegenheid had. 'Laat eens kijken,' zei ze, terwijl ik als een blad begon te trillen. 'Het is vandaag maandag en het is de bedoeling om twee vliegtickets te kopen van Glasgow naar Leeds voor donderdag 4 november, voor de eerste vlucht 's ochtends. Denk erover na en ik bel je terug. Het is geen enkel probleem om met zijn drieën te gaan – jij, ik, en iemand om ons te beschermen.'

Toen hing ze snel op.

Ronnie wilde niet graag vertellen wat zijn gedachten hierover waren, maar ik kon zien dat hij aardig de kluts kwijt was. Uiteraard was hij zelf niet bang voor een zeventig jaar oude bejaarde man, hoewel het er wel een was die ruim een meter tachtig lang was en die in de bloei van zijn leven een heel sterke man was geweest. Hij was bang voor míj.

Ik had geen tijd om mijn nichtjes te vragen wat ze van mijn bezoek aan Leeds dachten en ik wist dat Jim ertegen zou zijn. Ik besloot William te bellen.

Hij was heel bemoedigend en voorspelde dat ik sterk genoeg was om dit aan te kunnen. 'Deze man zal alles doen om zijn eigen huid te redden, Sandra, dus heb geen illusies over dit gesprek. Hij heeft geen geweten en zal de schuld alleen maar naar anderen toe schuiven. Hij zal vermoedelijk zelfs proberen een oude maat hiervoor op te laten draaien. Iedereen behalve hijzelf. Maar in zijn hart weet hij dat hij verantwoordelijk is voor alle dingen die je openlijk hebt gezegd.' Hij voorzag tevens dat ik bij mijn terugkomst nog meer overtuigd zou zijn en vastberadener dan ooit tevoren.

Op woensdagavond sprong ik in mijn auto en reed naar Milngavie in Glasgow, waar ik Marion Scott zou treffen. Ze was klein, met donkerbruine ogen in een bleek gezicht en had glanzend zwart haar. Ze vertelde me dat ze ervoor gezorgd had dat we de volgende ochtend om 4.30 uur zouden worden gewekt. Het kwam allemaal heel surreëel op me over. 'Ik heb de schurft aan mannen die kinderen misbruiken,' zei ze, en maakte een sigaret uit en stak meteen een andere op. 'Ik kan niet wachten om hem te ontmoeten.'

Ik had de nodige journalisten ontmoet, maar Marion was anders. Haar taalgebruik was behoorlijk pittig, maar toch vond ik haar aardig. Misschien was het haar aardse gevoel voor humor dat haar staande hield in de zware wereld van de journalistiek – dat, of de sigaretten die ze non-stop rookte.

Zoals afgesproken zagen we elkaar de volgende ochtend vroeg. Onze mannelijke begeleider, zei Marion, zou op de luchthaven van Glasgow op ons wachten. Ik hield haar kleine donkere figuurtje maar met moeite bij toen ze over het beton de terminal in rende.

Mijn mond viel open en ik moest bijna lachen toen ik Henry, de fotograaf, herkende. Hij stond met slaperige ogen bij de ticketbalie, bijna dubbelgebogen onder alle apparatuur die hij droeg. Hij glimlachte naar me. 'Dus Henry is onze sterke mannelijke beschermer?' siste ik naar Marion toen we op weg gingen naar de vertrekhal. 'Ik ben de grootste van ons drieën en ik ben maar een meter vijfenzestig!'

'Ja, nou.' Marion barstte in lachen uit. 'Het doet er niet toe. In een groep is het altijd veiliger.'

Onze Loganair-vlucht diende voor zevenen te vertrekken. Maar toen hoorden we dat de mist buiten ons vertrek vertraagde. Terwijl we zaten te wachten op onze oproep, dacht ik wrang dat als mijn vader agressief zou zijn, Henry hem nou niet bepaald zou afschrikken. Ik grijnsde naar hem. Hij kon niet wachten, zei hij, om een foto van mijn vader te maken en die te publiceren.

Dit baarde me zorgen. Een herkenbare foto kon mogelijke wettelijke procedures in gevaar brengen. Als mijn afspraak bij Lord Rodger in Edinburgh erdoor kwam, was het misschien mogelijk om het ministerie van Justitie te vragen haar besluit te heroverwegen en mijn vader aan te klagen voor de vergrijpen tegen mijn nichtjes... die kans wilde ik niet verspelen.

Over de intercom verkondigde een stem dat onze vlucht gereed was om te vertrekken, maar dat het nog steeds erg miste in Leeds. We konden daar nog meer problemen verwachten.

We gingen aan boord en terwijl het kleine vliegtuig opsteeg door de dikke mist die het overgrote deel van Glasgow bedekte, vertelde ik mezelf dat het weer de goden waren, zoals gewoonlijk, die Alexander Gartshore beschermden. Het zou geen gemakkelijke reis zijn naar zijn huis.

Prompt werden mijn angsten bevestigd toen we uitweken naar Teesside Airport en op een bus werden gezet, die ons, zeiden ze, naar onze oorspronkelijke bestemming zou brengen. Wat natuurlijk niet werd gezegd, was dat deze reis ons door de mistige heidevlakten van Yorkshire zou voeren.

Het leek wel of er aan de nachtmerrieachtige reis geen eind kwam. Uiteindelijk haalden we onze huurauto op en reden naar de juiste buurt in Leeds. Het was vrij eenvoudig om de wijk Burmantofts te vinden, want de torenflats waren al vanaf grote afstand te zien. De flat waar mijn vader in woonde, zag er net zo uit als elk ander grimmig fort in de binnenstad. Veel gebroken glas rondom het belpaneel van de hoofdingang. Het deed me denken aan Alcatraz, maar hier speelden kleine kinderen op het beton.

Henry en Marion waren net zo verrast als ik door het belsysteem en ik had er niet op gerekend in een microfoon te moeten spreken. We keken elkaar vol afgrijzen aan en toen liet Marion merken dat ik ons naar binnen moest zien te krijgen. Ik sloot mijn ogen en slikte hevig. Om het allemaal nog surrealistischer te maken, wees Marion naar haar grote tas en liet me een cassetterecorder zien die ze in de diepte had verborgen. Het ding was net zo klein als haar mobiele telefoon, maar ik zag dat hij al aanstond.

'Maak je geen zorgen.' Ze grijnsde. 'Wat hij ook zegt, we leggen alles vast. Henry blijft beneden, en als er iets gebeurt wat me zorgen baart, geef ik hem het signaal dat we hulp nodig hebben en dan komt hij er meteen aan.'

Henry glimlachte zwakjes naar me en liep toen weg en zei dat hij hoopte dat we mijn vader het gebouw uit konden krijgen zodat hij een foto van hem kon nemen.

Marions bravoure was aanstekelijk en ik hield mijn lippen bij de microfoon, als de dood voor een reactie. Maar toch erkennend dat het heel vervelend zou zijn als we helemaal voor niets zouden zijn gekomen omdat mijn vader niet thuis was. Ik drukte op het juiste nummer en mijn keel kneep samen toen ik een klik hoorde. De stem aan het andere eind klonk meer Yorkshire dan Schots. Ik noemde mijn naam. Het was stil, en toen: 'Ben jij dat, lieverd? Kom maar boven.'

Hoofdstuk 35

'Ik ben het, Sandra. Ik ben uit Edinburgh gekomen en wil je spreken.'

Mijn vaders lange lijf bewoog zich richting Marion en mij toen we uit de lift stapten. Hij naderde ons en ik zag dat hij minzaam glimlachte. Zou hij iets zeggen wat ons naar de waarheid zou leiden? Toen hij ons zijn voordeur wees, zag hij er niet uit alsof hij problemen verwachtte.

We liepen een groezelig halletje in en ik vertelde mezelf dat een volledige bekentenis misschien te veel van het goede zou zijn, maar dat ik in ieder geval kon proberen een beroep te doen op het weinige fatsoen dat hij nog overhad. Hij moest toch eindelijk inzien dat het tijd was om schoon schip te maken, om de dingen recht te zetten voordat het te laat was, om een groot onrecht te herstellen.

Hij keek ons onderzoekend aan toen hij de deur dichtdeed.

'Ik heb de jongens in het blauw niet meegenomen, pa,' zei ik aarzelend, 'en zelfs de meisjes niet, dus je hoeft je geen zorgen te maken. Ronnie wilde niet dat ik naar je toeging, en hij ging alleen maar akkoord als ik een vriendin zou meenemen. Dit is Marion. We moeten met je praten, pa. We hebben antwoorden nodig. Niet alleen voor mij, maar ook voor anderen.'

Marion glimlachte beminnelijk terwijl ik mijn vaders gelaatsuitdrukking probeerde te doorgronden toen hij ons de zitkamer in leidde. Tot dusverre had hij nog geen woord gezegd.

Zijn reactie op mij was heel interessant. Dochters die hun ouder beschuldigen van moord en kindermisbruik verwachten niet met open armen ontvangen te worden. Ik had verwacht dat hij me zou uitmaken voor een leugenachtig kreng, dat beter meteen kon terugkeren naar Schotland, of hij had heel boos kunnen zijn omdat ik het gewaagd had hem van dit soort dingen te beschuldigen. Geen van beide gebeurde.

Hij gebaarde ons te gaan zitten en ik keek voor het eerst vluchtig om me heen. Er was zoveel troep dat we eerst iets moesten verplaatsen voordat we konden gaan zitten. De hele flat zag eruit alsof een of andere bende de boel in puin had geslagen.

Er kwam veel natuurlijk licht binnen door een groot raam, dat een uitstekend uitzicht bood op heel Leeds. Het licht hielp het woeste oranjekleurige behang te bestrijden, waar wilde krullen op getekend waren die binnen enkele minuten een migraineaanval konden oproepen. Het weinige meubilair dat er stond, was pover en heel elementair

Zodra we zaten, vuurden we allerlei vragen op hem af. Ik smeekte hem wat mededogen te tonen en de mensen eindelijk wat rust te gunnen, en Marion deed een beroep op zijn fatsoen en of hij aan zijn dochter wilde denken die nu al maanden door een hel ging, en toen vroeg ze hem te beschrijven wat er op die zaterdag in februari in 1957 was gebeurd.

Mijn vader werd rood en ging meteen tekeer. Als iemand door een hel was gegaan, was hij het, verkondigde hij. We kregen alle details van zijn prostaatprobleem. Rookgordijn. Marion en ik keken elkaar aan. Het was dat arme-ik-gedoe en bedoeld om onze sympathie te winnen. We trapten er niet in.

Ze knalde meteen de vraag eruit waarom hij die dingen tegen me had gezegd op de begrafenis van Granny Jenny. Probeerde hij een fikse lading schuld van zich af te schuiven? Ze herinnerde hem eraan dat iedereen in Schotland nu wel wist dat hij de chauffeur was die Moira voor het laatst had gezien, dat zijn eigen vader naar het kind had gezocht in het huis en in de bus van zijn zoon, en dat hij gestorven was in de overtuiging dat zijn zoon Moira's moordenaar was.

Mijn vader raakte geërgerd.

Ik probeerde psychologie, ik probeerde tranen, ik deed een beroep op zijn geweten, maar ik zag in waarom de politie op een gegeven moment door haar strategieën heen was met mijn vader. Ik boekte niet veel vooruitgang, tot hij zei dat hij graag wilde dat alles werd opgelost. Toen Moira al die jaren geleden bij Woolworths in Coatbridge uit zijn bus was gestapt, had ze een 'mysterieuze vriendin' bij zich gehad. Als ze haar konden vinden, kon alles opgehelderd worden. Hij had Jims team ook over dit meisje verteld, hield hij vol. Ja, absoluut. Hij kon zich haar juist erg goed herinneren, omdat ze met zijn drieën samen waren uitgestapt.

'Jij bent toen ook uitgestapt?' Ik keek met een ruk op. Dit had niet in het verslag gestaan dat ik had gelezen. 'Je vertelde de politie dat Moira uitstapte en dat ze je gedag zwaaide.'

Hij realiseerde zich dat ik de inhoud kende van de politietapes en hij kwam terug op zijn verklaring. 'Nou, ja. Ik heb de politie verteld dat ze uitstapte en ik herinner me dat ze naar me omkeek. Ik zat in mijn cabine en zij mimede "Cheerio" tegen me, door het raam. Toen moest ik uitstappen om het stuur over te dragen aan mijn aflosser. Het laatste wat ik van haar zag, was dat ze met dat andere meisje door de draaideur van Woolworths liep. Ja. Dat was het laatste wat ik van haar zag, en dat heb ik tijdens het verhoor verteld. Ze verliet me gezond van lijf en leden, dat weet ik gewoon.'

'Je bent nooit op het politiebureau verhoord,' zei ik op vlakke toon. 'Dus je stapte samen met haar uit?'

'Vlak na hen,' zei hij snel. 'Ik ging naar huis, voor een pauze. Een uur of zo.'

Ik staarde hem aan. Ik wist uit eigen ervaring dat het nooit mijn vaders gewoonte was geweest om tijdens zijn dienst een uur pauze te nemen en naar huis te gaan. Mijn moeder herinnerde zich dat hij dat maar één keer had gedaan, toen zijn kiespijn zo ondraaglijk werd dat hij even naar huis was gekomen om wat whisky op een watje te doen. Het was haar bijgebleven omdat ze hem zelf naar de tandartspraktijk van meneer Downie in Whifflet had gebracht om de kies te laten trekken. Hij kwam normaal gesproken nooit tussentijds naar huis en ze wist dat hij dat ook niet op die bewuste zaterdag had gedaan.

Marion sprak over het misbruik waar hij diverse kinderen aan had onderworpen, terwijl ik zuchtte over zijn onverschilligheid. Namen uit het verleden, dat was alles wat ze voor hem voorstelden. Ze gaf hem een fikse uitbrander en sprak over de effecten op kinderen die nog zo jong waren. Op dit moment noemde ze de naam van A en tot mijn grote ontzetting plaatste hij nogal afwezig een opmerking. 'Ja, je hebt gelijk.' Hij zuchtte. Ja, hij had haar een keer gemolesteerd, toen ze een jaar of vijftien was. Marion keek omlaag en ik wist dat ze zich afvroeg of het bandje nog steeds liep, want in die laatste paar minuten hadden we maar liefst twee kleine doorbraken gehad. We waren bezig hem af te matten en zagen een sprankje hoop door dat dikke web van leugens dat hij zo lang had gesponnen dat hij er zelf in geloofde. Ik hield mijn adem in.

'Ja, ik geef toe dat ik haar heb aangeraakt, maar ik ben nooit tot het eind gegaan,' zei mijn vader vrij kordaat. 'De rest wel, maar ze was familie en ik was erg op haar vader en moeder gesteld, dus ik ben nooit helemaal tot het eind gegaan. En ze was vijftien, zoals ik al zei.'

'Dat is niet wat zij zegt.' Ik keek hem indringend aan. 'Het was niet maar één keer en ze was toen ook geen vijftien, pa. De eerste keer was ze acht.'

Hij keek me woedend aan en hield vol, terwijl zijn boosheid toenam, dat iedereen leugens over hem vertelde. Al die kinderen die ik had gekend toen ik klein was, vriendinnetjes, buurmeisjes met wie ik had gespeeld, en mijn nichtjes – deze kinderen hadden alles verzonnen en hij wist niet waarom. Ik merkte nadrukkelijk op dat niet al zijn beschuldigers kinderen waren die hij had gekend. Sommige van zijn voormalige collega's hadden dingen tegen de politie gezegd die minstens zo belastend waren als wat ik hun had verteld. Het enige verschil, dacht ik wrang, was dat de politie naar hen toe had gemoeten, terwijl ik zelf naar de politie was gestapt.

'Ze worden allemaal betaald,' zei hij nijdig. 'Dit komt allemaal van daarboven vandaan. Het is een campagne, zeg ik je. Ze zijn bezig met een vendetta tegen mij...' Hij wees naar een exemplaar van de *Airdrie and Coatbridge Advertiser*. 'Ze hebben het recht niet hiermee te beginnen. Ik ben door een hel gegaan met twee beroertes, weet je. En de dokter zegt dat ik nu ook hartkloppingen heb.'

'Je bent er zélf mee begonnen,' merkte ik op, blij dat zijn woede ons een beetje verder bracht, 'toen je op de dag dat Granny stierf met me praatte. Jij bent degene die zichzelf in verband heeft gebracht met Moira. Jij was degene die haar het laatst heeft gezien. Je hebt me helemaal gek gemaakt van de zorgen. Toen kwam boven water dat al die onzin die je vroeger hebt verteld, dat je verhoord was door de politie, uit je duim gezogen was. Opa heeft het al die tijd bij het juiste eind gehad.'

'Ik had een goede verstandhouding met mijn vader.' Hij keek me verontwaardigd aan. 'Ik weet niet waarom hij in mijn huis kwam kijken en erop stond mijn bus te doorzoeken. Ik heb hem meegenomen en de bagageruimte opengedaan en alles aan hem laten zien. "Hoe zou ik zoiets kunnen doen met allemaal passagiers om me heen en een conductrice? Waarom zou ik zo'n lief meisje kwaad willen doen?" vroeg ik hem.'

Ik keek hem als gehypnotiseerd aan. Dit zijn dezelfde retorische vragen die je aan mijn moeder hebt gesteld, dacht ik, en zij voelde zich heel beroerd omdat ze het überhaupt had durven denken. Het was een prima strategie, dat moest ik toegeven.

'Nou, hoe kon hij zoiets denken? Hoe zou ik zoiets kunnen doen?'

En óf je dat kunt, dacht ik, en of je dat kunt. Vooral als het je lukte om van die passagiers en die conductrice af te komen, en je je doel bereikte, namelijk alleen zijn met dat kind. A was zeven jaar ouder dan ze in werkelijkheid was. Vooral als je jezelf ervan hebt overtuigd dat wat er fout ging met Moira de schuld van het kind was.

Ik wist ook van Jim dat mijn vader volhield dat hij nooit de T-sleutel van EVA 56 had gehad om zich toegang te verschaffen tot de bagageruimte, en nu zat hij aan mij en Marion te vertellen dat hij de sleutel had gebruikt om zijn vader gerust te stellen dat er in de bagageruimte geen lichaam van een kind lag.

'O, ja.' Hij glimlachte nu naar Marion. 'Ik had een goede verstandhouding met mijn vader,' herhaalde hij. 'Feitelijk heeft hij me op zijn sterfbed alles wat er is gebeurd vergeven.'

Marion trok een wenkbrauw op.

'Nou, dat is heel interessant,' voerde ik aan, 'omdat ik me niet kan herinneren dat je op dat moment bij hem was. Je kwam pas opdagen op de dag van de begrafenis.'

Hij herstelde zich snel en voegde er koeltjes aan toe: 'Wat ik bedoel, is dat mijn moeder me later vertelde dat hij me alles had vergeven.'

Wat was hij manipulerend en gewiekst.

Hij was weer erg boos omdat ik het waagde mijn twijfels onder woorden te brengen. Hij kon niet begrijpen, zei hij, en ijsbeerde door de kamer, waarom iedereen leugens over hem vertelde, hem afschilderde als de boef terwijl dat helemaal niet waar was. Hij zei dat hij het zat was om ondervraagd te worden. Het ene gesprek na het andere, brieste hij, en de politie had gewoon de pik op hem. Hij was een zondebok en daar begon hij zo zoetjesaan genoeg van te krijgen. Ze behandelden hem als het zwarte schaap van de familie en waren altijd op zoek naar dingen die ze hem in de schoenen konden schuiven. Al die kinderen, zei hij, hadden kennelijk niets beters te doen dan over hem te liegen. Het was bijna zielig te noemen. Hij had de tel bijgehouden en volgens hem waren het er meer dan honderd geweest – ze hadden hem over meer dan honderdtweeëntwintig kinderen ondervraagd.

Ik sperde mijn ogen wijd open.

Marion en ik konden elkaar niet eens aankijken. Ik wist dat mijn mond openhing. Had ik hem niet goed verstaan? Maar nee. Mijn vader herhaalde het aantal. 'Honderdtweeëntwintig, dat geloof je toch niet?'

Hij vond het belachelijk. Sommige kinderen naar wie ze hem hadden gevraagd, had hij nauwelijks gekend. Na al die jaren kon hij zich hun namen niet meer herinneren. Voor sommige kinderen had hij snoepjes gekocht en hij was aardig voor ze geweest, maar nu hij eraan terugdacht had hij zich de moeite kunnen besparen. Hij had kinderen altijd leuk gevonden, was altijd goede maatjes met hen geweest, had met hen gespeeld, en dit was de dank die hij kreeg.

Marion had zich in de tussentijd weten te herstellen en haalde diep adem. Toen begon ze hem subtiel te vleien: ze kon zien dat hij in de bloei van zijn leven een fijne vent was geweest. Hij viel toen kennelijk heel erg op, zei ze met een onnozele glimlach. Hij begon te lachen en knikte. 'Ja, ik was heel populair.' Hij gniffelde. 'Alle vrouwen waren dol op me en ik was dol op hen.'

Ik onderbrak zijn dagdroom nog een keer met een andere glasharde waarheid. 'Maar het waren niet alleen vrouwen met wie je seks wilde hebben, pa,' zei ik. 'Je hield ook van kleine meisjes – dat doe je nog steeds. Je wilde ze voor jezelf hebben, nietwaar?'

Ik was verbaasd toen hij het met me eens was. Marion, die de volgende deuk in zijn harnas zag, volgde de lijn van zijn gedachten. Ze glimlachte vol sympathie en veranderde haar rol van een kokette jonge vamp in een ernstig kijkende advocate. 'Is het iets – een soort van impuls? Je weet wel, iets waar je zelf niets aan kunt doen?'

Hij knikte. Hij boog zijn hoofd en ik dacht dat we ergens op een knopje hadden gedrukt. Dit raakte een zenuw.

'Ja.' Hij zei het na wat volgens mij de allerlangste stilte was geweest. 'Ik heb er spijt van. Ik heb er al mijn hele leven last van. Maar het is iets wat me gewoon overvalt. Ik kan het niet helpen. Het gebeurt nog steeds. En ik heb er spijt van dat ik mijn eerste gezin in de steek heb gelaten. Echt waar.'

Zijn ogen liepen vol tranen en het was moeilijk om geen medelijden met hem te hebben. Hij was verdrietig en hij was ziek. Ik kon hem niet haten. Het is veel gemakkelijker om de moordenaar en aanrander te verafschuwen die er als een monster uitziet. Ik zag in dat het het gedrag en de misdaden waren waar ik van walgde. De man stond hier los van. Ik werd overweldigd door tranen, maar al mijn verdriet was voor zijn slachtoffers bestemd. Wat vreselijk om na te denken over al die ellende die hij had veroorzaakt, de hoeveelheid levens die hij had geruïneerd, terwijl hij al die tijd dringend hulp nodig had gehad.

'Pa, je bent er niet klaar voor dat de waarheid nu aan het licht komt,' zei ik. Hij keek me aan met de ogen die ik nooit zou vergeten vanwege hun kilte, hun afstandelijkheid en ongevoeligheid.

'Maar je weet dat het toch moet gebeuren. Misschien niet deze week of deze maand, maar het moment zal komen.'

We waren nu al bijna twee uur bij mijn vader. Marion was op een bepaald moment naar de wc gegaan. Ik vermoedde dat ze de tape had vervangen en dat ze Henry had laten weten dat we allebei oké waren. Mijn vader had zo'n scherp gehoor dat hij haar het nummer hoorde intoetsen.

'Is je vriendin iemand aan het bellen?' vroeg hij.

'O, ja. Ze belt even naar het noorden om iedereen te laten weten dat we veilig en wel zijn aangekomen,' zei ik. 'Ze heeft zo'n mobiele telefoon.'

'O. Een van die nieuwe mobiele telefoons.' Hij vertoonde geen enkel teken van achterdocht. Toen Marion terugkeerde, probeerde ze zijn vertrouwen weer te winnen, maar hij gebruikte diverse tactieken om haar pogingen af te weren. Waarom gingen we niet mee naar zijn ex-vrouw Pat. Zij zou ons wel vertellen wat een goede vent hij was. Zij zou ons vertellen dat hij er al die jaren geleden niets mee te maken had gehad en dat die schoften uit het noorden het gewoon in zijn schoenen probeerden te schuiven.

We waren niet van plan zijn aanbod aan te nemen.

Marion vroeg hem naar Witchwood Pond en wist het gebied nogal goed te beschrijven. Mijn vader kromp ineen op de bank en zijn handen trilden.

'Wat is daar gebeurd, Alex?' wilde ze weten. 'Dat is de plek waar je haar mee naartoe hebt genomen, nietwaar?'

Mijn vader pakte een bijbel en zwoer dramatisch: 'Kijk. Ik zweer op het leven van mijn kinderen daar en hier. Ik heb dat kleine meisje Moira nooit aangeraakt. Het lijkt me nu te achtervolgen, maar ik heb het echt niet gedaan.'

Zijn lichaamstaal vertelde iets anders.

Tijdens het laatste kwartier van ons vreemde gesprek probeerde mijn vader de schuld af te schuiven op een ander personeelslid van Baxter's. Hij noemde een van zijn ex-collega's die door Jim waren verhoord, en zei dat er op die dag, op die route, anderen waren geweest die ook verantwoordelijk zouden kunnen zijn voor de moord op het meisje. En als we hem even de tijd konden geven om erover na te denken, zou hem vast wel iets te binnen schieten waarmee hij ons bij dit nieuwe onderzoek kon helpen. Ik krabbelde mijn telefoonnummer op een stukje papier en hij vertelde me dat als hem iets te binnen zou schieten, hij contact met me zou opnemen. Het was bijna om te lachen, de wijze waarop hij het kaartje aannam, ernstig knikte en wederom benadrukte dat zijn ex-collega's erbij betrokken zouden kunnen zijn. William had de spijker wederom op zijn kop geslagen, dacht ik.

Meteen daarna voelde ik me afschuwelijk toen hij in de lift met ons meeging naar beneden om ons uit te zwaaien. Hij bracht ons naar de plek waar onze huurauto stond en vertelde ons welke richting we uit moesten voor de ringweg. Terwijl hij met zijn armen zwaaide, zag ik dat Henry, die naast de auto stond te wachten, snel een foto van hem nam.

Mijn vader zag hem staan en ik verwachtte dat hij boos zou worden, maar hij had helemaal niets in de gaten. Ik voelde me ziek. Het was niet eerlijk. Waarom kon het mij verdomme zoveel schelen? Hij vroeg wie de man was die zoveel foto's nam. Alleen maar een vriend, loog ik, ondanks het feit dat Henry beladen was met apparatuur, hij leek David Bailey wel.

'Hij is onze chauffeur,' zei Marion slim, 'en hij brengt ons naar het vliegveld. Oké?'

Mijn vaders mond viel open. Het was duidelijk dat er weinig bezoekers kwamen die dit op dezelfde manier aanpakten als wij.

Henry ging wat dichter bij mijn vader staan. Terwijl ik in de auto probeerde te stappen, waren mijn emoties in een staat van beroering. Ik kon hem zien, hij glimlachte vol vertrouwen toen Marion hem vertelde dat ik graag foto's van hem wilde. Ik vond dit heel misleidend, maar ik twijfelde er nog steeds niet aan dat deze man gedurende zijn hele leven de nodige kinderen in de val had laten lopen. De tranen van bitterheid vloeiden over mijn wangen en ik schaamde me voor het grote gevoel van verraad dat me overviel.

Hij bleef naast de auto staan, terwijl Marion een poging ondernam om me naar hem toe te krijgen en hem te omhelzen. Ze keek van de een naar de ander en zag toen dat ik dat nooit van zijn leven zou doen. De herinnering kwam terug dat ik als kind naar voren was geduwd om hem te kussen toen hij terugkwam uit het 'ziekenhuis'. Ik kon de ene voet niet voor de andere krijgen. Terwijl mijn vader naar ons allen grinnikte, trok zij me tegen haar borst en troostte me. Het was een welkom gebaar want het hielp me mijn betraande gezicht te verbergen. Maar het was ook heel manipulerend, vond ik, en Henry haastte zich om dit verstarde trio op de foto te zetten.

Hoofdstuk 36

Tot haar grote ergernis werd Marions verslag van ons bezoek aan Leeds op een binnenpagina geplaatst. Ze liet een hele serie vloeken los op de koninklijke schoonheid wier huwelijk de nodige barsten begon te vertonen. 'Ons verhaal was voorpaginanieuws tot Di haar trucje deed en alle koppen inpikte.'

Ik bleef op de vlakte. Ik voelde me niet prettig bij de foto die Henry van ons drieën had gemaakt, staand voor de torenflat, terwijl Marion me stevig in haar armen hield. Ik troostte haar zo goed ik kon.

'Is alles op de band gezet?'

'O, ja. Ik heb het gros ervan al opgeschreven. Ik geef je een kopie.'

'Ik heb wat notities gemaakt tijdens de terugreis,' zei ik, 'maar het zou geweldig zijn als ik een kopie kon krijgen. Jim McEwan zegt dat hij ook graag een kopie wil hebben, vooral van de delen die bezwarend zijn.'

Marion snoof. 'Dat hele verdomde gesprek was bezwarend! Ik weet absoluut zeker dat je vader dat kleine meisje heeft vermoord, Sandra. Zag je zijn gezicht toen ik dat kleine weggetje beschreef dat onder de oude spoorbrug door naar de vijver leidt? Hemel, hij ging helemaal over de rooie.'

Na Marions telefoontje tuurde ik uit het raam en het drong tot me door dat de buren al een kerstboom hadden opgezet. Voelde mijn vader zich echt zo sterk met mij verbonden dat hij onderwerpen onthulde die hij met de politie niet had willen bespreken? Ik wist het niet zeker. Ik werd herinnerd aan de beroemde woorden

die Sir Thomas More aan zijn kinderen had geschreven: 'Hard-vochtig en onwaardig om vader genoemd te worden is hij die niet huilt om de tranen van zijn kind. Ik hou van jullie met heel mijn hart, want vader zijn is een band die niet genegeerd kan worden.'
Marion en ik hadden afgesproken Jim op te zoeken in Glasgow. Ze had een grote, bruine envelop voor hem meegebracht, met daarin een aantal getypte vellen. Toen we arriveerden, was hij helaas niet op kantoor. We lieten de envelop met een briefje achter en Marion ging ervandoor.

Kort daarna ontmoette ik Alistair Duff, de advocaat die was aanbevolen door Richard Kinsey. In de afgelopen weken had ik hem een paar keer in het nieuws gezien, op de televisie, toen hij door journalisten werd geïnterviewd nadat hij ermee had ingestemd de twee Libiërs te verdedigen die verdacht werden van de vliegramp bij Lockerbie, in 1988. Vooropgesteld dat kolonel Gaddafi hun ooit toestemming zou geven naar Schotland te komen om voor de bomaanval terecht te staan. Op de televisie had hij er ouder uitgezien. Precies, formeel. Maar in het echt realiseerde ik me dat hij van mijn eigen leeftijd was en lang niet zo ontzagwekkend.

'Ik weet vrij weinig van de achtergrond van deze kwestie, dus ga je gang en begin bij het begin. Ik heb een halfuur. Brand maar los,' zei hij.

Hij luisterde terwijl ik het verhaal vertelde. Af en toe verscheen er een diepe frons op zijn voorhoofd en dan maakte hij een notitie of vuurde een vraag op me af.

Ik keek wanhopig naar mijn horloge. Het leek bijna onmogelijk om zo'n ingewikkeld web aan gebeurtenissen te beschrijven in zo'n korte tijd. Ik kreunde inwendig. Tot mijn grote opluchting zei hij om half zes dat hij vond dat we allebei naar huis moesten gaan en dat we later die avond in zijn huis weer bij elkaar moesten komen.

Toen ik hem in zijn victoriaanse villa opzocht, gingen we naar een kamer die volgens mij zijn studeerkamer was. En daar vertelde ik de rest van mijn verhaal. Mijn gastheer legde een vuur aan om de kilte uit de kamer te halen, maar ik kon niet stoppen met rillen. Praten over mijn vader had nu eenmaal altijd dat effect op me, en dat zou nooit veranderen.

Eindelijk stopte ik. Het was een enorme opluchting toen hij me aankeek en zei: 'Ik heb mijn hele leven nog nooit zoiets gehoord. Dit is het materiaal van nachtmerries – het is zo surreëel, je zou er een film van kunnen maken. Maar ik geloof je. Mijn persoonlijke reactie terzijde, ik maak me er ernstige zorgen over waaróm het ministerie van Justitie, waar ik al heel lang ervaring mee heb, niets aan je vader wil doen. Om te beginnen is het heel verrassend dat de officier van justitie in Airdrie niet bereid is een onderzoek in te stellen naar de beschuldigingen van je nichtjes. Volgens mij is er genoeg bewijs om een onderzoek te rechtvaardigen. Ten tweede is het in het huidige klimaat juist van groot algemeen belang dat dit soort kwesties wordt aangepakt. Tot slot, zelfs als het ministerie van Justitie de positie inneemt dat deze speciale beschuldigingen niet de moeite waard zijn om alleen op basis hiervan naar de rechter te gaan, dan nog zou het heel verstandig zijn om ze wel staande te houden. Stel dat hij toch een keer wordt beschuldigd van de moord op Moira Anderson, dan kan dit in hetzelfde onderzoek worden meegenomen, wat de kans op een veroordeling vergroot. Ik vind het absoluut niet logisch om er zomaar korte metten mee te maken.'

Ik vertelde hem dat de correspondentie die al maanden voortduurde, in een impasse was geraakt en dat er nog maar één optie over was: John Major in Westminster aan te schrijven.

'Juist. Het is een poging waard,' antwoordde hij. 'Als je ook daar tegen een betonnen muur aanloopt, ken ik daar twee mensen die behoorlijk wat invloed hebben. Eentje in het Lagerhuis en een in het Hogerhuis. Zij willen misschien helpen het ministerie van Justitie onder druk te zetten om het besluit dat het heeft genomen te herzien of nogmaals te onderzoeken, of in ieder geval met je te praten. Hun politieke invloed zou kunnen helpen hetgeen John Smith en Lord James naar voren hebben gebracht, nogmaals te bekijken. Schrijf je brief aan de premier en laat me er even naar kijken voordat je hem verstuurt, en dan zien we wel wat er gebeurt.'

Ik ging meteen naar huis om de brief te schrijven.

Alistair en ik hadden kort gesproken over de problemen van John Smith in de Monklands, met aantijgingen van nepotisme en religieuze discriminatie, en daarom had het me niet verbaasd dat ik niets meer van hem hoorde. Daarom stond ik versteld toen hij me de volgende dag opbelde. Hij verontschuldigde zich dat het zo lang had geduurd en hij zei dat hij de krantenartikelen van oktober en november in de *Sunday Mail* had zien staan. Hij stelde zich zo voor dat het ministerie van Justitie er niet blij mee was geweest. Dat was nogal zwak uitgedrukt. Ik glimlachte om zijn opzettelijke neutrale toon. Maar hij ging verder met te zeggen dat het hem speet, maar dat hij alles had gedaan wat hij kon en dat hij er verder niet meer bij betrokken wilde worden.

'Waarom?' vroeg ik meteen. 'De zaak van Moira Anderson vond plaats in de Monklands, mijn vader molesteerde en misbruikte daar een aantal kinderen, en mijn nichtjes – de twee die hier de grootste littekens aan hebben overgehouden – wonen daar. En het is nog steeds uw kiesdistrict, meneer Smith.'

'Natuurlijk blijf ik me zorgen maken over alles wat u hebt verteld over het gedragspatroon van uw vader, en ook het feit dat de politie hem in 1957 volkomen heeft genegeerd, en de zeer zorgwekkende verhalen van uw nichtjes.'

'Als u zich zoveel zorgen maakt, waarom hebt u dan het gevoel dat u onze zaak niet meer kunt ondersteunen?'

Na een korte pauze legde hij het uit.

'Als ik u goed begrijp, meneer Smith, denkt u dat u het zich als leider van de oppositie niet kunt veroorloven verwikkeld te raken in deze situatie met het ministerie van Justitie, en vindt u echt dat u al het mogelijke hebt gedaan voor mij en mijn nichtjes?'

'Dat is juist. Ik koester veel sympathie voor uw zaak. Uw sociale gezindheid is te prijzen, maar de uitkomst had niet slechter kunnen zijn. Het besluit van het ministerie van Justitie lijkt misschien een beetje vreemd, maar ik heb gedaan wat u van me vroeg en ik denk niet dat ik me als leider van de volgende Labourregering kan veroorloven betrokken te worden bij iets wat wel eens heel explosief van aard zou kunnen zijn. Ik wil niet betrokken worden bij deze campagne. Het spijt me, maar zo zie ik het.'

Ik vertelde hem dat ik juridisch advies had ingewonnen en dat ik Lord Rodger nu ging passeren. Wie, vroeg ik, is de meerdere van de procureur-generaal?

Er werd hard gelachen aan het andere eind van de lijn. 'Dat is een goeie! Hij is totaal onafhankelijk. Niemand controleert zijn besluiten.'

'Ik vind het moeilijk te geloven, meneer Smith, dat Lord Rodger aan niemand verantwoording hoeft af te leggen.'

'Nou, ja, het is een nogal uniek element van ons Schotse rechtssysteem. Maar me dunkt dat als hij voor iemand zou moeten oppassen, het John Major zou zijn.'

Ik vertelde hem over mijn brief aan de premier en hij wenste me alle succes.

Me bewust van mijn vorige en kostbare fout, schreef ik een brief van drie kantjes aan Downing Street. Alistair stelde twee kleine veranderingen voor, maar noemde de brief verder 'uitstekend'. Tegelijk met een enorme berg kerstkaarten deed ik de brief op 10 december op de bus.

Maar het duurde pas tot na de feestdagen dat ik een ontvangstbewijs kreeg, geschreven door ene juffrouw Gorman, en ook mijn resultaten van de Open Universiteit. Ik was geslaagd – en met een ruime marge, zag ik tot mijn verrukking. Voordat ik het wist ging ik weer volledig op in mijn volgende studie voor 1994, kinderpsychologie.

Nog steeds geen antwoord uit Westminster.

De universiteit begon weer op 7 januari, rond mijn verjaardag, en toen bereikte me opeens onverwacht nieuws. Een van mijn collega's, wier vader ziek was geworden en was overleden, was vlak voor de kerst in allerijl naar Sydney in Australië vertrokken. Ik was inmiddels dermate gefrustreerd, dat ik mijn belofte aan Jim om geen enkele getuige te benaderen buiten mijn eigen familiekring, negeerde. Ik kon me de naam van de man van Moira's zus herinneren en de ongebruikelijke naam van de dure voorstad waar ze woonde. Wat mij betreft was het tijd om de krachten te bundelen. Ik vroeg mijn collega om hulp en toen ze terugkwam gaf ze me een telefoonnummer. Ik rekende het tijdsverschil uit en belde.

Mijn eerste telefoontje naar het huis van Janet moet verschrikkelijk voor haar zijn geweest, maar ze luisterde aandachtig en was het met me eens dat we moesten samenwerken om gerechtigheid te verkrijgen. Aan het eind van het gesprek waren we allebei in tranen – zij omdat ze zich zo gefrustreerd voelde aan het andere eind van de wereld en me wanhopig graag wilde ontmoeten, en ik vanwege de enorme opluchting dat ze me niet had afgewezen. We spraken af onmiddellijk te gaan corresponderen en onze relatie geheim te houden.

'Ik heb al in weken niets van Jim McEwan gehoord,' zei ze. 'Houdt hij zich nog steeds met deze zaak bezig?'

'Technisch gesproken, ja,' antwoordde ik, en legde de gewijzigde omstandigheden uit. 'Toen ik voor het laatst iets van hem hoorde, zouden duikers deze week de vijver doorzoeken, en dat ondanks de vrieskou. Kennelijk hebben ze gewacht tot de belangstelling van de media iets minder werd.'

'Toen familie van mij, de Mathewsons, naar het politiebureau in Airdrie gingen, kregen ze te horen dat het onderzoek was afgesloten. Ik vind dat heel verontrustend.'

'Dat is niet juist, Janet, dus ik snap niet waarom ze dat te horen kregen. Volgens Jim is alles overgeheveld naar het politiebureau in Coatbridge. Ze hebben nog steeds familiefoto's en foto's van mijn vader met het andere personeel van Baxter's Buses, die ze nog niet hebben teruggegeven. Maar zo te horen willen ze weer dat het allemaal verdwijnt.'

Tot slot smeekte ze me voordat we ophingen, dat als die duikers ook maar íéts vonden, ze dat graag onmiddellijk wilde weten. 'Alsjeblieft,' zei ze. 'Het is vreselijk om duizenden kilometers verderop te zitten. Als ze bepaalde resten vinden, vlieg ik meteen naar Schotland en het kan me niet schelen wat het kost. Ik ben het aan mijn ouders verschuldigd om ervoor te zorgen dat Moira een christelijke begrafenis krijgt.' Haar stem brak. 'Dat is nog het ergste van alles. Al die jaren is er geen lichaam geweest, geen graf om te bezoeken. Het heeft het hart van mijn ouders gebroken. Zo wreed. Als John Major je brief leest, hoop ik dat hij wat mededogen zal voelen voor mijn arme moeder en vader die allebei in onwetendheid zijn gestorven. Ik weet het nu in ieder geval. Ik weet waarom je me je vaders adres niet wilt geven, maar ik zal je altijd dankbaar blijven voor alles, en dat je naar de politie bent gegaan.'

Na dat eerste telefoontje bleven haar woorden me uren achtervolgen. Wat een tragedie. Als er geen lichaam is, hoe begin je dan überhaupt met rouwen?

Er ging weer een vlaag van boosheid door me heen. Ik was boos op mijn vader, het ministerie van Justitie, en al degenen die te apathisch waren om het juiste te doen.

Hoofdstuk 37

Alleen mijn echtgenoot en een paar vrienden waren op de hoogte van mijn telefoontje naar Australië. Het gesprek met Janet echode dagenlang in mijn hoofd. Het meest beangstigend was nog haar overtuiging dat de lange man in een overall die haar naar zijn auto toe had gewenkt en die haar als jong meisje had aangerand, ook mijn vader was geweest. Totaal overstuur dat de bliksem twee keer in kon slaan in dezelfde familie, had ik haar om een korte beschrijving van haar aanvaller gevraagd. 'Ik heb Jim McEwan er alles over verteld toen hij mijn verklaring opnam,' had ze geantwoord. 'Een grote, lange man met een kleine, zwarte auto, dat is alles wat ik me herinner. Dat en wat hij tegen me zei: "Kom hier, en help me dit vast te houden." Toen ik naar hem toeliep om te kijken wat hij onder de motorkap aan het doen was, pakte hij me vast en zei: "Hou deze peilstok even voor me vast, wil je?" Ik schrok me wezenloos toen ik zag wat ik vast moest houden.'

Ik was nauwelijks in staat geweest om haar antwoord te geven. Een beeld van mijn vader in zijn marineblauwe ketelpak met de knopen aan de voorkant, de kleren die A angst hadden aangejaagd, kwam boven. Janets beschrijving was niet alleen accuraat, de woorden die de man had gebruikt waren dezelfde woorden die mijn nichtjes C en D hadden gehoord. 'Ze hadden ons gewaarschuwd, weet je. Dat er vlak bij het gemeentehuis een slechte man woonde,' ging ze verder. 'En nu zeg je dat het jouw familie was. Vertel me hoe je vader er toen uitzag, Sandra.'

'Heel lang en donker, met vreemde, lichte ogen. Als mijn vader je op straat zou aankijken, zou je die blik nooit vergeten. Ik voelde me nooit op mijn gemak als hij zo naar me keek, en dat gold ook voor andere jonge vrouwen. En hij had een zwarte Baby Austin.'

'Het móét hem wel zijn!' Janet spuwde de woorden vol walging uit en daarom was ik niet verbaasd toen ze de brief die ik haar zond beantwoordde met een woedende tirade tegen de politie van 1957, de politie die haar ouders alleen maar loze beloften had gedaan. Andrew was niet de enige geweest die de aanval op zijn dochter had gemeld. Ze had het zelf verteld aan het personeel van de Coatbridge High School. Hoewel de school wist dat ze niet het enige slachtoffer was van de man met de zwarte auto, besloot men geen stappen te ondernemen. Het was werkelijk niet te geloven dat de plaatselijke politie een aanval negeerde op een meisje van een familie die al op een ontzettend tragische manier in het nieuws was gekomen, maar dat was dus precies wat er was gebeurd. Vanaf dat moment bracht Andrew zijn overgebleven dochters zelf naar school omdat hij al het vertrouwen in de plaatselijke politie had verloren.

In 1994, halverwege februari, had ik eindelijk een ontmoeting met Moira's jeugdvriendin Elizabeth Taylor, nu Nimmo. Ik arriveerde zonder enige waarschuwing bij haar comfortabele huis in Glenmavis, wat ze niet erg vond. We spraken een aantal uren over Moira. Elizabeth schudde haar hoofd vanwege de waanzin van het rechtssysteem. Ik vroeg om haar herinneringen van Dunbeth Park. Was zij de 'Beth' die toen bij Moira was geweest? Ik beschreef het meisje dat ik me maar vaag kon herinneren.

'Ze had een ronder gezicht dan Moira, donker, ander haar, en ze droeg iets roze over iets anders heen, een soort van broekrok.'

Tot mijn grote teleurstelling schudde ze haar hoofd. 'Nee, we leken op elkaar, ik was niet donkerder dan zij en we droegen ons haar in dezelfde stijl – mensen haalden ons soms door elkaar, dus ik denk niet dat ik dat was.' Ze haalde haar schouders op. 'We gingen daar vaak naartoe met mijn kleine hondje Lucky. Moira was dol op hem. Jouw herinnering zegt me niets, maar het zou kunnen dat de Beth die jij zoekt haar nichtje is. Ik zal je haar telefoonnummer geven.'

Ik verliet haar huis en was blij dat ik me staande had weten te houden toen ik haar vertelde wat ik de laatste maanden had meegemaakt. Elizabeth had me het telefoonnummer gegeven van Jeanette Mathewson Fryer. Ik sprak een hele tijd met haar en toen gaf ze me een nummer waar ik haar zus, Beth, kon bereiken. Het was raar om met de volwassen versie te spreken van de twee nichtjes die Moira zo lang geleden mee naar de film hadden moeten nemen, en die erg verbaasd waren geweest toen Moira in het huis van haar grootmoeder niet op hen had staan wachten. Wederom ving ik bot. Ondanks een lang en bemoedigend gesprek over de hele affaire, was deze Beth ook niet de Beth die die bewuste dag in Moira's gezelschap was geweest. Toch was ik ervan overtuigd dat het geen terloops vriendinnetje was geweest, maar iemand die ze heel goed kende. Ik gaf het met een zucht op.

Ik had nog steeds geen antwoord gekregen van Westminster.

In de *Airdrie and Coatbridge Advertiser* van 25 februari 1994, de dertigste verjaardag van de verdwijning, stond een artikel van twee pagina's over de saga van het heropende onderzoek. Eileens commentaar wekte mijn belangstelling.

We kunnen bekendmaken dat verwacht wordt dat duikers deze week hun zoektocht hervatten in een plaatselijke vijver waar het lichaam van het kind gedumpt schijnt te zijn. Dit duikteam begon dit bij slechts enkelen bekende stukje water aan het eind van januari uit te kammen. Sindsdien hebben ze een aantal zoektochten volbracht, maar tot dusverre hebben ze geen enkel spoor gevonden. De pogingen worden bemoeilijkt door de zeer lage temperatuur en daarom moest de duik van vorige week worden afgelast omdat de vijver bevroren was. De zoektocht naar Moira's lichaam is het hoogtepunt van een intensief politieonderzoek dat twee jaar geleden opnieuw is gestart. Ondanks het diepgaande onderzoek is het stoffelijke overschot van het kind tot op heden niet gevonden en is haar moordenaar nog niet voor de rechter gebracht. Het is een van de meest bizarre onopgeloste gevallen van heel Schotland, dat vorig jaar weer nieuw leven ingeblazen kreeg door een vrouw die haar vader brandmerkte als kindermoordenaar en die een campagne begon om hem aan te laten klagen wegens de moord op Moira. Het nieuwe onderzoek mag er dan niet in zijn geslaagd een lichaam of een moordenaar te vinden, het slaagde er wel in nieuwe en dramatische aanwijzingen te vinden die de zaak een heel eind vooruitgeholpen hebben, meer dan redelijkerwijs verwacht kon worden als je kijkt naar de hoeveelheid tijd die inmiddels is verstreken. Het is nu een feit dat ze niet verdween toen ze onderweg was van het huis van haar grootmoeder naar de winkel, maar dat ze in plaats daarvan een busrit heeft gemaakt naar de dood, nadat ze was ingestapt om stiekem een verjaardagskaart voor haar moeder te gaan kopen...

Haar moeders gebeden dat haar dochter op een dag weer veilig terug zou keren, zijn nooit verhoord. Moira's moordenaar werd geholpen en bijgestaan door de vreselijke weersomstandigheden van die fatale zaterdag in 1957. Een sneeuwstorm gaf hem de kans om toe te slaan en zich van het lichaam te ontdoen zonder ook maar door iemand gezien te worden. Het sneeuwde en de temperatuur daalde en het was begrijpelijk dat iedereen zo snel mogelijk naar huis wilde, die bijtende kou uit.

Maar het enige zekere in een zaak vol onzekerheden is dat Moira Anderson die avond niét veilig thuiskwam. En wat er van haar is geworden, is een griezelig geheim dat alleen zij en haar moordenaar delen.

Alistair belde me op een ochtend vroeg op om te vragen of ik al iets uit Londen had gehoord. Ik las hem het antwoord voor dat ik uiteindelijk had gekregen en dat afkomstig was van het Schotse ministerie in Edinburgh. De brief was geschreven door een ambtenaar die Elva Langwill heette en die zich verontschuldigde voor het feit dat het antwoord twee maanden op zich had laten wachten. De premier had mijn brief doorgestuurd naar de minister voor Schotland. Ze antwoordde namens hem.

Hoewel de procureur-generaal een regeringsminister is, mag hij, of namens hem de raad, beslissingen nemen aangaande individuele situaties. Zij doen dit als onafhankelijke aanklagers die optreden in het algemeen belang. Daar waar de procureur-generaal uiteindelijk verantwoording voor zijn daden verschuldigd is aan het parlement, mag hij zichzelf niet toestaan in individuele zaken beïnvloed te worden door factoren die niet uit het bewuste geval zelf voortvloeien. Daarom staat het de minister, en ook de premier, niet vrij de procureur-generaal te beïnvloeden bij de besluiten die hij neemt als aanklager, en ook niet om hem tekst en uitleg te laten geven over de redenen die hem in een bijzonder geval tot zijn besluit hebben gebracht.

De onafhankelijkheid van de procureur-generaal inzake gerechtelijke vervolging is een fundamenteel kenmerk van het criminele rechtssysteem in Schotland.

De schrijver sloot af door te zeggen dat ze mijn brief zou doorsturen naar Lord Rodger en dat dit misschien niet het antwoord was waar iedereen op hoopte, maar dat het wel helderheid van zaken gaf.

'Godallemachtig!' riep Alistair vertwijfeld. 'Je hoort geen antwoord te krijgen van het Schotse ministerie, Sandra, want zij hebben hier absoluut niets mee te maken. En het is krankzinnig dat ze jouw correspondentie doorsturen naar het ministerie van Justitie, want dat is nou net het orgaan waar jij je over beklaagt! Het is ongehoord. Het is tijd dat je de andere heren gaat schrijven. John McFall in het Lagerhuis en Donald Macauley in het Hogerhuis. Zij zijn allebei relevante woordvoerders. Stuur een samenvatting van de gebeurtenissen naar hen toe en ik zal het bevestigen met een begeleidende brief. Laten we een afspraak plannen.'

We kwamen medio maart 1994 bij elkaar, kort na mijn bezoek aan Jim, aan wie ik vertelde dat ik contact had gezocht met Janet Hart in Australië. Hij bleef erg op de vlakte en bevestigde tot mijn grote teleurstelling dat de zoektocht in de vijver geen stoffelijk overschot en artefacten had opgeleverd die in verband konden worden gebracht met haar zus. Hij kon zien dat mijn vastberadenheid alleen maar was toegenomen en rolde verbijsterd met zijn ogen toen ik hem vertelde dat ik bezig was een kopie te maken van het bandje van William O'Connor, zodat ik Janet de details kon sturen van de bespreking die ertoe geleid had dat de politie de streek Witchwood had onderzocht. Ik hoopte dat het Janet wat troost zou bieden.

Het zou mijn laatste afspraak zijn met Jim, die liet doorschemeren dat hij in zijn huidige positie bezig was de laatste losse eindjes aan elkaar te knopen. Er leek weer het nodige verschoven te gaan worden, en ik was blij voor hem toen ik in april hoorde dat hij gepromoveerd was tot hoofdinspecteur van politie. Ik kocht een kaart om hem te feliciteren en stuurde hem mijn beste wensen. Ik was opgelucht dat zijn band met mij zijn carrière geen kwaad had gedaan.

Ik liet Alistair de twee documenten zien die ik voor de twee politici had voorbereid. Hij gaf me een kopie van de begeleidende brief die hij had geschreven en die ik met mijn verzoek om een gesprek kon meesturen. Ik wilde hen in Westminster graag van mijn zaak overtuigen. Ik las de brief toen ik thuiskwam en voelde me meteen een stuk beter dan toen ik een afwijzing had gekregen.

Zonder op alle details in te gaan, raakte Sandra ervan overtuigd, toen ze haar vader weer ontmoette, dat hij verantwoordelijk was voor de vermoedelijke ontvoering van en moord op een kind dat Moira Anderson heette en dat in Coatbridge woonde. Dit mag wellicht een tikje onwaarschijnlijk klinken, toen ik de details hoorde, was ik er vrij zeker van dat ze gelijk heeft en dat het oorspronkelijke politieonderzoek ronduit knoeiwerk is geweest...

Zoals u ongetwijfeld geraden zult hebben is dit document een zeer beknopte versie van het hele verhaal, maar ik kan u ervan verzekeren dat Sandra geen fanaat is. Voor wat het waard is, ik ben er absoluut van overtuigd dat haar vermoedens op feiten gebaseerd zijn en dat er sprake zal zijn van een grote onrechtvaardigheid als deze man geen rekenschap hoeft af te leggen voor de misdaden die hij heeft begaan. Ik hoop dat u haar kunt helpen en ben absoluut bereid dit in detail aan u toe te lichten.
Alistair J. M. Duff.

John McFall besloot erbuiten te blijven, maar Lord Macauley schreef dat hij eerst discreet wat navraag zou doen voordat ik hem, samen met Alistair, in het parlementsgebouw kon komen opzoeken. Zijn aanvankelijke reactie maakte me heel ongerust. Hij vroeg kopieën op van alle correspondentie en wilde een complete samenvatting van alle gebeurtenissen. 'Wat is het probleem?' Sheena, de hoofdadministrateur die die avond ook aan het overwerken was, zag mijn opgejaagde blik boven alle paperassen waar ik door heen moest. Ik voelde dat ik haar in vertrouwen kon nemen, gezien haar connectie met Coatbridge uit de tijd van haar jeugd, en de discrete opmerkingen die ze had gemaakt toen alles zich in de media ontvouwde. 'Hoe kan ik je helpen?' Ik was verbijsterd toen ze de brieven meenam die allemaal gekopieerd moesten worden en een begeleidende brief die ik alvast in klad had uitgewerkt. Later kwam ik erachter dat Moira Anderson een van de twee kinderen was die deze eeuw in Coatbridge waren ontvoerd. Het andere, in de jaren twintig, bleek de broer te zijn geweest van Sheena's grootvader. De moord op een kind kan een familie meerdere generaties bezighouden.

Er kwam nog meer onverwachte hulp in andere vormen. Alistair en ik verlieten Lord Macauley na een bemoedigend gesprek en in het bezit van een boek over de infame Glasgowse verkrachtingszaak 'Carol X', waar Donald Macauley als jongeman bij betrokken was geweest. Hij leende mij het boek om me te laten zien wat er allemaal kwam kijken bij een civiele procedure, en hij wuifde mijn bedankje weg en zei dat hij als 'shadow' procureur-generaal zou doorgaan met namens mij druk uit te oefenen op het ministerie van Justitie in een poging meer informatie te verzamelen. Tot dusverre hadden hij en Alistair zich ervan vergewist dat het kantoor van de procureur-generaal nooit een bericht naar Leeds had gestuurd om mijn vader of zijn Engelse advocaten op de hoogte te brengen van zijn besluit met betrekking tot mogelijke toekomstige maatregelen. Ze waren er tevens achter gekomen dat de officier van justitie in Airdrie meneer Gartshore nooit op de hoogte had gebracht van hun besluiten. Volgens mijn twee adviseurs gaf dit aan dat, als we het ministerie van

Justitie onder druk konden zetten om haar conclusies te heroverwegen, de deur tot een mogelijke zaak tegen mijn vader nog niet volledig dicht was.

Ik vertelde Alistair dat mijn nichtjes en ik uit financiële overwegingen hadden besloten het idee van een civiele procedure te laten varen. Het risico was te groot en te veel mensen en hun families waren bang het dak boven hun hoofd te verliezen. Ondanks het standpunt van Lord Macauley dat mijn nichtjes in aanmerking konden komen voor een stukje compensatie, hadden we het verworpen. Ik vertelde hem dat we geen van allen uit waren op financieel gewin uit een tragische situatie. We wilden gerechtigheid, voor Moira en voor onszelf.

'Ken je toevallig een miljonair, Sandra? Want volgens mij is dat de enige manier om vooruit te komen.'

Alistairs opmerking was een grapje geweest, maar nadat hij me thuis had afgezet, dacht ik na over wat hij had gezegd en ik realiseerde me dat ik in de Monklands inderdaad een multimiljonair kende, die ons misschien zou willen helpen.

Hoofdstuk 38

Via Eileen regelde ik een ontmoeting in het Georgian Hotel in Coatbridge met een plaatselijke filantroop, Vera Weisfeld, die met haar tweede echtgenoot, Gerald, een fortuin had gemaakt in de kledingindustrie. Ik stelde mezelf voor aan haar en haar zoon Michael, van de voetbalclub Celtic. Van dichtbij was het meisje uit Coatbridge dat zo hard had gewerkt om een ongelooflijke rijkdom en status te vergaren, en dat met gemak een plaats innam in de top tien van de rijkste mensen van Schotland, bescheiden en oprecht. Ze kletste er lustig op los om het ijs te breken, maar in de tussentijd was een scherp zakelijk brein aan het werk. Haar glimlach was warm, haar belangstelling voor mijn verhaal oprecht, en ze vroeg haar zoon of hij voor ons allebei een sherry wilde halen. 'Ik herinner me dat hele verhaal van Moira Andersons verdwijning als de dag van gisteren.' Ze deed toen wat iedereen uit die tijd die zich deze gebeurtenis herinnerde, deed – ze vertelde precies wat ze die zaterdag, 23 februari 1957, had gedaan. Toen luisterden zij en haar zoon naar mijn verhaal.

'Michael, hoe kunnen we helpen?' Vera klonk zeer resoluut. Ze wilde overleggen met advocaten, om te kijken of het financieren van een civiele procedure wel haalbaar was en zou weer contact met me opnemen. In de tussentijd wilde ze een kopie van alle correspondentie van alle betrokken partijen en dan zou ze erover nadenken. Ze zou niet van de ene op de andere dag een besluit nemen, zei ze, maar ze zou te zijner tijd van zich laten horen. We verlieten het hotel bij het geluid van verkiezingscampagnes en bespraken de komende tussentijdse verkiezingen, veroorzaakt door de dood van John Smith. We waren er allebei van overtuigd dat Helen Liddell hem zou opvolgen en ik vertelde dat Janet in Australië jaren geleden met Alastair Liddell was uitgegaan. Zijn familie was bevriend geweest met die van Moira en ze woonden nog steeds in Cliftonville.

'Schotland is werkelijk een heel klein land.' Vera Weisfeld glimlachte.

In de tussentijd kreeg ik een onverwacht telefoontje van Elizabeth Taylor Nimmo, die in het noorden was om haar dochter te bezoeken. Het verbaasde me van haar te horen. Ze klonk erg van streek. Er was een nieuwe baby geboren en haar dochter had haar gevraagd of ze alle oude fotoalbums mee wilde nemen om ze door te bladeren voordat ze de nieuwe foto's zouden inplakken.

'Ik kon het niet geloven, Sandra. Ik had ze in geen jaren bekeken. Foto's die mijn ouders in St. Andrews namen toen ik nog een kind was – het was een enorme schok toen ik mezelf op het strand zag in een groot roze T-shirt en de grijze broekrok eronder. Het was net zoals je beschreef en ik was vergeten dat mijn moeder in de zomer van 1956 mijn haar had laten permanenten. Het ziet er anders en donkerder uit op die foto's. Mijn dochter zei iets toen ik ernaar stond te kijken en dat moet iets in me hebben losgemaakt. Het was vreselijk.'

'Je weet het weer,' zei ik zacht. 'Jij wás het. Jij bent Beth.'

Ze snikte een tijdje en toen hoorde ik haar zachtjes instemmen.

'Ik heb het mijn dochter verteld hoewel het heel erg pijnlijk was. De foto bracht alles weer terug, want we waren daar met zijn allen op het strand, de familie, mijn grote zus en haar vriendje, die met ons mee mocht. Zij zijn in die week dat Moira verdween met elkaar getrouwd en hun trouwdag valt er altijd mee samen. Nou, toen hij zich omkleedde, gleed de handdoek weg en er was natuurlijk veel hilariteit, vooral ten koste van mij, omdat ze dachten dat ik op mijn leeftijd nog nooit een naakte man had gezien. Mijn ouders waren eerlijk, maar streng, en ze zouden liever zijn gestorven dan het onderwerp seks met mij en mijn zus te bespreken. Ze dachten dat ik zo puur was als pas gevallen sneeuw. Ik was als de dood. Maar ik kon mijn ouders niet vertellen dat ik die zomer wél een mannelijk geslachtsorgaan had gezien.'

Er ging een vlaag van opluchting door me heen. Dit was het laatste stukje van mijn eigen persoonlijke legpuzzel dat eindelijk op zijn plek viel, dankzij de hittegolf van 1956.

'Ik was vreselijk van streek toen ik het mijn eigen dochter vertelde, maar ze stond erop dat ik je belde om je te laten weten dat je gelijk had over die terugblik van zoveel jaar geleden. Je hebt inderdaad Moira, je vader en mij gezien hoewel ik geen idee heb waarom ik dit al die jaren heb onderdrukt. Ik kon me echt niets herinneren van de man die Moira kende en die ons naar zijn auto riep die dag in Dunbeth Park. Pas toen ik die foto van mij op het strand van St. Andrews zag, realiseerde ik me dat het dezelfde kleding was die jij had beschreven. Opeens was ik weer bij haar terug en we schaterlachten om wat hij in zijn kleine, zwarte auto aan het doen was.'

'Wat deed hij, Elizabeth?' vroeg ik, maar ik wist het antwoord al.

'Hij liet zijn geslachtsdeel zien en hij wilde dat we hem aanraakten en dan zouden we snoepjes krijgen.'

'Je weet zeker dat ze hem kende?'

'Ja. Ik weet zeker dat ze hem bij zijn naam noemde. Ze kende hem echt, maar toen hij iets tegen haar zei, kwam jij er net aan en daarom renden we lachend weg.'

Ik vertelde Elizabeth hoe dankbaar ik was dat ze deze herinnering met mij had gedeeld.

Ze nam later contact met me op om me te vertellen dat ze naar het politiebureau was gegaan, waar ze met Gus Paterson wilde praten omdat ze die kende, en dat het haar opviel hoe weinig belang men hechtte aan de aanvullende informatie die ze gaf. Volgens haar, zei ze, en dat was ook wat Janet, mijn nichtjes en ikzelf vreesden, werd de hele zaak wederom stilletjes ter ruste gelegd in het archief van het politiebureau van Coatbridge.

Welnu, ik vertelde mijn nichtjes dat Vera Weisfeld onze enige hoop was.

Maar het was duidelijk toen ik haar weer ontmoette dat ze met tegenzin tot het besluit was gekomen dat een civiele procedure niet de juiste optie was. Haar advocaten hadden haar geadviseerd om niet de strijd aan te binden met de procureur-generaal. Toen zei ze: 'Heb je wel eens overwogen om alles wat je is overkomen, op te schrijven?' Ze vroeg of ik gehoord had van Eddie Bell, een plaatselijke knul van mijn eigen leeftijd, die net als zij de verwachtingen van velen had overstegen. Hij was tot grote hoogte gerezen bij Collins, de uitgeverij in Glasgow. Ik herinnerde me hem als uitsmijter bij de deur van een kerk in Gibson toen ik een tiener was, toen ze daar een discotheek exploiteerden. Hij was een blonde, nogal robuuste jongen, die de kost verdiende met de verkoop van ansichtkaarten.

'Natuurlijk weet ik wie hij is.' Ik glimlachte naar haar. 'Een plaatselijke knul die het heel goed heeft gedaan, zoals ze dat zeggen! Naar ik heb begrepen is hij inmiddels een ster in de uitgeverswereld.'

'Meer dan een ster. Hij is tegenwoordig de voorzitter van de raad van bestuur van HarperCollins, en hij heeft een geduchte reputatie, maar net als ik is hij zijn wortels nooit vergeten en ik zou me kunnen voorstellen dat de gebeurtenissen van 1957 deel uitmaken van zijn herinneringen aan deze stad.'

Vera vertelde dat ze bezig was aan een boek voor hem en dat ze met genoegen een afspraak voor me wilde maken. Toen ik terugging naar huis, dacht ik na over haar voorstel en ik realiseerde me dat er meer dan een reden was om haar idee in overweging te nemen. Ik liet het een paar weken sudderen en nam toen weer contact met haar op. 'Goed. Ik denk dat ik het kan. Vertel Eddie maar dat ik naar hem toekom als hij weer eens ten noorden van de grens is.'

En zo ontmoette ik via de miljonaire Eddie Bell, wiens gezicht hetzelfde leek, maar wiens lichaam sinds onze tienerjaren beduidend was uitgedijd. Na een lange lunch in Glasgows Devonshire Gardens, toen hij gehoord had wat we allemaal hadden doorstaan, zei hij simpelweg: 'Dit verhaal moet verteld worden. Daar kan geen twijfel over bestaan.'

Ik vertelde Alistair en Lord Macauley dat een boek, naar het scheen, ons laatste redmiddel was. Ze waren het ermee eens dat dit misschien de enige weg was die me nog overbleef, hoewel de laatste door bleef gaan met het afvuren van brieven op het ministerie van Justitie. In november ging hij ook met me mee naar Helen Liddell, die zich inmiddels als parlementslid in het kiesdistrict van John Smith aan het nestelen was. Zoals verwacht, was ze zeer vriendelijk en beloofde van alles te doen, en ze wilde A en B ontmoeten om hen van haar steun te overtuigen.

Na mijn tweede serie examens in de herfst nam ik een korte pauze en ik begon alles van de afgelopen jaren op te schrijven, sommige dingen waren werkelijk te gek voor woorden, maar het was me allemaal overkomen.

Er was maar één ding dat me zorgen baarde en dat was de reactie van mijn moeder op wat ik aan het doen was, maar toen het 1995 werd en ze me een fijne verjaardag wenste, sprak ik met haar over mijn intenties om tot het uiterste te gaan. Ik wachtte in angst, maar er kwam geen uitbarsting, slechts een diepe zucht en een knikje.

'Ik weet dat het geen zin heeft om je te vragen dit niet te doen. Ik kan zien dat je gedreven bent,' zei ze langzaam. 'En ik weet waarom het belangrijk voor je is dat de waarheid aan het licht komt, maar ik hoop dat het niet in mijn tijd van leven is, Sandra. Ik hoop dat ik er niet meer ben om die waarheid te zien.'

Ik zag met een wrange glimlach dat de sepiafoto van de verloofde die verdronken was weer uit de doos was gehaald en trots op haar dressoir prijkte. Het was haar manier om me te laten weten dat ze zich niet meer verbonden voelde met mijn vader. 'Hij zag me als een kans, denk ik,' zei ze. 'Zijn leven was een puinhoop toen hij me ontmoette. Hij had een meisje in de problemen gebracht en haar baby moest geadopteerd worden, maar dat wist ik toen niet. De baby was de reden waarom hij naar de dominee was gegaan, wat mij alleen maar een vals gevoel van zekerheid gaf. Ik kwam later achter haar bestaan – als je ze samen zag, kon je zien dat er een affaire was geweest. Maar ze konden niet met elkaar trouwen.'

'Waarom niet?' vroeg ik nieuwsgierig.

'Ze was zijn tante – de zus van zijn eigen moeder. Ze hebben het in de doofpot gestopt.'

Mijn moeders dringende wens werd vervuld. Ze leefde nog maar zes weken nadat ze had gezegd dat ze geen getuige wilde zijn van een boek van haar eigen vlees en bloed, gebaseerd op de tragische gebeurtenissen in haar leven en toen in het mijne.

Veel dominees zullen je vertellen dat het een gebruikelijk fenomeen is dat de mensen die op de rand van de dood verkeren, iemand zien die hun dierbaar is en die al overleden is. Toen mijn moeder in maart 1995 onverwachts overleed, slechts enkele uren nadat ze zonder enige waarschuwing in elkaar was gezakt, bleef ze lang genoeg bij bewustzijn om mijn broers, hun echtgenotes, en mijn oom die bij haar logeerde te vertellen wat ze die dag had gedaan, wat ze tijdens de lunch had gegeten in de club voor de blinden in Coatbridge, en dat ze toen hoorde dat een schoonzus erg haar best deed om mij in Edinburgh te bereiken. Het personeel van het Monklands Hospital was net bezig mijn moeder over te plaatsen van de eerste hulp naar een zaal, toen ze een hartstilstand kreeg. Ondanks alle pogingen konden ze haar niet reanimeren en toen ik arriveerde, was ze al een uur dood.

Terwijl ik van streek was omdat ik er niet bij was geweest, vertelde de familie me dat mijn moeder, enkele seconden voordat de pijn in haar borst haar te veel werd, naar het eind van het bed keek en heel helder zei: 'Pappie! Daar is mijn pappie!'

Ze herhaalde het en daarom kon er geen twijfel over bestaan dat ze haar eigen vader zag. Omdat ik wist hoe innig hun relatie was, boden die woorden me troost. Het leek me niet meer dan gepast dat de ene man in haar leven in wie mijn moeder een onvoorwaardelijk vertrouwen had gehad, er aan het eind van haar leven voor haar was.

Epiloog

Veel mensen zullen zich afvragen waarom ik het nodig vond de pen ter hand te nemen nadat alle pogingen om wat gerechtigheid voor Moira en mijn nichtjes te verkrijgen, waren mislukt. Voor zover ik het kan bekijken, is het mijn plicht om anderen ertoe te brengen eens in de duisternis te kijken die de wereld van de aanrander omringt, eens grondig stil te staan bij de vraag hoe hij dat allemaal ongestraft kan doen. En antwoorden te eisen, zelfs als het gemakkelijker is om de ziekmakende waarheid uit de weg te gaan.

Het is belangrijk zich te realiseren dat het onderzoek dat ik in 1990 ben begonnen, parallel liep met een nog verderfelijker situatie in een kleine Engelse stad. Helaas zal dat stadje nu voor altijd in verband worden gebracht met afschuwelijk seksueel wangedrag, plotselinge verdwijningen, en de moord op jonge vrouwen. In Gloucester werd het voor degenen die het proces volgden van Rosemary West, dat volgde op de zelfmoord van haar partner, al heel snel duidelijk dat er de voorgaande decennia niet tot nauwelijks voldoende samenwerking was geweest tussen alle betrokken instanties waarmee de familie contact had. Alarmsignalen, wordt ons verteld, zouden vandaag meteen opgemerkt worden. Maar is dat wel zo?

Hun aannemelijkheid en behendige misleiding hielpen Fred en Rosemary West om jaren aan justitie te ontsnappen, maar het echtpaar werd geholpen en bijgestaan doordat officiële dossiers kwijtraakten, vernietigd werden, nooit werden bijgehouden of doorgegeven, en daar maakte werkelijk iedereen zich schuldig aan. Kinderen werden niet afzonderlijk geobserveerd, er werd niet naar hen geluisterd, en daarom werd de verkrachting en marteling van een voormalig slachtoffer, Caroline Owens, die in 1972 zeventien was, een betekenisloze farce, zodat de aanklachten tegen de familie West vervielen en ze ieder een boete van vijftig pond moesten betalen. Informatie van overlevende slachtoffers leidde niet tot onderzoeken, en vrouwen die door dit charmante tweetal langs de weg werden overvallen, gaven beschrijvingen waar niets mee werd gedaan.

Een zogeheten typische pedofiel bestaat niet, maar vanaf hun jeugd had zowel mijn vader als Fred West een vroeg ontwikkelde belangstelling voor seks en pornografie, die groter werd naarmate ze volwassen werden. Hun levens volgden andere paden, maar ze werden allebei een seksuele psychopaat. Dit is een probleem dat je hele leven duurt en het kan volgens mij alleen maar beëindigd worden door een ernstige ziekte of de dood. Tot mijn vader ziek wordt of doodgaat, zal hij altijd een bedreiging vormen voor jonge vrouwen en kinderen.

De eerste vergrijpen van beide mannen werden in politiedossiers vastgelegd als aanrandingen van dertienjarige meisjes die in hun directe omgeving woonden. Beiden waren binnen hun eigen familie betrokken bij incest. De zus van Fred West werd als een zwanger jong kind opgenomen in een kindertehuis en er is nauwe lijks enige twijfel dat hij de vader van haar kind is. Mijn vader maakte zijn tante, een vrouw die ouder was dan hij, zwanger en het kind werd toen geadopteerd.

Beide mannen hadden een sadistisch trekje en waren in staat hun complete onverschilligheid jegens de gevoelens van anderen te verbergen en bevredigden hun eigen seksuele verlangens achter een façade van beminnelijkheid. Voor de buitenwereld deden ze zich voor als respectabele harde werkers die altijd op zoek waren naar de goedkeuring van anderen. West deed dat door lange diensten bij bouwprojecten, mijn vader deed dat door met zijn bus voor oude dametjes te stoppen. Toen ze door de politie werden verhoord, hadden ze er geen van beiden behoefte aan hun geweten te zuiveren en ze wilden ook geen informatie verstrekken die de families van de slachtoffers kon helpen.

Wellicht zou het voor mijn vader heel anders zijn uitgepakt als hij met Rosemary was getrouwd, in plaats van met mijn moeder. Fred West gebruikte zijn vrouw als bondgenoot, haar aanwezigheid in zijn auto schonk de jonge vrouwen een vals gevoel van zekerheid. Achter de rug van mijn moeder om, werd ook ik door mijn vader als lokaas gebruikt. Ik heb het feit onder ogen moeten zien dat ik tijdens een aantal incidenten mijn vader met zijn verdorvenheid heb geholpen, al had ik dat toen niet door. Het is nooit bij mijn vriendinnen opgekomen dat hun iets zou overkomen als ze met me speelden. Aanranders komen niet met hun dochters mee, nietwaar?

Tenslotte wisten beide mannen formele verhoren uit de weg te gaan als er meisjes verdwenen bij bushaltes. De aanval van Fred West op Caroline Owens vertoonde overeenkomsten met de aanrandingen die andere vrouwen rapporteerden, maar die zijn verder niemand opgevallen. Verder waren er in deze streek talloze vrouwen verdwenen, maar in Moira's geval liet de politie in 1957 na om alle plaatselijke verdachten op te roepen.

Als slotanalyse is het veelzeggend dat geen van beide mannen ooit is gearresteerd als resultaat van ijverig bureauwerk of plotseling inzicht van toegewijde mannen. De ondergang van Fred West werd bewerkstelligd door de verklaring van een van zijn kinderen over de verdwijning van hun zus, Heather. Een verklaring die serieus werd genomen door een maatschappelijk werker en die toen weer werd opgepakt door een politievrouw die erachter kwam dat haar landelijke verzekeringsnummer en andere identificatiemiddelen nooit in Groot-Brittannië waren gebruikt. In het geval van mijn vader, waren het zijn eigen schrikaanjagende verklaringen aan mij na een afwezigheid van zevenentwintig jaar die twijfel zaaiden. Pas toen werden vergeten dossiers door de politie heropend. Aan het eind van het verhaal was het hun eigen vlees en bloed dat met de vinger wees.

Ik denk dat er andere parallellen zijn. Net als Fred West geloofde mijn vader ook in zichzelf en dat stelde hem in staat een vrij normaal leven te leiden. Het heeft gefungeerd als vangnet, het hielp hem te leven met wat hij had gedaan en het hielp hem elk sprankje emotie dat hij misschien zou voelen, van zich af te zetten. Ik weet niet zeker wat hij al die jaren dat hij in Leeds woonde heeft gedaan, maar al het bewijs laat zien dat pedofielen en aanranders wel hun jaren, maar niet hun haren verliezen en dat ze tijdens hun leven vaak meer dan honderd slachtoffers maken. Op dit moment onderzoekt de politie van Glasgow de dossiers van de vrouwen en meisjes die zijn verdwenen toen Fred West in de jaren zestig in het zuiden van de stad woonde, tijdens zijn eerste huwelijk met Rena Costello.

Ondanks de open wijze waarop er over het proces van Rosemary West is gerapporteerd, lijkt er een doodzwijgcampagne plaats te vinden in het Gloucester van ná Cromwell Street. Tijdens het proces in 1992 waren er meer dan honderd pornografische videobanden gevonden waar zij en haar echtgenoot bij betrokken waren, maar het leidde allemaal tot niets. Wat was er met die banden gebeurd? Ze konden met geen mogelijkheid allemaal door het paar zijn gemaakt. Een eigenaar van een videowinkel had gemeld dat Fred West hem openlijk films had aangeboden van 'echte moorden'. Het is vrij duidelijk dat de Wests deel uitmaakten van een of ander kringetje, en hoewel we er niet zeker van zijn dat alle feiten aan het licht zullen komen, zijn er misschien anderen die op de hoogte waren van de geheimen van Cromwell Street 25. Zullen deze anderen ook voor de rechter worden gebracht?

Het verhaal van de familie West onthult non-interventie, aanwijzingen die niet zijn nagetrokken en een totale onverschilligheid aangaande de kinderbeschermingsprocedures. Niemand nam de moeite de legpuzzel in elkaar te schuiven. Heeft de school van Charmaine West nooit uitgezocht waar haar dossier naartoe gestuurd moest worden? Heeft het plaatselijke ziekenhuis er nooit bij stilgestaan dat de vijftienjarige met de buitenbaarmoederlijke zwangerschap, die door haar vader werd gebracht, minderjarig was? De familie West heeft een hele waslijst van misdaden kunnen bedrijven omdat we als gemeenschap weigerden de mogelijkheid onder ogen te zien dat dit soort misdaden zouden kúnnen plaatsvinden in het hart van een doodgewone Britse gemeenschap. Dit was geen Stephen King-achtige horrorfilm als *The Texas Chainsaw Massacre* om tieners van afgrijzen te laten rillen. Dit was echt, en dat maakte het des te afschuwelijker.

We kunnen het feit niet negeren dat iedereen, van instellingen tot instanties tot doodgewone buren, zijn hoofd diep in het zand heeft gestoken terwijl een groot aantal jonge vrouwen uit hun midden verdween. Wat het meest beangstigend is, is dat niemand het belangrijk genoeg vond om het zich aan te trekken. Niet één persoon, ondanks het feit dat er naast hun huis een kerk stond. Maar als professionals zoals maatschappelijk werkers, politiepersoneel en mensen van de kinderbescherming niet over de juiste bronnen beschikken of de training die nodig is om met de plegers van seksueel wangedrag met kinderen om te gaan, wat voor kans heeft het publiek dan om de eigenschappen te herkennen van dit soort slechte mensen?

De gemeenste seksuele misdrijven worden meestal uitgevoerd door mensen die heel normaal lijken, maar wier gedragspatroon hen verraadt als we de tijd nemen om hen goed te observeren. We negeren deze mensen op eigen risico, en we bewijzen onze eigen kinderen geen enkele dienst door mee te doen aan een doodzwijgcampagne over seksueel misbruik. Als we hun gedrag bestuderen en diep in de duisternis turen, zal zich een ziekte openbaren die heel diep gaat. Zo diep dat we ons beginnen te realiseren dat het heel naïef van ons is om te denken dat deze ziekte nog niet in ons hele volk is geworteld.

We zijn niet alleen.

Het is een enorme schok geweest voor de mensen in België, twee jaar na Gloucester, om tot de ontdekking te komen dat ze hun eigen versie van de familie West hadden, met hooggeplaatste bondgenoten bij de politie die hen beschermden. Aan diegenen die denken dat ik overdrijf, en blijven volhouden dat Engeland niet erger is dan ieder ander beschaafd land in zijn houding ten opzichte van kindermisbruik, zou ik willen vragen of ze zich bewust zijn van de trage respons van onze regering op de wereldwijde campagne om het misbruik van kinderen in Azië te beëindigen, dat is gecreëerd door westerse toeristen met een behoefte aan kinderprostitutie. We laten onze ware gedaante zien door niet in de pas te lopen met een opmerkelijk aantal andere wereldmachten die al heel vroeg actie hebben ondernomen om ervoor te zorgen dat hun landslieden die kinderen in andere landen misbruiken, opgespoord worden, aangeklaagd en wat verder nodig is, ondanks internationale misdaadsyndicaten die pedofielen helpen en bijstaan met informatie en pornografie op het internet.

We hebben een keus.

Zo'n verwoestende invloed op onze gemeenschap tolereren, is niet het antwoord. Deze mensen – de pedofielen, de aanranders, en de rijke mannen die misbruik maken van hun ongezonde voorkeuren – moeten aan de kaak worden gesteld. Een positieve stap zou zijn te luisteren naar wat onze kinderen zeggen. Wat het meeste opviel aan het geval van de familie West, was dat iemand eindelijk naar hun kinderen luisterde, wat door onze cultuur niet wordt aangemoedigd. Wat kinderen zeggen wordt maar al te vaak als fantasie afgedaan.

Zelfs de professionals accepteren oude mythen over overtreders die beslist niet waar zijn; dat ze seksueel onbekwaam zijn, gestoorde individuen wier gedrag zichtbaar bizar is. Er doen maar weinig verhalen de ronde dat ze machtig zijn, slim, manipulerend en de situatie meester. Dat ze een systeem hebben ontwikkeld van zorgvuldig geplande strategieën om niet gepakt te worden. Er is weinig bekend over het feit dat ze hun slachtoffers zoveel angst aanjagen, dat de openbaring pas vele jaren kán plaatsvinden. We zijn zo zorgvuldig geweest in het verdacht maken van de getuigenis van kinderen tegen hun aanvallers, dat het geen wonder is dat het altijd begint met een ontkenning, daarna een onthulling, gevolgd door een op angst gebaseerde terugtrekking als de mogelijke consequenties zich aandienen, en tot slot een herbevestiging als men eindelijk steun krijgt. Als kinderen bang zijn dat ze beschuldigd worden van een kwaadaardige fantasie, dan is het begrijpelijk dat volwassenen zoals mijn nichtjes, die eindelijk de moed hebben opgevat om het misbruik in hun jeugd te onthullen en die dan tot de ontdekking komen dat het de autoriteiten geen snars kan schelen, het gevoel hebben dat ze een harde klap in hun gezicht hebben gekregen.

De infectie verspreidt zich als zij niet in de gaten wordt gehouden. Alle kankers beginnen met een geniepige zij het kleine verandering, maar de voortgang van de ziekte kan tot staan worden gebracht als zij in het beginstadium wordt behandeld. Als ik terugkijk op de gebeurtenissen die ik heb beschreven en die plaatsvonden in 1957, is het een gemakkelijke diagnose dat er iets scheef ging in die gemeenschap. Ik vraag me af waarom, gezien alle tekenen van kwade opzet en indicaties dat er iets ernstig fout zat, het onderzoek nooit werd opgewaardeerd van een onderzoek naar een vermiste persoon naar een volledig moordonderzoek. De verantwoordelijkheid voor die grote vergissing rust op iemands geweten.

Herhaalde misleidingen door de pedofiel Thomas Hamilton, de beul van zestien vijfjarige kinderen en hun leraar in Dunblane in maart 1996, als vergelding tegen bezorgde ouders die hadden mee geholpen zijn nogal dubieuze jongensclubje te sluiten, vielen niemand op en werden nooit nagetrokken. Halverwege de jaren tachtig beweerde hij een scherpschutter te zijn die door heel Groot-Brittannië aan wedstrijden meedeed, maar een slordig politieapparaat deed hier geen onderzoek naar. Internationale politie dossiers (beschikbaar gesteld, maar niet onder de aandacht gebracht van het hierna plaatsvindende Cullen-onderzoek) laten zien dat er geen enkele poging is ondernomen om uit te vinden van welke schietclubs hij precies lid was. Nalatigheid is niets nieuws als het aankomt op catastrofale uitkomsten waar het de veiligheid van onze kinderen betreft.

Al die mensen die ik de afgelopen jaren heb ontmoet, die zich afvragen wat er in 1957 met Moira is gebeurd en die beweren dat het 'tegenwoordig nooit meer zou gebeuren', moeten hun zelfingenomenheid eens grondig laten nakijken. Het werd toen niet alleen mógelijk gemaakt, hetzelfde werd ook nog eens in Gloucester door de vingers gezien: het in de val lokken van jonge vrouwen of kinderen, die geen idee hadden wat voor kwaad hun te wachten stond, en dat alleen maar om toe te geven aan de gemeenste seksuele behoeften. Het eindtotaal van de slachtoffers zal dan misschien nooit precies vastgesteld kunnen worden, maar uiteindelijk wachtte hun allemaal hetzelfde lot als Moira. In veel gevallen werden ze door hun directe familie gemist, maar ze raakten bij het gewone publiek al snel in de vergetelheid. Sommigen werden niet eens als vermist opgegeven, zoals Rena en haar kind, want uit het oog betekende uit het hart. Ze waren gewoon weg en er werden niet genoeg vragen gesteld.

Er worden nooit genoeg vragen gesteld door diegenen wier taak het is om informatie te vergaren, of door onszelf. Als doodgewone menselijke wezens, zouden we ons al moeten bekommeren om het verlies van één persoon, laat staan twaalf. Ik ben verbijsterd over de zienswijze van sommige mensen die ik ben tegengekomen, die werkelijk niet snappen waarom ik voor gerechtigheid vecht voor een kind met wie ik niet verwant was. Of het kind nu wel of niet deel uitmaakt van jou en je omgeving, of van mij en míjn omgeving, om het verlies van een kind dient altijd gerouwd te worden.

Ik nam me voor nooit te stoppen met mijn campagne voor Moira en dat ik zou blijven vechten om gerechtigheid te vinden voor zowel haar als mijn nichtjes, en alle andere slachtoffers van seksueel misbruik. Zelfs toen de luiken dichtgingen en het Schotse ministerie van Justitie de ene afwijzing na de andere stuurde en gewoonweg geen antwoord wilde geven op mijn vragen waarom mijn vader niet werd vervolgd, besloot ik in elk geval nooit te stoppen met de vraag 'Waarom?'

Een boek dat de gebeurtenissen beschrijft die ik heb meegemaakt, de mensen die me ondersteund hebben, en zij die justitie alleen maar in de weg hebben gestaan, roept vragen op die niet genegeerd kunnen worden. Ik zag het ook als een manier om Moira niet te laten barsten en om ervoor te zorgen dat wat er met haar gebeurde nooit vergeten of weggemoffeld zou worden.

'Misschien,' zei ik tegen mezelf, 'als ik de laatste pagina heb geschreven en de laatste zin heb getypt, dat ik dan eindelijk het gevoel zal hebben dat ik het evenwicht weer heb hersteld, al is het maar een beetje. Ik heb dan al het mogelijke gedaan om de aandacht te vestigen op de houding die veranderd moet worden als we met aanranders te maken hebben. Zíj veranderen heus niet, daarom is het aan ons om te kijken naar onze strategieën om om te gaan met overtreders en de wijze waarop we de slachtoffers van misbruik behandelen.'

Het rechtssysteem in Schotland schiet op dit moment danig tekort in de communicatie met slachtoffers en vertoont heel wat inconsistenties in de wijze waarop het omgaat met seksuele vergrijpen die van jaren terug dateren. Sommige slachtoffers die in hun jeugd zijn misbruikt krijgen een vergoeding, andere niet. Andere bejaarden van over de zeventig zijn in de periode dat ik dit boek heb geschreven voor de rechter verschenen, en er zijn vaak parallellen geweest. Sommigen zijn tot enkele jaren gevangenisstraf veroordeeld, anderen kregen slechts een taakstraf. Wat is er zo speciaal aan mijn vader dat hij zo beschermd wordt door een grote stad waar hij zijn levenslange gewoonten zo gemakkelijk kan voortzetten? Het Schotse ministerie van Justitie ziet hem niet als hun probleem. Wederom, uit het oog, uit het hart. Maar als het hún familieleden waren die toevallig in zijn gebruikelijke verblijfplaats terechtkwamen, dan weet ik zeker dat ze ervoor gezorgd zouden hebben dat iedereen werd gewaarschuwd.

Mijn nichtjes en ik willen absoluut niet financieel gecompenseerd worden voor wat mijn vader ons heeft aangedaan, hoewel zijn gedrag ons leven nog altijd beïnvloedt. Mijn motivatie om op te schrijven wat hun is overkomen, mijn vriendinnen, Moira en mij, is het publiek de kans te geven de feiten te horen. Dit gaat rechtstreeks in tegen de mening van de officier van justitie in Airdrie, die me zijn kantoor uit werkte met de tekst dat het niet in het algemeen belang was dat ons verhaal werd gehoord. Hij kon niet hebben geweten dat zijn houding mijn vastberadenheid alleen maar zou aanwakkeren. Het laatste wat hij kennelijk verwachtte, was dat de gewone Schotse vrouw die hij met een verontschuldiging afwimpelde, door zou gaan met de mensen die hij vertegenwoordigde in Edinburgh te bombarderen met brieven die zijn besluit en dat van hen in twijfel trokken, het besluit dat maanden van nauwgezet politiewerk ondermijnde.

Terwijl ik deze tekst lees, hoop ik dat anderen door zullen gaan met vragen te stellen, en dat ze zich niet zullen laten wegsturen. Het is enorm belangrijk voor me geweest om deze woorden zelf op te schrijven, zonder de hulp van een derde partij die misschien invloed zou hebben gehad op wat ik hier zeg. De herinneringen die zijn beschreven, zijn van mij en van mij alleen. Ik ben bereid de verantwoordelijkheden waarmee dit gepaard gaat te accepteren en ik sta achter elk geschreven woord. En na wat ik heb meegemaakt, kan ik elke aanval aan. Iedereen die anderen iets leert over kinderbescherming kan niet hypocriet zijn en weglopen van wat er is gebeurd.

Wat ook pijnlijk duidelijk is voor mensen als mijn nichtjes en ik, en voor Kate en Joe Duffy uit Hamilton, die heel lang campagne hebben gevoerd om het Schotse 'Niet bewezen'-vonnis vernietigd te krijgen, het vonnis dat resulteerde in de vrijlating van Frances Auld, die terechtstond voor de moord op hun dochter, Amanda Duffy, is dat de Schotse autoriteiten wars zijn van kritiek, dat ze geen verantwoording willen afleggen aan de burgers en dat ze geen enkele reden zien om de wijze waarop zij omgaan met een systeem dat veel gewone mensen kennelijk in de kou laat staan, te veranderen. Ondanks de wereldwijde reputatie ervan, is ons rechtssysteem verre van perfect en dient het snel gerepareerd te worden – nu.

Het zegt heel veel dat mijn nichtjes noch ik in aanmerking zou zijn gekomen voor juridisch advies als we door waren gegaan met een civiele procedure. Bezuiden de grens komt dit veel vaker voor. We bezitten onze huizen en hadden tweede hypotheken moeten nemen. Dat hebben we niet eens in overweging willen nemen. Toch kregen de zonen van Robert Maxwell juridisch advies voor hun verschijning in de rechtbank. Wederom zijn het de 'kleine' mensen die door de gaten in ons rechtssysteem vallen.

Maar soms wil zelfs de kleinste en onbelangrijkste mens geen nee accepteren. Soms zijn de vragen gewoonweg te belangrijk om afgewimpeld te worden. De steun om de vragen te blijven stellen kwam uit de meest onvoorstelbare hoeken. Ik putte kracht uit de wetenschap dat mijn ongerustheid over de wijze waarop alle aanklachten tegen mijn vader zonder enige uitleg vervielen, werd gedeeld door de knapste koppen op het gebied van justitie in heel Schotland en een groot deel van de politie-elite die er vanaf het begin bij betrokken was.

Ik ben niet meer dezelfde persoon als vijf jaar geleden, toen de gebeurtenissen mijn leven op zijn kop zetten. De richting ervan veranderde onherroepelijk door wat er in 1992 aan het licht kwam en door een vallei van schaduwen en verschrikkingen, waar alles wat voorheen slechts ingebeeld was nu maar al te reëel werd, moest ik mijn weg weer zien terug te vinden. Ik kreeg tijdens deze reis veel vijandigheid te verduren in de vorm van een aan val, scheldkanonnades en afwijzingen, terwijl ik alleen maar op zoek was naar de waarheid.

Op de naarste momenten, als de vermoeidheid me bijna onderuithaalde, was er altijd iemand die een deel van het gewicht een tijdje van me overnam. Ik mag stellen dat mijn vertrouwen in de medemens niet is uitgehold. Kleine daden van vriendelijkheid pepten me weer op. Er gebeurden verbijsterende dingen die ik nu niet zou willen afdoen als toevalligheden.

Het gevoel de balans een beetje te hebben hersteld kwam toen Janet Anderson Hart twee van haar kinderen toestond bij mij te komen logeren, om te helpen de herinneringen van haar tante over te brengen, zodat ze aan dit boek konden worden toegevoegd. Uiteindelijk zijn we als gezin naar Australië gereisd waar we Moira's naamgenoot hebben ontmoet.

'Want er is niets verborgen wat niet onthuld zal worden,' staat in het evangelie van Marcus, en ik ben uit de duisternis tevoorschijn gekomen met een hernieuwd geloof. Ik weet dat alles wat er sinds 1992 is gebeurd, ook moest gebeuren, en ik geloof dat ik spiritueel werd geleid.

De weg was angstaanjagend, maar ik was in staat de gebeurtenissen uit mijn jeugd te begrijpen, en wat er in 1957 echt met mij en Moira was gebeurd. Maar als ik anderen niet waarschuw voor de lessen die ik heb geleerd en de kennis die ik heb opgedaan, dan kan en zal de nachtmerrie op ons allen neerdalen. In het belang van onze kinderen mogen we nooit meer toelaten dat het nietsvermoedende onschuldige mensen treft.

Het slechte moet verbannen worden.

ZES JAAR LATER

De ongelooflijk milde zomer van 2003 werd gevolgd door een gouden herfst. Ik stond op het punt een week met Ronnie op vakantie te gaan en ik vertelde Janet Hart dat ik mezelf eigenlijk even wat rust wilde gunnen. Ik nam het boek waar ik aan werkte, het vervolg op *Het einde van de onschuld*, niet mee. Ik had beloofd alleen maar boeken te lezen voor mijn plezier. Janet lachte en zei dat ze dat betwijfelde. We zouden op 12 oktober naar Zakynthos vliegen, maar op de tiende kreeg ik een onverwacht telefoontje. Steve Smith, een journalist van wie ik nog nooit had gehoord en die ik instinctief niet vertrouwde, wilde in contact komen met Janet. Op mijn hoede zei ik dat het aan haar was om hém op te bellen. Hij was in de wolken.

'U bent de vrouw die het boek over Moira heeft geschreven, nietwaar? Het zal u plezier doen om te horen dat u al die tijd gelijk hebt gehad. Iemand heeft op zijn sterfbed iets opgebiecht.'

Totaal van mijn stuk zei ik dat ik niet eens wist dat mijn vader was overleden, en het was nou niet bepaald een situatie waarin ik het geweldig vond om gelijk te krijgen.

Ik ging zitten toen hij me vertelde dat hij het niet over mijn vader had.

Een man die Alec Keil heette, was vrijgelaten uit de gevangenis van Peterhead. Hij zat daar op een speciale afdeling voor gevaarlijke zedendelinquenten. Hij was een voormalig gevangenisvriendje van mijn vaders maatje van Baxter's Buses, Jim Gallogley. In

1997 was Gallogley tot tien jaar gevangenisstraf veroordeeld omdat hij een kind had gemolesteerd in de lift van een flatgebouw. Janet had hem gesmeekt om ons te helpen, want ze vermoedde dat hij over de nodige informatie beschikte.

Daar was ik van overtuigd. Jim en Alexander waren al maatjes geweest toen Moira was verdwenen. Hij was vaak bij ons op bezoek geweest en er had zich een vriendschap ontwikkeld die Mary nooit helemaal had begrepen vanwege het leeftijdsverschil van tien jaar. Hij bracht niet alleen tijdschriften mee om te ruilen. Betty, de babysitter die door mijn vader was aangerand, was Jims jongste zus. Janet smeekte hem een brief aan haar te schrijven en werd in eerste instantie afgescheept.

Maar Jim hád zichzelf van zijn last bevrijd voordat hij in april 1999 overleed. Broos, met staar, maagkanker en trillende handen van de ziekte van Parkinson stond hij erop dat de bekentenis pas na zijn dood openbaar mocht worden gemaakt. Hij had de brief aan Alec Keil gedicteerd. Het was duidelijk dat Janets smeekbede Gallogley genadeloos had achtervolgd.

Gedurende de laatste veertig jaar heb ik veel verdriet gehad om mijn arme kleine zusje. De dag dat zij in Coatbridge verdween, was een dag die het leven van mijn familie voor altijd veranderde. Elk jaar is de verjaardag van die dag een heel verdrietige dag voor mij en heel mijn familie. Mijn moeder is altijd blijven hopen dat ze haar dochter terug zou zien. Mijn lieve en inmiddels overleden ouders hebben nooit meer een moment rust gekend en gingen naar hun graf zonder ooit te weten wat er met haar was gebeurd.

We doen allemaal wel eens dingen in het leven waar we spijt van hebben. Soms krijgen we bij toeval, zonder enige waarschuwing, de gelegenheid om het op de een of andere manier weer goed te maken, om te helpen. Om de grote fouten die in deze wereld zijn gemaakt weer te herstellen.

Ik zou graag een eerlijk antwoord van je horen en misschien kan ik je hart dan iets verlichten voordat God je veroordeelt. Ik koester het sterke vermoeden dat Alex Gartshore mijn zuster Moira heeft vermoord. Ik zou er alles voor overhebben als je mijn hartzeer kunt verlichten en me alles wilt vertellen wat je weet of wat je misschien over haar verdwijning hebt gehoord. Ik wil dolgraag weten wat er met mijn lieve Moira is gebeurd, zodat ik haar herinnering ter ruste kan leggen voordat ik sterf.

Janet was ervan overtuigd geweest dat haar smeekbede geen succes had gehad, maar dat bleek dus mee te vallen. Steve Smith zei dat mijn theorie dat mijn vader Moira had ontvoerd, en dat hij hulp had gehad om zich van haar lichaam te ontdoen, helemaal klopte. Mijn angst dat er een bepaalde kring bij betrokken was, bleek ook terecht te zijn. Het was allemaal heel vreselijk, want Gallogley noemde andere leden die hij omschreef als 'politie en juristen'.

In 1997 had Gallogley tevergeefs hulp gezocht bij de hoger geplaatsten in de pedofiele kring. (Iets wat hij nooit zou weten, was dat de conciërge die hem op de beveiligingscamera had gezien, mijn neef was. Zijn eigen zusters hadden geen gerechtigheid gekregen, maar mijn familielid zorgde deze keer voor een andere uitkomst. Dankzij zijn snelle denken, werd Gallogley op heterdaad betrapt.) Nu verlinkte Gallogley zijn vrienden, hun netwerk was jaren actief geweest.

Voor mij was het een uitleg waarom het oorspronkelijke onderzoek was blijven steken, waarom Moira's foto pas drie maanden nadat ze was verdwenen op de televisie was verschenen en waarom politie-inspecteur Jim McEwan, de vlijtige politieman die de leiding had over het tweede onderzoek, door sommige van zijn vroegere collega's met stilzwijgen werd begroet. Ik dacht nogmaals aan de loyaliteit van vrijmetselaars.

Gallogleys verslag van Moira's verdwijning bevestigde de getuigenis van een dame die werd geïnterviewd tijdens een *Cutting Edge*-documentaire op Channel 4, die *Missing, Presumed Murdered* heette en die in het voorjaar van 2000 was uitgezonden. Agnes Smith, toen een jonge moeder, probeerde met haar twee peuters in de storm naar huis te komen toen ze opeens de bus naar Cliftonville zag.

'Het was werkelijk het laatste voertuig op de weg,' zei ze. 'Bijna niemand stapte in – de meesten waren naar huis gaan lopen.'

Agnes beweerde dat zij de laatste passagier was die uitstapte, hoewel er nog steeds een klein meisje in mijn vaders bus zat. Agnes was uitgestapt bij de halte op Old Monkland Road, de laatste stop voor de eindhalte vlak bij de begraafplaats. Agnes vertelde dat de politie haar in 1957 als leugenaar had behandeld en dat ze haar bewering van de tafel hadden geveegd. Ze bleef echter volhouden dat er echt een kind in de bus had gezeten, dat kletste met de chauffeur. Agnes herinnerde zich het meisje omdat ze zich zorgen had gemaakt dat het kind alleen was, hoewel ze alleen de achterkant van haar hoofd had gezien met de opvallende punthoed. Ze kon zich helemaal geen conductrice herinneren. Degene die die dag de kaartjes knipte was, voordat Agnes instapte, in het centrum van de stad al uitgestapt, erop vertrouwend dat Alex haar in de remise zou uitklokken. Misschien had ze een spannende afspraak, of ze wilde gewoon naar huis.

Gallogley zei dat mijn vader Moira had ontvoerd en dat hij haar had misbruikt, Alex beweerde namelijk dat ze 'al een keer eerder met hem samen was geweest'. Omdat pedofielen tegen elkaar fantaseren en opscheppen, hield ik wat dit betrof mijn oordeel in beraad. Ik herinnerde me ook het keerpunt aan de rand van de stad, waar mijn tante woonde en waar maar weinig straatverlichting was. Ik was daar met eigen ogen getuige geweest van affaires tussen volwassenen die wisseldiensten draaiden.

Jim zei dat Alexander Moira toen naar de enorme Baxter-remise in Airdrie had gereden, waar een heleboel bussen stonden. De bussen die buiten geparkeerd stonden, waren onverlicht want daarmee spaarde je energie. Tegenwoordig is er geen spoor meer terug te vinden van de garage of het terrein waar volgens Gallogley hij en een andere man zich bij de ontvoerder en zijn slachtoffer voegden.

EVA 26 legde regelmatig de Cliftonville-route af van de ene kant van Coatbridge naar de andere. Hij wás bijna van mijn vader, want hij reed er bijna altijd in. Ik had hem als kind zo vaak zijn lunch gebracht, dat ik wist dat de chauffeur niet was afgescheiden van de passagiers. Mijn vader heeft nooit geweten hoeveel dingen ik in me heb opgenomen – zoals de achterbank, die tijdens pauzes werd gebruikt. Er zat een verborgen hendel en als je die per ongeluk aanraakte, viel je zo in de bagageruimte. Mijn vader haalde dat geintje vaak uit met nieuwe conductrices. Hij vond dat de grootste grap van de wereld.

Het dollen waar Moira aan werd onderworpen, op deze zelfde bank, was veel te ver gegaan. Jim vertelde me dat mijn vader haar onderbroek had uitgetrokken en dat hij hem doordrenkt had met chloroform. Hij trok hem over haar hoofd en duwde hem tegen haar lippen. Het kleine meisje verloor onmiddellijk het bewustzijn. Nadien hadden ze haar geslagen om haar weer bij te brengen. Gallogley sprak over het wrijven over haar polsen en haar door elkaar schudden, maar er kwam geen reactie. De volwassenen raakten in paniek, haalden de hendel over en lieten haar uit het zicht vallen. Toen ze in de vroege uurtjes terugkwamen, voordat de anderen begonnen, was er geen hartslag meer. Tijdens een van de allerkoudste nachten hadden ze Moira daar bewusteloos achtergelaten en de temperatuur was alleen maar gezakt.

Jim beweerde dat hij er niet zeker van was of de kou haar had gedood of de verdoving.

'Ik voelde me zo beschaamd, want dit had niet gehoeven,' biechtte hij op. 'Er was geen reden waarom dat kind die nacht zou moeten sterven.'

Door de vreselijke weersomstandigheden, die hun activiteiten verhulden, drupten er, toen ze weer terugkwamen, allerlei lichaamssappen uit het lijk en daarom durfden ze haar daar niet te laten liggen. Ik schrok toen Steve Smith me vertelde dat Jim had gezegd dat ze haar bij de Tarry Burn hadden verborgen.

Je zult de naam van die locatie niet zo snel terugvinden op een kaart van Coatbridge. Het is een plaatselijke naam die alleen bekend is bij kinderen die in de buurt van Witchwood spelen. Het is een klein stroompje vlak bij het water dat door het team van Jim McEwan is doorzocht. Naar het scheen waren de duikers van de politie in de goede omgeving geweest, maar ze hadden zich alleen op de vijver geconcentreerd. Als het sterfbedverhaal van Gallogley juist was, had William de helderziende het bij het juiste eind gehad. Moira's stoffelijk overschot was heel dichtbij.

Volgens mij had Moira niet de intentie gehad om tijd door te brengen in Alex Gartshores gezelschap. Om meerdere redenen was die zaterdag een ongewone dag voor haar.

De voetbalwedstrijd werd afgelast. 'Sparks', haar vader, bezocht zijn stervende vader in de Royal Infirmary in Glasgow. De oudere nichtjes mochten mee, maar Moira werd te jong bevonden. Janet was uit logeren aan de oostkust. Touwtjespringen met haar vriendinnetje Elizabeth werd afgekapt omdat Elizabeth naar binnen werd geroepen toen de storm verergerde, dus er waren geen vriendinnetjes beschikbaar. Maar behalve de sneeuwstorm waren er nog twee dingen waar Moira die dag opgewonden over was.

Haar nichtjes, de zusjes Mathewson, namen haar mee naar de film, naar *Guys and Dolls*. Hoewel het de bedoeling was dat ze samen zouden vertrekken vanuit het huis van hun grootmoeder, wist Moira dat ze hen ook later kon treffen bij de kassa van Regal. Iedereen herinnert zich haar als een onafhankelijk en door het leven gehard kind. Haar andere opwindende gebeurtenis was, een speciale kaart en een cadeau te kopen voor haar moeders verjaardag, de 'geheime' taak die Janet haar had opgedragen.

Voor Moira Anderson gingen er die vrieskoude namiddag drie dingen goed mis. Om te beginnen was de Co-op – en dat in tegenstelling tot wat het personeel toen beweerde – vroeger dichtgegaan. Ze besloot de woede van haar oom te riskeren. Er kon elk moment een bus naar de stad komen en dat was haar enige kans om naar Woolworths te gaan, waar ze alles kon kopen wat ze nodig had. We hadden toen nog geen speciale verjaardagswinkels. 'Woolies' was ideaal. Misschien had ze het idee dat de meisjes Mathewson, die het wachten beu waren, al in de bus zouden zitten. Toen ze boven de huilende wind uit schreeuwde en aan mevrouw Twycross vroeg: 'Is de bus al weg?' was het duidelijk wat Moira's bedoeling was, maar omdat er later geen huis-aan-huisonderzoek werd gedaan, viel dat niemand op.

De tweede ramp was dat Moira al haar geld verloor toen ze in de sneeuw op de bus wachtte. De bejaarde bewoner van de flat boven Molly Gardiners winkeltje, die het kind aan de andere kant van de straat had zien staan, was van mening dat haar koortsachtige gezoek te maken had met iets wat ze had verloren.

Het derde angstaanjagende toeval in een vreselijke keten van gebeurtenissen, was dat toen de bus kwam, ze mijn vaders glimlachende gezicht zag – een bekende figuur in zijn geruststellende uniform.

Ik geloof dat mijn vader Moira afleidde van haar missie. Ze bevond zich in een moeilijk parket. Misschien zou hij haar gratis laten meerijden, en de conductrice, die twee haltes verderop uitstapte, vond dat allemaal prima. Voor EVA 26 was Woolworths geen officiële halte. Misschien beloofde Alexander haar te helpen, en zei hij: 'Mijn dienst zit er bijna op. Ik geef je wel een lift naar Woolies of ik betaal een bioscoopkaartje voor je, zodat we je vriendinnetjes kunnen gaan zoeken.' De enige andere plek waar je in die tijd chocola kon kopen, was de bioscoop.

Het draaide allemaal om een gelegenheid die zich plotsklaps voordeed. Wat hij ook tegen haar zei toen ze lief glimlachte en haar blonde haar naar achteren duwde, het haar dat meestal op zijn plek werd gehouden door een mooie speld, Moira had er geen idee van dat hij een man was die al was aangeklaagd voor seksueel wangedrag tegenover een meisje dat slechts enkele maanden ouder was dan zij. Ik, zijn eigen dochter, acht jaar oud, wist hier niets van, dus hoe moest zij het weten? Net zoals mijn moeder totaal overrompeld werd door deze lange man in zijn knappe uniform, had ook Moira het gevoel dat ze hem kon vertrouwen. Ze kende hem. Dat dacht ze althans.

Ik denk aan mijn kleine vriendinnetjes, die me een voor een vertelden dat ze niet meer met me mochten spelen. 'Je vader doet rare dingen.' Zo verwarrend, zo kwetsend. Toen ik zes of zeven was, snapte ik er helemaal niets van. Maar daarna drong het langzaam tot me door. *Het is niet veilig om bij mijn vader in de buurt te zijn.*

Toen hij terugkeerde van zijn lange verblijf in een 'ziekenhuis' dat door kinderen niet mocht worden bezocht, was ik twee jaar ouder en wijzer. Om mijn vriendinnetjes te houden – en dat lukte niet altijd – zorgde ik ervoor dat ze hem vermeden. Het was de beste strategie die ik kon bedenken, maar de verantwoordelijkheid woog zwaar.

Misschien verklaart het wat me al die jaren heeft gedreven en laat het zien waar mijn vastbeslotenheid om Moira te vinden, en mijn queeste naar de waarheid, vandaan komen. Als volwassenen weten we dat we anderen niet constant kunnen 'redden'. Het is vreselijk uitputtend en zij verwachten altijd geholpen te worden. Maar nu ik erop terugkijk, is het enige obstakel om dit af te kunnen sluiten, een onuitgesproken eed uit mijn jeugd.

Ik kende Moira alleen maar van gezicht. Ik heb alleen die broze herinnering van die zomerdag in Dunbeth Park, toen zij en Elizabeth wegrenden van mijn vaders kleine zwarte auto, terwijl ik zo onzeker als wat dichterbij kwam. Mijn boosheid over de snoepjes die hij aanbood om me af te kopen, maskeerde andere gevoelens. Angst. Bezorgdheid. Maar bovenal, opluchting. Het waren 'grote' meisjes en ze waren niet mijn vriendinnen, en ze waren met zijn tweeën. Ze wisten hoe ze voor zichzelf moesten zorgen, toch? Maar... ze hadden niet meegemaakt wat ik had meegemaakt.

Thuis probeerde ik mijn bezorgdheid te verwoorden. Mijn moeder ontkende faliekant dat mijn vader daar was geweest. Mary, die normaal gesproken een rationele en liefdevolle moeder was die zelden haar hand ophief, pakte me vast en zei hijgend: 'Hou op met die leugens! Sandra, moge God je helpen als ik je hier nog een keer op betrap...'

Hoewel ik gewend was aan mijn vaders plotselinge uitvallen met zijn leren riem en de dikke koperen gesp die hij in een vloeiende beweging uit zijn broek kon trekken, verraste zij me volkomen. Ze gebruikte mijn lijf als een stormram, en knalde eerst mijn schedel tegen de voordeur en toen tegen de achterdeur, in een poging deze vreselijke, verraderlijke beweringen uit mijn hoofd te rammen. Het putte haar vreselijk uit.

Tijdens mijn zoektocht naar de waarheid heb ik de donkerste, ergste en laatste erfenis gevonden die Alexander me heeft nagelaten. Een gevoel van schuld dwingt me het goed te maken met

Moira. Dat pak slaag had me de mond gesnoerd. Ik faalde erin haar te redden, die bewuste zaterdag bijna vijftig jaar geleden. Het heeft geen zin om te rationaliseren en te zeggen dat ik toch niets had kunnen doen. Ik was klein en ziek door dezelfde griep die Moira's grootmoeder had geveld en ik kon de vreselijke gebeurtenissen die het lot voor haar in petto had, niet voorspellen. Ik sluit mijn ogen en zie oom Jim en de frêle Granny Anderson, te ziek om haar stervende echtgenoot te bezoeken. De klok van Westminster luidt... haar verwarring groeit omdat ze zich afvraagt waar Moira blijft. Hij moppert over de maaltijd, waarvan hij hoopte dat die zijn moeder zou verleiden. Hun gezamenlijke angst neemt toe, terwijl de sneeuwstorm aan felheid wint.

Ik denk na over de verwarde nichtjes die vertrokken waren zonder Moira, om uiteindelijk vruchteloos in de lange rij op zoek te gaan naar haar opvallende rode puntmuts.

Ik voel de toenemende pijn die erop volgde voor Janet, voor haar jonge zusje Marjorie, voor haar ouders en haar grootmoeder, terwijl ze samen met de andere geschrokken stadsbewoners langzaam tot zich lieten doordringen dat Moira niet meer thuiskwam. Het was een nachtmerrie die de mensen op verschillende manieren zou achtervolgen.

Haar grootmoeder herstelde nooit van de tweede klap van het overlijden van haar echtgenoot een week na Moira's verdwijning. De gezusters Anderson konden nadien nooit meer ergens alleen naartoe. 'Sparks' had alle vertrouwen verloren in de politie van Coatbridge. Maar Maisie kreeg de grootste klap. Zij dekte altijd de tafel met een extra bord, ze gaf de hoop nooit op. Op elke 31ste maart kocht ze een klein verjaardagscadeau. Gedurende twintig jaar bleef ze zoeken, ervan overtuigd dat er een plaatselijke connectie was, volhoudend dat haar meisje nooit met een vreemde mee zou zijn gegaan. Verpleegkundigen die haar verzorgden toen ze stierf, werden diep geraakt door haar voortdurende en hartverscheurende geschreeuw om Moira. Oom Jim trouwde nooit, want omdat hij het laatste familielid was dat Moira had gezien, wist hij dat sommigen het hém kwalijk namen. Hij had van zijn nichtje gehouden en zou haar nooit pijn hebben gedaan.

En ik was een van de vele kinderen die van de ene op de andere dag beknot werden in hun vrijheid. Er waren nu geen nare dreigementen meer nodig om kinderen op wintermiddagen naar binnen te roepen, of op lange zomeravonden. Een hele generatie hoorde: 'Ga niet te ver weg. Vergeet niet wat er met Moira Anderson is gebeurd.'

Moira was iemand die ik niet tegen mijn vader had kunnen beschermen.

Janet, Elizabeth, haar vriendin en ik blijven allemaal hangen op 'Stel dat'-herinneringen. *Stel dat ik niet bij mijn familie op bezoek was gegaan... Stel dat ik haar bij het boodschappen doen gezelschap had gehouden... stel dat ze Glen, de collie, had meegenomen... stel dat ze mijn vader niet had ontmoet... dan zou ze er nog steeds zijn.*

De consequenties van mijn vaders daden en die van zijn maten, zijn voor twee families ontelbaar.

Janet zat met haar gezin naar de opening te kijken van de 2003 Rugby World Cup in Sydney, toen er weer een telefoontje kwam dat haar leven op zijn kop zette.

Ze was ontsteld bij het idee dat drie mannen haar zusje hadden misbruikt, maar de mogelijkheid dat Moira zwaar verdoofd was geweest, bood haar misschien een kruimeltje troost.

'Chloroform?' Ze was verbijsterd. 'Waar zou je vader dat vandaan hebben gehaald?'

'Bij een tandarts, of een dierenarts? Misschien hadden andere leden van de kring toegang tot drugs,' zei ik. 'Ze gebruikten chloroform in een PDSA-wagen naast het Regal voor zieke dieren. We gingen toen niet naar dierenartsen – dat was veel te duur. Mijn granny stuurde me daar naartoe met haar kat Darkie.'

'Is dit het laatste stukje van de legpuzzel?' huilde Janet. 'Ik bid tot God dat dít aan alles een eind zal maken. We vroegen ons af of er nog meer slachtoffers naar voren zouden komen. Stel je voor, een doorbraak dankzij een andere veroordeelde overtreder! Kunnen we die Keil vertrouwen?'

'Nou, hij heeft het grootste deel van zijn negenjarige vonnis uitgezeten. Ik heb hem opgezocht – er is hier geen sprake van chequeboekjournalisme. En hij is een Hooglander, totaal onbekend met de Monklands, dus de plaatselijke verwijzingen in deze bekentenis moeten van Gallogley komen.'

'Maar Gallogley stierf in 1999! Waarom komen we er verdorie nu pas achter?'

'Zit je?'

Ik had haar zoon al gezegd een straffe borrel naast haar neer te zetten.

'Gallogley schreef: "De mensen zullen zich afvragen waarom ik het eerlijk beken... het is niet bedoeld als een verzoek om vergeving, maar om te proberen weer goed te maken wat ik en andere mensen deze kinderen hebben aangedaan. Ik heb onlangs brieven gekregen, wat wel vaker is gebeurd, waarin ze me naar vermiste kinderen vragen, en ik denk dat dat een heel goede reden is om in het openbaar te treden. Ik ben een enorme klootzak en dat is precies wat de mensen in Coatbridge hebben gezegd. Maar wat ze niet weten, is dat er anderen zijn die nog ergere dingen doen dan ik."'

Ik haalde diep adem. 'Janet, Keil schreef vanuit Peterhead aan het Schotse ministerie van Justitie. Hij trad niet in detail, maar vertelde hun dat hij een volledige bekentenis wilde afleggen. Ze weigerden hem te ontvangen.'

'Waat?'

'Ongelooflijk, ze hebben vijf verzoeken van Keil om een gesprek afgewezen. We hebben tot nu moeten wachten tot Keil werd vrijgelaten, en alles zelf openbaar maakte.'

'Dit stinkt! Wederom een doofpotaffaire, dat kan niet anders. Welke namen worden beschermd? Ik heb altijd gezegd: "Wie ként jouw vader?" Zijn het de vrijmetselaars?'

'Ik heb geen idee. Ik kan me niet voorstellen dat het ministerie van Justitie elke week misdadigers heeft die alles op hun sterfbed willen opbiechten,' zei ik vermoeid. 'Ze hadden de politie van Strathclyde gemakkelijk kunnen vragen om het te controleren. Jim McEwan is pas onlangs met pensioen gegaan – '

'Hij zou er meteen bovenop zijn gesprongen. Wordt het onderzoek heropend?' Ze klonk verdrietig maar ook optimistisch.

'Ja. Misschien andere ook. De politie vertelde me dat Gallogley zes andere moorden heeft genoemd. Moira is het enige kind dat ooit in de Monklands is verdwenen. Misschien zijn het weglopers uit andere delen van het Verenigd Koninkrijk. Hij heeft het over Fred West, in de jaren zestig, toen hij in Coatbridge woonde en met Rena Costello trouwde... weet je nog dat ik haar kende als kind? Rena was een conductrice die bij alle chauffeurs bekend was, haar dochter Charmaine was het kind van een Aziatische chauffeur. Zij en Fred kochten een huis in Glasgow en toen bracht hij hen allebei om toen ze naar Gloucester verhuisden, zijn geboortestreek.'

'Het klinkt allemaal afschuwelijk. Je vader, Gallogley, Fred West, ze woonden allemaal in de buurt en maakten allemaal deel uit van dezelfde kring – zo georganiseerd!' riep Janet. 'Moira's lichaam moet gevonden worden. Mijn ouders zijn begraven op een plek waar nog ruimte is voor haar. Maar als dit nergens toe leidt, wil ik niet dat het nog een keer aan de oppervlakte komt.'

'Ze moeten Moira's onderzoek nu in ieder geval opwaarderen naar een moordonderzoek.'

'Je vader moet weer verhoord worden. Dit is nieuw bewijs! Die televisiedocumentaire zou zo anders zijn uitgepakt als we dit hadden geweten! Je vaders eigen vader beschuldigde hem en zocht naar Moira's lichaam. Jij ging naar de politie en schreef toen een boek. Twee van zijn nichtjes beschuldigden hem van misbruik in *Cutting Edge*, wat hij heeft toegegeven. En nu heeft zijn vriend een ooggetuigenverslag gegeven van wat er echt is gebeurd! Wat hebben ze nog meer nodig?' Ze zei dat ze Steve Smith op ging bellen. Ik zei dat ik dacht dat hem een enorme onthulling te wachten stond.

'Afschuwelijke geheimen van moord op Moira' was inderdaad voorpaginanieuws, en dat bleek dus mijn leesvoer te zijn voor de vakantie. Er stond een foto bij van mijn vader als jonge soldaat. Toen lieten ze hem zien toen hij zeventig was, en boos voor zijn torenflat in Leeds stond. Er was een foto van Witchwood Pond, waar de bomen zich dreigend in spiegelden. De lezers van de *Mail on Sunday* konden de sombere atmosfeer van die plek bijna voelen door alleen maar naar een foto te kijken. Er was het bekende lachende portret van Moira van Coatdyke Primary, een foto waarvan haar familie nooit zou hebben gedacht dat hij vijftig jaar later in een krant zou worden afgedrukt. Verder een portretfoto van Jim Gallogley, met een zilveren vetkuif net als Tony Curtis toen hij als jongeman zijn acteercarrière begon. Er kwam een flard van een herinnering boven, en zijn stem dreef naar me toe. Hij neuriede een oude hit tijdens *Two Way Family Favourites* in onze keuken, 'Pickin'a Chicken'. Hij was een konijn in stukken aan het verdelen om Mary een plezier te doen.

Eindelijk zag ik daar mijn foto, met mijn reactie eronder.

'Ik heb altijd gehoopt op een sterfbedbekentenis. Dit is net alsof er iemand over mijn graf loopt.'

Zelfs in de hete Griekse zon zat ik vreselijk te rillen. Ja, ik had gekregen wat ik wilde, maar niet uit de bron waar ik op had gehoopt. Maar zou justitie nu dan eindelijk bij mijn vader op de deur kloppen?

Het draaide nu maar om één simpel ding en dat was Janet met me eens. De beurt was nu aan het Schotse rechtssysteem om wederom te besluiten of ze hem nogmaals zouden verhoren, of dat ze de zaak voor altijd zouden afsluiten. *Geen verdere actie.*

In het voorjaar van 2004 begon in België het proces tegen Marc Dutroux. Twee slachtoffers wonnen respect omdat ze de confrontatie met de pedofiel in de rechtbank durfden aan te gaan. Na jaren dubben ging hij naar de gevangenis voor de ziekelijke misdaden die ook het werk waren van een kring, en niet slechts één man.

Ik trof de officier van justitie in Airdrie, die me beloofde de locatie die Gallogley in zijn bekentenis had genoemd, te laten onderzoeken.

Maar acht maanden later vertelde de politie aan Janet dat er geen redenen waren om de hoofdverdachte aan te klagen en dat ze geen toestemming hadden gekregen om Alexander nogmaals te verhoren. Waarschijnlijk werd er niemand aangeklaagd. Moira zou een 'vermiste persoon' blijven. Ze vroeg naar de plek waar

Moira mogelijk zou liggen. Experts hadden daar een haalbaar-
heidsonderzoek verricht, vertelde men haar, maar die zeiden dat
het 'onmogelijk' was om iets te vinden omdat het land daar zo
was veranderd.

'Dus er vindt ook geen opgraving plaats.' Janet was kapot. 'Zij
vinden het tijdverspilling en dat het te veel geld kost. Wanneer
krijgen we nou eens een doorbraak?'

ZEVEN JAAR LATER

De doorbraak kwam uit een onverwachte hoek, maar niet voor het voorjaar van 2005, toen Janet tot haar grote schrik te horen kreeg dat de gemeente Europese ondersteuning had gekregen om een natuurreservaat aan te leggen om zeldzame orchideeën te beschermen.

'Mijn god!' zuchtte ze, toen ik haar vertelde over gravers die ik dicht bij het stroompje had gezien. 'Ze kunnen geld krijgen om zeldzame planten te beschermen, maar er is verdomme geen cent beschikbaar om mijn zuster te zoeken. Hoe zit het met *kinder*bescherming?'

Het Schotse wetsontwerp aangaande de vrijheid van informatie werd een wet, en daarom dienden we een verzoek in om Gallogleys geschreven bekentenis te mogen zien. Het was onvermijdelijk, maar de politie van Strathclyde wees ons verzoek twee keer af. In het begin van 2006 zaten we te wachten of ons verzoek aan de hoofdcommissaris iets zou opleveren. Ze zeiden dat ze misschien in februari tot een besluit zouden komen. Er gebeurde niets.

In plaats daarvan werd mijn vader in Leeds opgenomen in het ziekenhuis.

Toen, op 22 maart, ontving ik opeens een nogal hoogdravende e-mail, die me vertelde dat Alexander Gartshore niet veel tijd meer had. Ik vroeg me af of het een grap was. De afzender, ene Jared, beweerde mijn vaders vriend te zijn. Hij leek niet vertrouwd met een computer, dus het was mogelijk dat hij oud was. Maar hoe was hij achter mijn adres gekomen? Hij wilde anonimiteit, maar zei dat als ik de waarheid wilde weten over Moira, ik moest gaan. De familie had te horen gekregen dat 'ze op alles voorbereid moest zijn' en ze hadden anderen gewaarschuwd vooral niet te vertellen dat Alex in het ziekenhuis lag.

'Er is niet veel tijd meer. Dat hij in vrede moge rusten en dat jij krijgt wat je hebben wilt,' zei hij.

In plaats van antwoord te geven op dit cryptische bericht, besloot ik de verkiezingslijsten in West Yorkshire te raadplegen. Jared bestond echt. Ik belde de ziekenhuizen en kwam erachter dat Alexander in het St. James's lag, op de intensive care. De verpleegkundige die ik aan de lijn kreeg, was heel behoedzaam. Wie was ik eigenlijk?

'Zijn dochter.'

'O, praat u dan maar met uw moeder over zijn toestand. Zij is naaste familie.'

'Dat is niet mogelijk. Mijn moeder is al elf jaar dood.'

'O, sorry, lief! Dan zult u met zijn tweede vrouw moeten praten.'

'Eigenlijk is ze zijn derde vrouw. Kan hij zelf überhaupt praten?'

'Nou, hij is heel erg ziek en krijgt zuurstof toegediend voor het vocht in zijn longen, maar hij kan praten – wilt u hem aan de lijn hebben?'

'O, nee,' zei ik snel. 'We hebben al dertien jaar niet met elkaar gesproken. Ik zou het op prijs stellen als u niets over mij wilt vertellen. Ik wil geen nare toestanden met zijn vrouw.'

'Goed, lief, wat u wilt. Maar als u komt, u hebt rechten, hoor. U bent een bloedverwant en hoewel zij de naaste familie is, als u vader zegt dat hij met u wil praten, kan ze daar niets tegen doen. Dat is helemaal aan hem.'

Ik zag mijn broers de volgende dag. Beiden brachten hun bezorgdheid onder woorden wat de e-mail betrof en hoe deze me had bereikt. Maar toen ik zei dat Jareds informatie waar was en dat onze vader op sterven lag, bespraken we alle implicaties. Noch Norman noch Ian wilde hem zien. Maar ik wel.

Toevallig hadden Ronnie en ik een reis van een week naar Londen gepland, vanaf vrijdag 24 maart. We spraken af het ziekenhuis vanaf de M6 te bellen, en als mijn vader dan nog steeds in kritieke toestand was, via Leeds te rijden. Ik belde Janet niet op. Het was mogelijk dat hij me niet eens wilde zien.

We vertrokken achtenveertig uur na de ontvangst van de vreemde e-mail. Mijn broers adviseerden me deze mysterieuze Jared te bedanken, en dat deed ik vlak voordat we weggingen.

Na een afschuwelijke rit arriveerden we bij het St. James's Hospital. De heidevelden waren bedekt met mist en het was al na vieren 's middags toen we het parkeerterrein van het complex op reden. De kamer van mijn vader bevond zich vlak naast de verpleegsterspost van Zaal 8, wat zijn slechte toestand alleen maar bevestigde. Ik zei 'nee' tegen de verpleegkundige die me naar binnen wilde duwen. Er was iemand bij hem. Ik legde haar uit dat ik niet bepaald zeker was van mijn vaders reactie. Zou ze willen vragen of ik binnen mocht komen?

Als hij zou weigeren me te zien, zou ik weggaan, want ik wilde de deur niet dichtdoen voor Janet.

De verpleegster kwam terug, verward, maar professioneel. Mijn vader was erg geschrokken en had in eerste instantie nee gezegd, maar zijn vrouw had hem overgehaald en gezegd dat het misschien goed was om vrede met mij te sluiten omdat ik helemaal uit Schotland was gekomen. Maar hij wilde wel dat ze erbij bleef.

Ik zei dat ik haar dankbaar was, maar dat dit een onafgewikkelde zaak tussen twee personen was. Ik had haar nog nooit ontmoet. Omdat mijn echtgenoot, die mijn vader nog nooit had ontmoet, bereid was buiten in de gang te wachten, was zij misschien bereid hetzelfde te doen?

De verpleegkundige snapte er niets van en ging naar binnen. Toen ze terugkwam, vertelde ze me dat Alex me alleen wilde zien. Ik volgde haar en ze bracht me in herinnering mijn mobiele telefoon uit te zetten, die ik in mijn hand had.

'Dank u,' zei ik, en zette de kleine dictafoon aan die ik die ochtend voor mijn vertrek had geleend. Ik had geen idee wat er zou gebeuren, en ik wist ook niet of ik al te laat was. Het leek me wel dat als er iets werd gezegd wat ons kon helpen om Moira te vinden, dat absoluut vastgelegd moest worden.

De verpleegkundige waarschuwde me dat ik misschien zou schrikken van wat Alex' ziekte met hem had gedaan. Maar toen ik de kamer inliep, was mijn eerste indruk die van een oude man die naast zijn bed zat en die met een zuurstofapparaat verbonden was. Hij lag niet, hij zat en was nog steeds heel erg lang.

Mijn hart klopte in mijn keel. Zijn ogen waren ondoorgrondelijk.

Mensen die op hun sterfbed liggen jagen me altijd angst aan en dat komt vooral doordat ze net zo wit zijn als hun omgeving. Dat was niet het geval met mijn vader. Hij had geen gezonde kleur, maar hij zag er redelijk uit en op het dienblad naast hem lag half opgegeten voedsel. Voor een man wiens dochter hem in een boek had beschuldigd van moord, keek hij me erg kalm aan. Hij wenkte me dichterbij te komen. Ik zette de stoel bij het voeteneind van het bed, zodat het dichtbij was, maar niet té dichtbij.

De verpleegkundige vertelde hem op het knopje te drukken als hij van streek was. Hij haalde zijn schouders op.

Ik zag dat zijn voeten waren opgezwollen en onder de vlekken zaten. Zijn bloedcirculatie was het aan het opgeven, dacht ik, toen hij me begroette met een zwaai van zijn hand.

Het was een surreëel gevoel. Ik legde de dictafoon openlijk op de vensterbank en zette mijn tas op de grond. Ik veegde de tranen van mijn wangen. Ik ergerde me eraan want ze kwamen nergens vandaan. Ik herinnerde me nog heel goed de laatste keer dat we in Leeds met elkaar hadden gesproken, toen ik hem samen met Marion Scott opzocht, en hij aan haar had toegegeven dat hij problemen had. Een of andere drang, had hij gezegd, die hem al zijn hele leven achtervolgde. Iets waar hij niets aan kon doen. Mijn woorden kwamen terug. *Pa, je bent er niet klaar voor dat de waarheid nu aan het licht komt, maar je weet dat het toch moet gebeuren. Misschien niet deze week of deze maand, maar het moment zal komen.*

'Pa,' zei ik, tussen heftige snikken door, 'je weet waarom ik hier ben.'

Hij knikte. Om het ijs te breken liet ik foto's zien van mijn twee kleinkinderen. Hij verzekerde me dat hij geen bril nodig had. Terwijl ik probeerde mijn emoties weer onder controle te krijgen, vertelde ik hem dat hij overgrootvader was. De kleine baby op de foto was net ter wereld gekomen en hij ging die nu verlaten, zei ik. Deze ontmoeting was niet om hem lastig te vallen, maar om vrede te sluiten.

'Ja. Dat wil ik. Echt waar. Ik meen het,' zei hij met ogen vol tranen.

Vreemd genoeg veranderden onze rollen naarmate het uur verstreek. Terwijl hij aan het begin heel beheerst was geweest, veel meer dan ik, veranderde dat. Nog steeds verbaasd dat hij me had willen zien, schrok ik weer toen hij het was die Moira ter sprake bracht.

'Weet je, Sandra, dat ik dat kleine meisje nooit heb aangeraakt... ik heb haar zelfs nooit gezien. Ik zag wel dat ze uit mijn bus stapte...'

Hij stortte in en huilde nog steeds toen de verpleegkundige hem kwam vragen of hij melk wilde.

Terwijl zij een glas melk haalde, toverde ik andere foto's tevoorschijn en liet hem er een zien van mijn moeder, wat een glimlach teweegbracht; toen een van hem in zijn legeruniform van de Royal Artillery.

'Tank Corps,' herhaalde hij. Toen knipoogde hij. 'Ziet er heel goed uit.'

'Ach, je was een knappe vent toen je jong was.'

'Dat is nu allemaal voorbij.' Er klonk spijt door in zijn stem toen hij Mary's foto aanraakte. 'Mooi.'

Ik vatte de koe bij de hoorns en vertelde hem dat hij haar afschuwelijk had behandeld. De shock tekende zijn gezicht toen ik hem vertelde dat er sinds de publicatie van *Het einde van de onschuld* heel wat onplezierige familiegeheimen waren onthuld.

Ik had de volledige waarheid ontdekt over zijn relatie met Isa, de zus van zijn moeder.

Granny Jenny's jongste zus was drie jaar ouder dan hij en ze was niet ontsnapt aan zijn aandacht. Het was heel goed mogelijk, ondanks het leeftijdsverschil, dat zij ook een slachtoffer was geweest. Maar nu wist ik dat hij haar twee kinderen had geschonken voordat hij met mijn moeder was getrouwd, die in alle onwetendheid naast hem naar het altaar was gelopen.

De arme Mary had jaren later uitgedokterd dat de vader van Isa's onwettige zoon en dochter niet een of andere vermiste soldaat was, maar Alex, haar eigen echtgenoot.

Maar na hun huwelijk had hij een langdurige affaire gehad waar nog twee kleine meisjes uit voortgekomen waren, die allebei in een tehuis werden geplaatst om geadopteerd te worden. Mijn moeder had niet eens geweten dat ze bestonden.

Ik zou dat ook nooit hebben geweten, ware het niet dat een vrouw die mijn boek had gelezen, me belde op mijn vijfenvijftigste verjaardag om uit te leggen dat we 'misschien familie van elkaar' waren. Zodra ik haar ontmoette, voordat ze haar adoptiepapieren liet zien, wist ik intuïtief dat ze de waarheid sprak, want de gelijkenis met mijn vader en zijn tante Isa, die lang geleden was overleden, was heel groot. Ik reageerde alsof ik een geest had gezien.

Het enige wat ze wilde, waren antwoorden. Die kregen we toen we een DNA-test lieten doen en toen schreef ze naar het adres in Leeds dat ik haar had gegeven. Mijn vader antwoordde nooit, maar nu liet ik hem weten dat we het allebei wilden afsluiten.

'Wat jij haar hebt laten doormaken, pa, verdiende Mary niet,' zei ik. Hij was het met me eens. 'Ze kwam achter jou en Isa. Het deugde niet! Ze voelde zich altijd tweede keus omdat Isa zo mooi was.'

'Ja.' Hij knikte heftig.

Ik schudde mijn hoofd. Het was moeilijk te geloven dat ik er meer dan vijftig jaar voor nodig had gehad om erachter te komen dat ik drie halfzusters had in Schotland. Ik had ook een halfbroer in Engeland die ik nooit zou leren kennen omdat hij in 2000 was overleden. Mijn vader keek zeer geschokt toen ik hem dit vertelde en ik legde uit dat een zoon van deze halfbroer contact met me had gezocht, dankzij het internet.

'Dus je bent echt als Jakob in de Bijbel, pa. Het zijn net de

twaalf stammen van Israël. Vier van Isa (hij stak vier vingers op), vier van Mary, onder wie Catherine die slechts zes dagen heeft geleefd (hij deed weer hetzelfde), en hoeveel van Pat?'
'Drie. Drie jongens.'
Elf kinderen. Dat zijn althans de kinderen van wie we het weten, dacht ik. Ik wees naar Mary's foto en vertelde hem dat zij hem had vergeven. Toen ik Moira's foto pakte, deinsde hij terug. 'Zij heeft je ook vergeven. Mary vertelt me dat Moira alle andere mannen die hierbij betrokken waren, ook heeft vergeven. Ik weet dat het nooit je bedoeling is geweest om iemand kwaad te doen. Jullie waren met zijn drieën. Wat er ook gebeurd is, het is tijd om schoon schip te maken. Je hebt nog maar een paar dagen.'
Mijn vader begon te trillen. Ik zei dat mijn moeder geen wrok tegen hem koesterde, en het was duidelijk dat hij niet voor de rechter zou verschijnen of de gevangenis in moest, maar dat hij zijn daden tegenover een veel hogere macht zou moeten verklaren. Jim Gallogley had vijftien vellen vol geschreven.
'Dit is tussen jou en mij. Je hebt niet lang meer – ik wil dat je in vrede kunt rusten. Wist je dat hij alles heeft opgeschreven?'
'Ja.' Hij rolde met zijn ogen, het was duidelijk dat het hem irriteerde dat Gallogley uit de school had geklapt.
'Hij heeft je niet van alles de schuld gegeven. Hij zei dat jullie met zijn drieën waren. Vergeet de politie en de rechtbank. Je staat op het punt deze wereld te verlaten en mama zegt dat ik je moet vergeven.'
'O, ja?'
'Omdat... het iets is wat gebeurd is en wat niet had mogen gebeuren.'
'Ja.' Hij verhief zijn stem en zei op klagende toon: 'En, Sandra, vergeef je me?'
Stilte.
Ik dacht terug aan het soort vader dat hij was geweest, de relatie die we hadden gehad. Ondanks alles wat ik tegen hem had gezegd, kon ik hem met geen mogelijkheid ook namens Moira vergeven, of namens zijn andere slachtoffers, maar ik vond het ook vreselijk om de kans dat hij eindelijk iets zou bekennen, voorbij

te laten gaan. Ik haalde diep adem en concentreerde me op het kleine meisje dat ik was geweest, en zijn verraad van haar.

'Ja, ja. Ik had niet gedacht dat ik ooit in staat zou zijn om dit tegen je te zeggen, maar ik vergeef je.' Ik slikte. Zijn gezicht vrolijkte op. 'Je wílde niet dat het zou gebeuren. Jim Gallogley zei dat het nooit je bedoeling is geweest.'

Mijn vader knikte heftig en leunde toen met een enorme zucht achterover in zijn stoel. 'Nee...'

Op precies dat moment werden we door de verpleegkundige onderbroken, toen ik eindelijk het gevoel had dat ik vooruitgang boekte. Ze bleef even hangen, bewonderde de foto's, en zag er een van mij toen ik tot Schotse van het Jaar werd benoemd. Zijn ogen vulden zich met tranen toen ik zei dat Jenny, zijn moeder, zo trots zou zijn geweest. Hij raakte helemaal de kluts kwijt toen ik Moira's foto pakte en hem het pamflet liet zien van de liefdadigheidsinstelling die ik in 2000 in haar naam had opgericht. De Moira Anderson Foundation. Ik vertelde hem dat ze niet vergeten zou worden; we hielpen nu honderden mensen die ook waren misbruikt.

'De mensen die pas echt een gevangenisstraf hebben uitgezeten, waren Moira's moeder en vader. Zij hebben nooit geweten wat er met haar is gebeurd.'

Toen stortte hij volledig in.

'Ben je blij dat je het nu eindelijk kwijt bent?' Ik gaf hem papieren zakdoekjes en hij knikte. 'Ja.'

Ik smeekte hem deze wereld niet te verlaten zonder voor ons de losse eindjes aan elkaar te knopen. Ook wij wilden het afsluiten. 'Pa, ik beloof je dat de mensen dit pas zullen horen als jij er niet meer bent. Ik moet weten waar ze is, voor haar zuster. Kun je ons iets vertellen wat zal helpen haar te vinden?'

De kleur verdween uit zijn gezicht, zijn ogen keken vol paniek naar de deur. Hij was weer terug in de ontkenningsfase.

'Helemaal niets. En ik heb je wat te vertellen – ik was er niet bij betrokken.'

Ik deed mijn ogen dicht. Misschien dacht hij dat er een politieman op de gang stond in plaats van Ronnie.

'Je kunt proberen alles weer recht te zetten voordat je gaat. Pa, dit is geen episode van *Taggart* of *The Bill*. Er staat hier niet binnen een minuut een agent binnen om een verklaring op te nemen. Maar je zult weinig plezier hebben aan gene zijde als je hier geen schoon geweten hebt. Dat is wat Gallogley heeft gedaan – hij heeft het allemaal opgeschreven. Hij was een slager in het leger en jij zat bij de tankdivisie. Maar ik weet dat hij er heel zeker van was dat Moira niet in stukjes is gehakt. Ze is nog steeds heel en we gaan haar vinden, pa.'

Hij keek me vol afgrijzen aan.

'Je kunt proberen alles goed te maken voordat je gaat. Gallogley had acht maanden de tijd om zijn geweten te zuiveren, jij hebt waarschijnlijk niet meer dan acht dagen. Als jij het mij niet kunt vertellen, hoe zit het dan met je vrouw? Zou je het haar kunnen vertellen?'

'Ja, misschien. O, ik wilde dat ik de dingen kon veranderen. Isa en die kinderen... Wat je moet begrijpen, Sandra, is dat we in die tijd niet veel vermaak hadden... geen televisie.'

'Hè?' Ik wist niet wat ik hoorde. Hoe kon mijn vader zijn gedrag verklaren door zoiets als excuus te gebruiken?

Hij keek naar Moira's foto alsof de foto op de een of andere manier bezeten was.

'Ze heeft me mijn hele leven achtervolgd. Ze was mooi, mooier dan goed voor haar was...'

De verpleegkundige kwam terug. Mijn vaders vrouw wilde me ontmoeten. Ik hield de foto vast en tikte erop.

'Het is vreemd dat je al die tijd geprobeerd hebt haar te vergeten,' zei ik, 'en ik ben er langer dan tien jaar mee bezig geweest om ervoor te zorgen dat ze niet vergeten zou worden. Moira zál niet vergeten worden.'

'Je bent net als een hond met een bot.'

'Maar je weet waarom, pa. Je weet waarom.'

'Ja, maar je kunt het verleden niet veranderen. Ik heb spijt van alles wat ik met dat kind heb gedaan.'

'Ik denk dat ik je op mijn manier ook heb achtervolgd. Sorry, maar het moest naar buiten komen. Dat moest gewoon.'

'Dat vergeef ik je.'

'Dat is goed. Het betekent dat ik door kan gaan met mijn leven en dat ik niet in deze situatie blijf vastzitten. Ik ben blij dat ik ben gekomen en dat we vrede hebben gesloten.'

'Ik voel me nu een stuk beter,' zei hij.

Ik bracht hem in herinnering dat we allemaal verantwoordelijk zijn voor onze daden, en dat als hij het gevoel had dat hij in een hel had geleefd, hij die hel zelf had gecreëerd. Als hij zich beter voelde door me wat dingen te vertellen, was het misschien een goed idee om zijn vrouw ook op de hoogte te brengen.

'Ik denk dat ik dat wel kan. Ze heeft me heel gelukkig gemaakt,' zei hij, toen ze binnenkwam. Ik stond op om weg te gaan.

Ze was heel aardig, zei dat ik niet weg hoefde, maar ik was uitgeput. Ik vertelde haar dat het een goede zaak was dat ze hem gelukkig had gemaakt. Misschien kwam het geluk pas bij de derde keer.

Ze straalde. Ze zei dat hij onlangs grootvader was geworden, een tweeling.

Leuk, zei ik, maar ik moet nu gaan.

'Hoe wist je dat hij hier was? Wie heeft je gezegd te komen?'

'Ik heb tegen pa gezegd dat ik volgens mij geleid werd,' zei ik voorzichtig. 'We hebben elkaar vergeven en vrede gesloten. Het wordt tijd dat ik ga, pa. Tot ziens. Je zult me niet meer terugzien.'

'Nou, het was goed dat je bent gekomen en Alex hebt gezien. Jij bent zijn enige dochter.'

Ik legde haar uit dat ik dat niet was. Ze was stomverbaasd en zei dat zijn tweede vrouw drie jongens had gehad, dus ik was absoluut zijn enige dochter.

'Nee, dat ben ik niet. Daar hadden we het net over. Ik ben zijn enige wéttige dochter. Er zijn er minstens nog drie van een vrouw die Isa heet. Nietwaar, pa?'

Mijn vaders gezicht was onbetaalbaar. Hij knikte instemmend.

'Mijn hemel. Dat heb ik nooit geweten.' Ze knipperde met haar ogen. 'Is dat waar, Alex?'

Hij antwoordde 'ja', en ze was verbijsterd en keek naar een jongeman die net de kamer inliep. Hij was de jongste van Pat, van dezelfde leeftijd als mijn eigen zoon, Ross, maar hij was vreemd genoeg mijn halfbroer. Ik herkende hem van Granny Jenny's begrafenis. Ik was opgelucht dat hij zijn tweelingbroers niet had meegebracht.

'Er zijn een heleboel dingen die mijn moeder ook nooit heeft geweten.' Ik wurmde me langs haar heen. 'En er zijn nog andere dingen die mijn vader je vertellen moet. Een heleboel dingen. Tot ziens, pa.'

Mijn vader had het een en ander verteld, maar niet genoeg. Het brak mijn hart, legde ik later uit aan Janet, dat hij niet de moed had gevonden om de hele kwestie af te wikkelen op zijn sterfbed.

Ronnie en ik waren naar Londen gegaan en ik kon mezelf er niet toe brengen om naar dat bandje met die stem erop te luisteren tot ik weer terug was. Ik liet wat berichtjes achter voor Janet, me niet realiserend dat ze niet thuis was en ze dus niet kon afluisteren. Toen kreeg mijn broer Norman een telefoontje van een van de zonen in Leeds. Alexander was op 1 april gestorven. Het was die ene tweelingbroer die dezelfde naam had als mijn vader. Er werden geen details genoemd of wanneer de begrafenis plaats zou vinden.

Ik schrok toen ik na die week mijn e-mails las en berichtjes vond van dezelfde tweelingbroer die eiste geïnformeerd te worden over het gesprek dat ik met onze vader had gehad. Wat had er zich precies tussen ons afgespeeld? Aanvankelijk negeerde ik hem, maar ik vroeg me af hoe hij achter mijn e-mail was gekomen. Er volgden nog meer berichtjes.

Ik wist helemaal niet meer hoe ik het had toen ik lange berichten aantrof van zijn tweelingbroer, Fraser, die ik ook nog nooit had ontmoet. Bij dit bericht zaten foto's van zijn kleine dochters. Hij schreef dat hij Leeds had verlaten en dat hij mijn vader na de publicatie van *Het einde van de onschuld* de rug had toegekeerd. Hij had via een eenzijdige akte zijn naam laten veranderen, was naar een ander land verhuisd en probeerde een carrière als schrijver op te bouwen. Zijn opmerkingen over mijn vader waren heel interessant. Hij had altijd het gevoel gehad dat hij 'niet zo onschuldig is als hij zich voordoet'. Vanwege persoonlijke redenen was hij teruggekeerd naar Leeds en hij wilde me laten weten dat mijn vader zijn kleine meisjes slechts enkele keren had ontmoet, 'altijd op een publieke plek, nooit alleen'.

De toon van deze helft van de tweeling was minder intimiderend, maar wel manipulerend, want hij had ook hetzelfde doel; wat was er precies gezegd bij het ziekenhuisbed? Wat er ook was gebeurd, zijn vader leek wat vrolijker, dus kon ik hem misschien vertellen wat de last had verlicht?

Omdat ik liever met geen van beiden enige correspondentie wilde beginnen, schreef ik een zeer kort berichtje waarin stond dat de ontmoeting privé was geweest, dat het niets te maken had gehad met hun moeder of met hen en dat ik hoopte dat de begrafenis goed zou verlopen, maar dat ik er niet bij zou zijn.

Voor Janet en mij brak daarna de hel los toen we allebei werden belegerd door de pers. Janet verliet Sydney waar Steve Smith haar van het nieuws op de hoogte had gebracht, nam haar dochter mee en ging naar Perth. Bij de liefdadigheidsinstelling in Airdrie werden de telefoons de hele dag in beslag genomen door journalisten en televisieverslaggevers en het was een opluchting dat we eindelijk konden praten. De arme Janet moest toen een paar dagen het ziekenhuis in, omdat de stress haar te veel was geworden.

Ik legde haar uit wat bij mij de grootste stress had veroorzaakt. Een journalist van de *Sun*, die me op dinsdag 4 april had gebeld. Ik zei, wat we ook de hele dag bij de instelling hadden gezegd, dat er geen commentaar werd gegeven, omdat de overledene nog niet was gecremeerd.

'Dat weet ik,' zei de journalist, 'maar ik dacht dat u misschien commentaar wilde leveren op een persbericht van uw halfbroer Marcus. U kent hem?'

'Nee,' zei ik verward. 'Wie is dat?'

'Hij heeft zijn naam veranderd. Hij is een beginnende auteur die zichzelf Marcus de Storm noemt.'

Het kwartje viel – dit was een van de tweelingbroers die een pseudoniem gebruikte.

'Hoe dan ook, dit bericht is vanavond door het hele Verenigde

Koninkrijk verspreid. Hij zegt dat hij u bij uw vader zag, op zijn sterfbed, en dat u hem om vergeving vroeg en zei dat u zich enorm had vergist in zijn betrokkenheid bij Moira Anderson – en dat hij u volledig heeft vergeven.'

'Wat! Ja hoor!' Ik smeet de hoorn trillend op de haak.

Janet was sprakeloos toen ik haar van deze dubbelhartigheid op de hoogte bracht. Ik had onmiddellijk een vriend gevraagd een verklaring af te leggen waarin alles wat door 'Marcus' werd beweerd, volledig werd weerlegd, maar het verzinsel verscheen de volgende dag nog steeds in de roddelbladen.

'Inderdaad een verontschuldiging! Geen wonder dat je woedend was!' riep Janet. 'Ik was ook woedend omdat Steve Smith precies wilde weten wat er was gezegd. Ik vertelde hem dat je me alleen had verteld van jullie ontmoeting en omdat ik vanwege mijn werk alles weet over vertrouwelijkheid, kon hij wat mij betrof de boom in als hij dacht dat ik hem ook maar iets zou vertellen over mijn zus.'

'Ik weet dat je hem niets hebt verteld, maar hij is gewoon het type dat dingen hoe dan ook publiceert.'

Janet stond ook versteld toen ik haar vertelde dat de stortvloed van e-mails was gestopt, maar dat de laatste onthulde wie 'Jared' was.

Ik zag mijn korte bedankje aan hem boven aan zijn bericht, toen volgde er een lange schimprede over drie zoons rondom het bed van hun vader, twee die zijn handen vasthielden, en nog een andere. In hoogdravende bewoordingen bedankte hij mij voor mijn bezoek en beschreef hoe we ons beiden hadden gevoeld bij het overlijden van 'deze grote man'.

Maar halverwege het verhaal veranderde opeens de toon.

'Als je sterk genoeg bent geweest om tot hier te komen, lees dan verder, Sandra. Je zult inmiddels wel geraden hebben dat ik Jared ben. Het spijt me dat ik je moest misleiden, maar ik wilde dat je kwam en ik kon niets anders bedenken.'

'Het is geschreven door een van de tweelingbroers, Fraser, ook bekend als Marcus de Storm,' zei ik. 'Ernstig gestoord, als je het mij vraagt, of gewoon dubbelhartig. Ik was bedrogen, maar het had een averechtste uitwerking. Ik was daar veel sneller dat hij had verwacht en ik kan bewijzen wie wat heeft gezegd. Het was een val. Wat hij aan de pers heeft verteld, was hoe hij het graag zelf had gezien, en daarom had hij geen belang bij wat zich in werkelijkheid afspeelde.'

'Maar de mensen zouden nog steeds kunnen geloven dat jij je vader je verontschuldigingen hebt aangeboden voor Moira. De hemel zij dank dat je het op de band hebt opgenomen. Iedereen moet weten wat er werkelijk is gebeurd!'

'En dat zal ook gebeuren. Daar ga ik voor zorgen zodra mijn vader gecremeerd is. Maar pas nadat zijn vrouw de kans heeft gehad om hem ter ruste te leggen. Zij heeft me niets aangedaan en als hij de moed heeft gevonden om alles aan haar te vertellen, zal ze daar misschien op een later tijdstip voor uit willen komen.'

Op paaszondag, zestien dagen na het overlijden, publiceerde Jacqui McGhie van het Schotse *News of the World* de waarheid, nadat ze naar het bandje had geluisterd. Dat artikel en een wat uitgebreider bericht in de *Sunday Times* door Gillian Bowditch, zorgden ervoor dat alle feiten nu keurig op een rij stonden en dat het verraad aan de kaak werd gesteld.

Ik stuurde exemplaren naar Janet en we bespraken hoe we verder moesten. Janet wist dat mijn tweede boek over de ongelooflijke reis zou gaan die ik had gemaakt sinds ik de liefdadigheidsinstelling met de naam van haar zus had opgericht. Ik had heel bijzondere mensen ontmoet, met de meest opmerkelijke verhalen, was zowel inspirerende individuen tegengekomen als de kwaadaardigste misbruikers.

Maar we sloten een pact. We gaven het niet op. Van de autoriteiten kregen we niets dan apathie en tegenwerking in onze queeste om Moira te vinden. Het zou ook in detail over ons gevecht vertellen om de uiteindelijke waarheid door middel van de Vrijheid van Informatie Wet boven water te halen, onze campagne om de dossiers van de pedofielen los te krijgen en het zou ook onze laatste pogingen beschrijven om Moira's stoffelijk overschot te vinden. Wíj waren bereid om onze speurtocht voort te zetten, zelfs als er maar weinigen bereid waren naar een klein kind te zoeken dat alleen maar de fout had begaan geld te verliezen in de sneeuw, en wier onschuld ervoor had gezorgd dat ze in mijn vader niet het ware gezicht van het kwaad herkende.